全九州水平社

創立100周年記念誌

『創立100周年　記念誌』出版に寄せて

100年前の1923（大正12）年５月１日、世界の労働者の祭典・メーデーを期して、現在の福岡市東公園にあった博多座で全九州水平社は創立され、各地に運動は拡大しました。その前年、全国水平社は京都市岡崎公会堂で創立され、運動は全国に燎原の火のごとくひろがり、全九州水平社創立大会にも九州外の全国水平社同人が参画しています。当時の新聞には、２千人の人々が結集し２百人の警官隊が警戒したと書かれています。

水平社は近代日本の被差別部落大衆が中心となって結成された、地域的・全国的な組織であり、あらゆる融和主義に反対し、人間の尊厳を守るべく部落差別を撤廃せんと、自主的な闘いによって、完全解放を勝ち取ろうとするものでありました。

全国水平社結成大会では、差別と迫害に苦しんできた６千部落、３百万人の被差別部落大衆が、「人の世に熱あれ、人間に光あれ」と宣言し、部落差別からの解放と人間解放に向けての闘いを開始した。「水平社宣言」が日本における最初の人権宣言であると言われる所以であります。水平社宣言とともに採択された綱領には「一．部落民自身の行動によって絶対の解放を期す　二．絶対に経済の自由と職業の自由を社会に要求し以て獲得を期す　三．我らは人間性の原理に覚醒し人類最高の完成に向かって突進す」とあります。

九州では全国水平社結成以前から被差別部落の人々による自主的な解放運動がありました。「解放令」以前からの農業への進出などです。1881（明治14）年の福岡、大分、熊本県にまたがる「復権同盟」結合規則の活動、1916（大正５）年「博多毎日新聞社事件」、松本治一郎先生を中心に結成され活動した「筑前叫革団」、「黒田三百年祭強制寄付反対運動」（1921・大正10年）などです。これらの運動が全国水平社結成の影響を受けた筑豊地域の人々と結びつき、全九州水平社は結成されたのです。そして創立当日、松本治一郎先生は権力による謀略もあり獄中にあったまま推薦され委員長となりました。結成大会当日、全国水平社宣言が読まれると共に、筑豊の柴田啓蔵氏作詞の解放歌（当時は水平歌）が、初めて歌われました。全国水平社第４回大会から松本治一郎先生がその中心となり、自然消滅するまで闘われました。

全国の水平社運動における、九州の影響は大きなものでした。全国水平社構成員の40～50％を占め、この記念誌に書かれているさまざまな闘いを進めて来ました。徳川家達（いえさと）辞爵勧告闘争（1924・大正13年）、福岡連隊差別糾弾闘争（1926～1927・昭和１～２年）、香川県・高松差別裁判糾弾運動（1933・昭和８年）などでの中心的な活動は九州水平社のメンバーでした。

日本軍国主義の激しい弾圧の中にあって、農民運動や労働運動とも三角同盟として連帯し、積極的に活動してきました。全農福佐（福岡佐賀）連合会（1928・昭和３年）の組合員の約70％を水平社同人は占めていたとも言われます。第二次世界大戦下で、あらゆる労働、農民、政党運動が出来なくなり、全国水平社は解散届を出さず法的には自然消滅しました。戦後の運動で松本治一郎先生は再び委員長となり、「世界の水平運動」の推進、部落解放の国策樹立、同和対策審議会答申（1965年）、特別措置法成立に向け活動されました。その後、上杉佐一郎委員長のもとに反差別共同闘争、反差別国際運動を展開してきました。

現在の日本は、国家主義が強くなり人権や民主主義運動が表面的に後退し、日本国憲法の改悪が行われようとしています。地球的な規模で環境・自然破壊が進み、ロシアのウクライナ侵攻など時代が大きく変化しようとしている時であります。部落解放運動は、「人権教育・啓発推進法」の制定・「部落差別解消推進法」へと深化しています。民主主義と平和を願い、100年間の部落解放運動の原点を踏まえ、戦争に反対し反差別共同闘争を進める必要があります。さらに部落差別をはじめとする一切の差別を許さないため、人権侵害救済制度を確立し、日本と世界の人権・平和・民主主義・環境確立に向け大きく前進する必要があります。

本著は、全九州水平社創立100周年を迎え、創立時の精神と闘いに学び、「人の世の熱と光」を求め、部落の完全解放、人間解放、人権社会確立に役立つことが出来ますよう、本日の記念集会に合わせて作成してきました。人権・同和教育、啓発を学校や企業、地域社会で推進するためにも座右の書となり活用されることを願っております。

最後に写真・史資料を快くご提供いただいた関係者の方々へお礼を申し上げますとともに、読者の皆様の今後のさらなる活躍を祈念いたしましてご挨拶といたします。

「部落解放・人権確立第42回全九州研究集会」実行委員会委員長　組　坂　繁　之
（部落解放同盟九州地方協議会議長・福岡県連合会委員長）

目次

○『創立100周年　記念誌』出版に寄せて　組坂　繁之 …… 1
○ 水平社宣言 …… 4
○ 写真記録　全国水平社の荊冠旗 …… 5

Ⅰ. 全九州水平社の源流と全国水平社

復権同盟・筑前叫革団 …… 6
全国水平社の創立大会〜第16回大会 …… 7
・第２回大会、第３回大会、第４回大会 …… 9
・第５回大会、第６回大会、第７回大会 …… 10
・第８回大会、第９回大会、第10回大会 …… 11
・第11回大会、第12回大会、第13回大会 …… 12
・第14回大会、第15回大会、第16回大会 …… 13

Ⅱ. 全九州水平社の闘いと戦後の解放運動

全九州水平社創立大会 …… 14
・第１回大会 …… 15
・第２回大会、第３回大会 …… 16
・第４回大会、第５回大会 …… 17
第6回全九州水平社九州大会・全国水平社九州大会 …… 18
・第６回大会、1935年大会 …… 19
福岡連隊事件 …… 20
高松差別裁判 …… 21
農民運動（全国農民組合福佐連合会）・政治運動 …… 24
松本治一郎に来た手紙・戦後の解放運動をになった人たち …… 26
各地の「同和」教育に関する副読本 …… 28

Ⅲ. 全九州水平社の結成と闘い（1923年〜）

全九州水平社の創立 …… 29
少年少女・婦人水平社の活動 …… 30
九州各地水平社結成・水平運動の動き
・佐賀県水平社の結成 …… 33
・福岡県水平社の結成 …… 34
・熊本県水平社の結成 …… 35
・大分県水平社の結成 …… 36
・長崎県水平社の結成 …… 37
・鹿児島県の水平運動と農民運動 …… 38
・宮崎県の水平運動と農民運動 …… 39
朝鮮衡平社との連帯 …… 40
徳川一門へ辞爵勧告 …… 41
全国水平社第５回大会（福岡市開催） …… 43

Ⅳ. 水平社運動と闘争

福岡連隊差別糾弾闘争 …… 45
福岡連隊爆破陰謀事件 …… 47
生活権奪還の闘い …… 51
全国水平社第11回大会、再び福岡の地で開催 …… 54
あいつぐ差別事件（戦前） …… 56
高松差別裁判糾弾闘争 …… 59
全国水平社福岡県連合会大会 …… 64
松本治一郎、衆議院選挙 …… 65
融和事業完成十ヶ年計画（1936年〜1945年）・融和教育・同和教育 …… 67
全国水平社の解消 …… 69
『人民融和への道』と『国民同和への道』 …… 70

Ⅴ. 部落解放運動としての再出発（1945年〜）

部落解放全国委員会の結成 …… 72
松本治一郎公職追放反対運動 …… 74

部落解放全国委員会から部落解放同盟に……76
福岡市長選挙にかかわる差別事件……77

Ⅵ. 部落解放運動のさまざまな闘い(〜1964年)
三井三池闘争と解放運動との連帯……78
炭鉱閉山から鉱害復旧闘争……82
識字運動……84

Ⅶ. 国策樹立運動と同和対策審議会答申(1965年〜1974年)
国策樹立請願運動……85
同和対策審議会答申……86
松本治一郎の永眠……87
同和対策事業特別措置法の制定……89

Ⅷ. 部落解放に向けた各地の歩み
九州各地の「同和」教育研究協議会の設立……90
全国統一応募用紙と進路保障……94
狭山差別裁判反対闘争……95
あいつぐ差別事件(戦後)……96
隣保館活動……98
各地の「部落解放(史)研究会(所)」等の設立……99

Ⅸ. 部落解放に向けて拡がる輪
部落地名総鑑差別事件……105
企業内同和問題推進協議会の結成……106
部落解放共闘会議の結成……107
「同和問題」にとりくむ宗教教団連帯会議……108
「橋のない川」「夜明けの旗」上映運動……109
反差別国際運動(IMADR)の結成とネルソン・マンデラさん来日歓迎集会……110
インド被差別民の解放運動と手を結ぼう……111
各地の同和地区実態調査と人権意識調査……112
同和地区学力調査……116
狭山事件を考える市民・住民の会……118
反戦・反核の闘い(平和フォーラム)……119

Ⅹ. 自治体と連携した部落解放運動
「人権教育のための国連10年」と各自治体の行動計画……120
「部落解放基本法」制定要求運動……121
部落解放全九州研究集会から人権社会確立全九州研究集会へ……123
「人権教育・啓発推進法」の制定……124
高等学校部落解放研究会……125
解放保育・就学前教育……126
部落出身教職員の会……127

Ⅺ. 人権の世紀をめざして
人権の世紀をめざして……128
「人権三法」の成立……129
映画「SAYAMA　見えない手錠をはずすまで」/映画「破戒」上映運動……130
全九州水平社創立100周年を迎えて……131

Ⅻ. 水平社・部落解放運動の先駆者・指導者たち
解放の父・松本治一郎……132
冬来たりなば　春遠からじ・井元麟之……134
全国水平社創立大会参加・田中松月……135
解放歌作詞者・柴田啓蔵……136
生涯一筋・上杉佐一郎……137
○ 年表に見る全九州水平社・部落解放運動の歴史①②……138
○ 参考文献……160
○ 解放歌(水平歌)……161
○ 全国水平社創立宣言の歴史認識に関する中央本部見解……162

宣言

全國に散在する吾が特殊部落民よ團結せよ。

長《なが》い間虐《あいだいぢ》められて來《き》た兄弟《きやうだい》よ、過去半世紀間《かこはんせいきかん》に種々《しゆじゆ》なる方法《はうはふ》と、多《おほ》くの人々《ひとびと》によつてなされた吾等《われら》の爲《た》めの運動《うんどう》が、何等《なんら》の有難《ありがた》い効果《かうくわ》を齎《もた》らさなかった事實《じじつ》は、夫等《それら》のすべてが吾々《われわれ》によつて、又《また》他《た》の人々《ひとびと》によつて毎《つね》に人間《にんげん》を冒瀆《ばうどく》されてゐた罰《ばち》であつたのだ。そしてこれ等《ら》の人間《にんげん》を勦《いたは》るかの如《ごと》き運動《うんどう》は、かえつて多《おほ》くの兄弟《きやうだい》を堕落《だらく》させた事《こと》を想《おも》へば、此際吾等《このさいわれら》の中《うち》より人間《にんげん》を尊敬《そんけい》する事《こと》によつて自《みづか》ら解放《かいはう》せんとする者《もの》の集團運動《しうだんうんどう》を起《おこ》せるは、寧《むし》ろ必然《ひつぜん》である。

兄弟《きやうだい》よ、吾々《われわれ》の祖先《そせん》は自由《じいう》、平等《べうどう》の渇仰者《かつかうしや》であり、實行者《じつかうしや》であつた。陋劣《ろうれつ》なる階級政策《かいきふせいさく》の犠牲者《ぎせいしや》であり男《をとこ》らしき産業的殉 教者《さんげふてきじゆんけうしや》であつたのだ。ケモノの皮剥《かはは》ぐ報酬《はうしう》として、生々《なまなま》しき人間《にんげん》の皮《かは》を剥《は》ぎ取《と》られ、ケモノの心臓《しんざう》を裂《さ》く代價《だいか》として、暖《あたたか》い人間《にんげん》の心臓《しんざう》を引裂《ひきさ》かれ、そこへ下《くだ》らない嘲笑《てうせう》の唾《つは》まで吐《は》きかけられた呪《のろ》はれの夜《よ》の悪夢《あくむ》のうちにも、なほ誇《ほこ》り得《う》る人間《にんげん》の血《ち》は、涸《か》れずにあつた。そうだ、そして吾々《われわれ》は、この血《ち》を享《う》けて人間《にんげん》が神《かみ》にかわらうとする時代《じだい》にあうたのだ。犠牲者《ぎせいしや》がその烙印《らくいん》を投《な》げ返《かへ》す時《とき》が來《き》たのだ。殉教者《じゆんけうしや》が、その荊冠《けいくわん》を祝福《しゆくふく》される時《とき》が來《き》たのだ。

吾々《われわれ》がエタである事《こと》を誇《ほこ》り得《う》る時《とき》が來《き》たのだ。

吾々《われわれ》は、かならず卑屈《ひくつ》なる言葉《ことば》と怯懦《けふだ》なる行爲《かうゐ》によつて、祖先《そせん》を辱《はづか》しめ、人間《にんげん》を冒瀆《ぼうどく》してはならぬ。そうして人《ひと》の世《よ》の冷《つめ》たさが、何《ど》んなに冷《つめ》たいか、人間《にんげん》を勦《いたは》る事《こと》が何《な》んであるかをよく知つてゐる吾々《われわれ》は、心《こゝろ》から人生《じんせい》の熱《ねつ》と光《ひかり》を願求禮讃《ぐわんぐらいさん》するものである。

水平社《すゐへいしや》は、かくして生《うま》れた。

人《ひと》の世《よ》に熱《ねつ》あれ、人間《にんげん》に光《ひかり》あれ。

大正十一年三月三日

全國水平社創立大會

（水平社パンフレット「よき日の爲に」より）

写真記録　全国水平社の荊冠旗

全国水平社総本部　［部落解放同盟中央本部蔵］

解放の父・松本治一郎先生

全国水平社熊本県連合会本部　［部落解放同盟熊本県連合会蔵］

朝倉郡水平社旗　［部落解放同盟福岡県連合会朝倉地区協議会蔵］

全国水平社福岡県城ノ原支部　［部落解放同盟福岡県連合会城ノ原支部蔵］

全国水平社熊本県白旗支部　［部落解放同盟熊本県連合会甲佐支部蔵］

荊の冠を図案化した水平社旗。水平社運動の象徴。敗戦後、継承して部落解放全国委員会旗。さらに部落解放同盟旗になった。部落解放運動のあるところ必ずその先頭に立つ。全国水平社（以下：全水）の創立に参画し、日本の人権宣言といわれる水平社創立宣言の起草者である西光万吉の考案。

Ⅰ．全九州水平社の源流と全国水平社

復権同盟・筑前叫革団

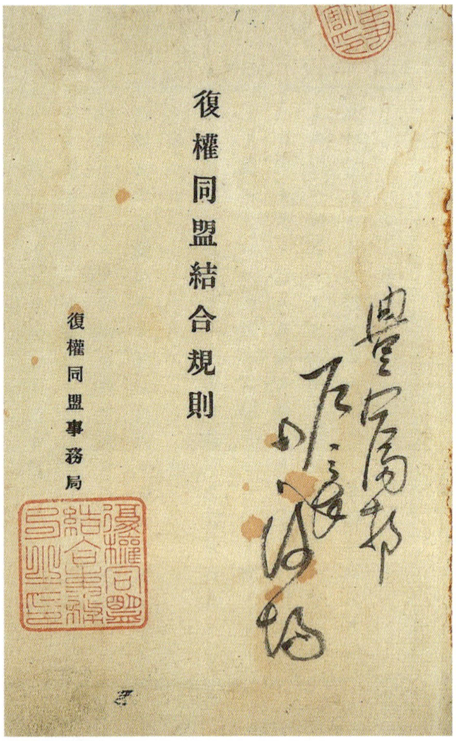

復権同盟結合規則

復権同盟事務局

復権同盟結合規則　表紙　［（公社）福岡県人権研究所蔵］

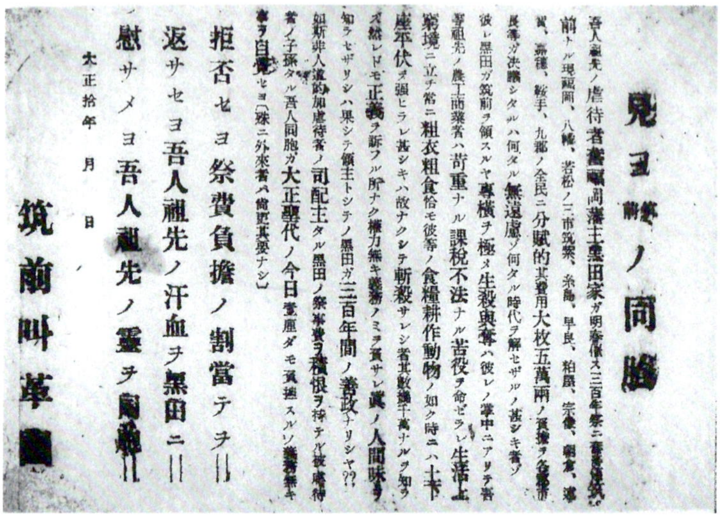

見ヨ[illegible]ノ同胞

吾人祖先ノ虐待者[illegible]黒田家ガ[illegible]三百年祭[illegible]
前ナル現福岡、八幡、若松ノ三市筑紫、糸島、早良、粕屋、宗像、[illegible]、遠
賀、嘉穂、鞍手、九郡ノ全民ニ分賦的其費用大枚五萬兩ノ負擔ヲ各[illegible]
長等ガ決議シタルハ何タル無遠慮ゾ何タル時代ヲ解セザルノ甚シキ者ゾ
彼レ黒田ガ筑前ヲ領スルヤ專横ヲ極メ生殺與奪ハ彼レノ掌中ニアリテ吾
等祖先ノ農工商業者ハ苛重ナル課税不法ナル苦役ヲ命ゼラレ生活上
窮境ニ立チ常ニ粗衣粗食恰モ彼等ノ食糧耕作動物ノ如ク時ニハ土下
座平伏ヲ强ヒラレ甚シキハ故ナクシテ斬殺サレシ者其數幾千萬ナルヲ知ラ
ズ然レドモ正義ヲ訴フル所ナク權力無キ[illegible]ノミヲ負サレ眞ノ人間味ヲ
知ラセザリシハ果シテ領主トシテノ黒田ガ三百年間ノ善政ナリシヤ??
如斯非人道的加虐待者ノ司配主タル黒田ノ祭事費ヲ積恨ヲ持テル被虐待
者ノ子孫タル吾人同胞ガ大正聖代ノ今日[illegible]ダモ負擔スルソ[illegible]無キ
事ヲ自覺セヨ（殊ニ外來者ハ尚更其要ナシ）

拒否セヨ祭費負擔ノ割當テヲ‼
返サセヨ吾人祖先ノ汗血ヲ黒田ニ‼
慰サメヨ吾人祖先ノ靈ヲ[illegible]‼

大正拾年　月　日

筑前叫革團

写真記録 全国水平社 部落解放同盟中央本部
［部落解放・人権研究所 提供］

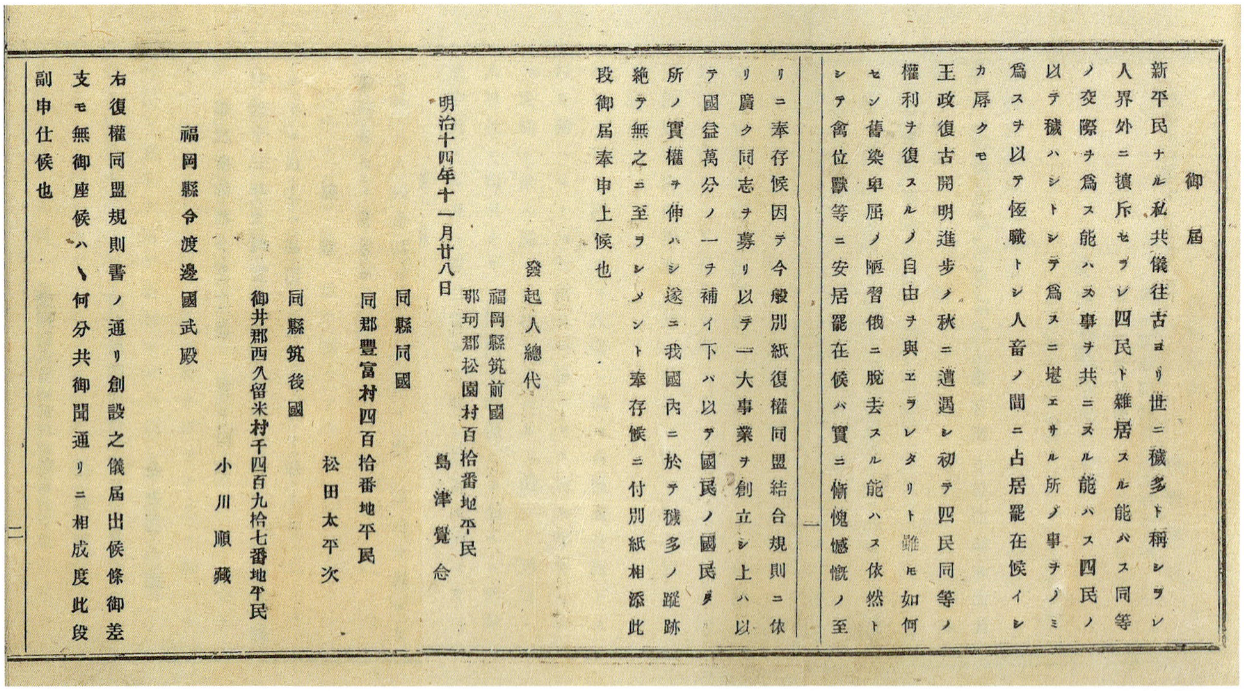

御届

新平民ナル私共儀往古ヨリ世ニ穢多ト稱シラレ
人界外ニ擯斥セラレ四民ト雜居スル能ハス同等
ノ交際ヲ為ス能ハス事ヲ共ニスル能ハス四民ノ
以テ穢ハシトシテ為スニ堪エサル所ノ事ヲノミ
為スヲ以テ極職トシ人畜ノ間ニ占居罷在候イシ
カ辱クモ
王政復古開明進歩ノ秋ニ遭遇シ初テ四民同等ノ
權利ヲ復スルノ自由ヲ與エラレタリト雖モ如何
セン舊染卑屈ノ陋習俄ニ脱去スル能ハス依然ト
シテ禽位獸等ニ安居罷在候ハ實ニ慚愧憾慨ノ至
リニ奉存候因テ今般別紙復權同盟結合規則ニ依
リ廣ク同志ヲ募リ以テ一大事業ヲ創立シ上ハ以
テ國益萬分ノ一ヲ補イ下ハ以テ國民ノ國民タ
ル所ノ實權ヲ伸ハシ遂ニ我國內ニ於テ穢多ノ蹤跡
絶テ無之ニ至ラシメント奉存候ニ付別紙相添此
段御届奉申上候也

發起人總代
福岡縣筑前國
那珂郡松園村百拾番地平民
明治十四年十一月廿八日
島津覺念
同縣同國
同郡豐富村四百拾番地平民
松田太平次
同縣筑後國
御井郡西久留米村千四百九拾七番地平民
小川順藏

福岡縣令渡邊國武殿

右復權同盟規則書ノ通リ創設之儀届出候條御差
支モ無御座候ハヽ何分共御聞通リニ相成度此段
副申仕候也

届出書類　［（公社）福岡県人権研究所蔵］
（部分）

■復権同盟の意義

1881（明治14）年11月28日、部落解放を目的とする団体として福岡・熊本・大分県の被差別部落民によって結成された。明治中期の部落改善運動に先行する点で注目に値する。発起人の中で、毛利源兵衛（日田）、梅津和三郎（福岡）、井元半七（福岡）らは、子孫の活動が確認できる。

全国水平社の創立大会～第16回大会

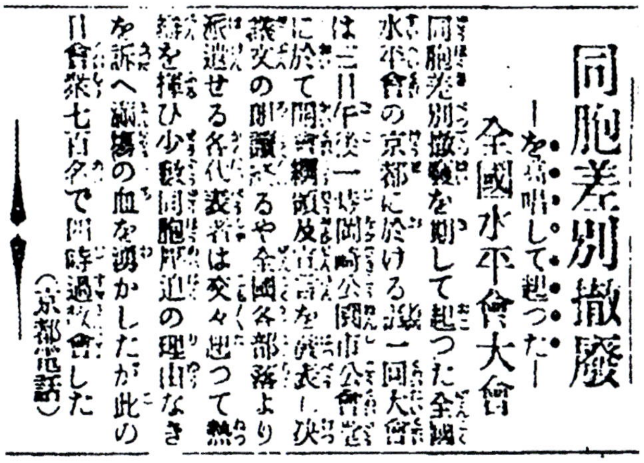

同胞差別撤廢

—を高唱して起つた—

全國水平會大會

同胞差別撤廢を期して起つた全國水平會の京都に於ける第一回大會は三日午後一時岡崎公園市公會堂に於て開會綱領及宣言を發表し決議文の朗讀あるや全國各部落より派遣せる各代表者は交々起つて熱辯を揮ひ少數同胞壓迫の理由なきを訴へ滿場の血を湧かしたが此の日會衆七百名で四時過散會した（京都電話）

福岡日日新聞

「同胞差別撤廃－を高唱して起った－全国水平社大会」わずか12行の新聞記事が福岡県にも伝わっていた。　大正11年3月4日

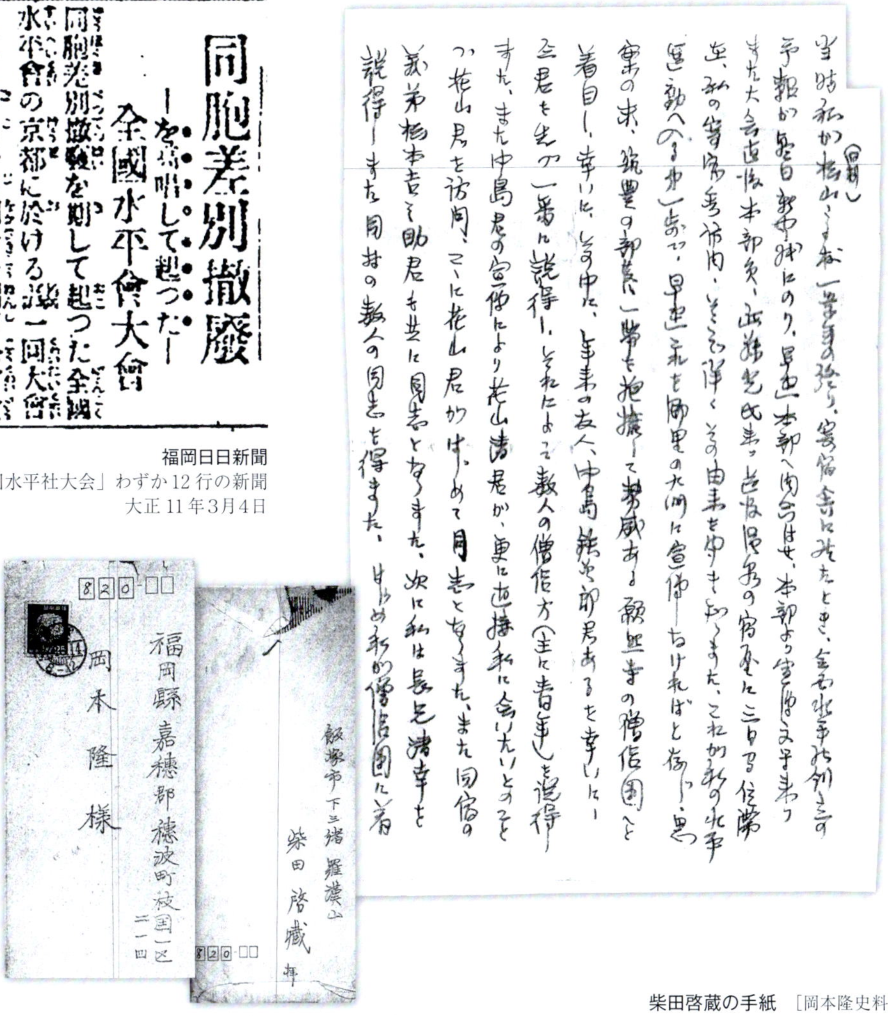

柴田啓蔵の手紙　［岡本隆史料］

柴田啓蔵が岡本隆に宛てた手紙。柴田啓蔵の手紙にあるように、旧制松山高校に在学中、新聞記事を見て全国水平社のことを知る。全国水平社結成後、近藤光の考えを聞いて「学問より運動」を選ぶ。その後松本治一郎と連絡を取り、全九州水平社の結成につながっていく。　（部分）

京都市岡崎公会堂　［東京都立中央図書館木子文庫蔵］

創立大会が開催された京都市岡崎公会堂

■全国水平社の意義

近代日本の被差別部落民が中心となって結成された自主的・全国的な部落解放運動団体。政治的・思想的結集をみせるにしたがって、その団体活動が注目された。

水平社宣言や全国水平社の機関誌・紙に「えた」「特殊部落民」という言葉が出てくるが、自らが部落解放に向かって使うときは誇りがある。しかし、他人から中傷される場合や出自を曝かれる場合は、差別性がある。本誌では、部落解放に向かって使用するということで原文をそのまま使用する。

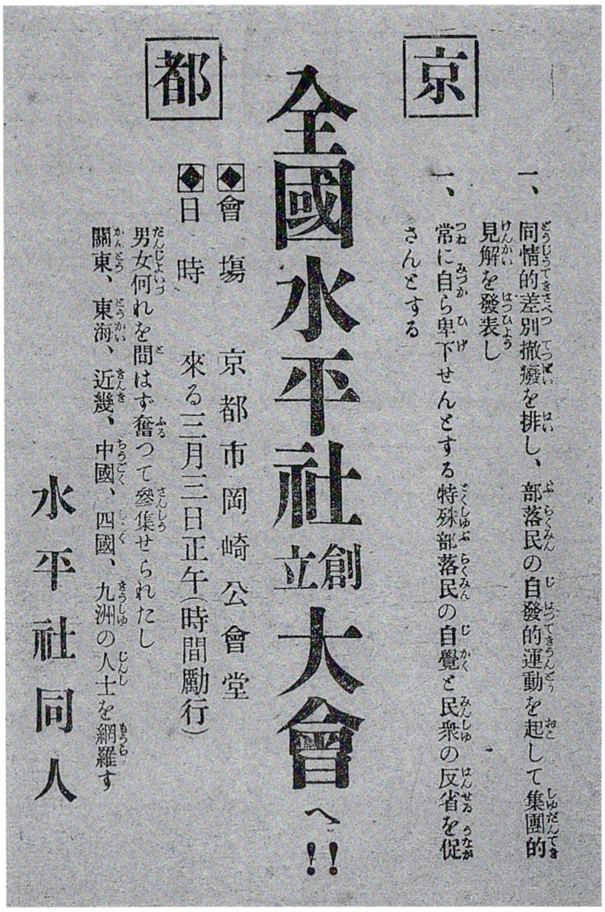

京都

全國水平社創立大會へ!!

一、同情的差別《どうじうてきさべつ》撤癈《てつぱい》を排《はい》し、部落民《ぶらくみん》の自發的運動《じはつてきうんどう》を起《おこ》して集團的《しゆだんてき》見解《けんかい》を發表《はつぴよう》し

一、常《つね》に自《みづか》ら卑下《ひげ》せんとする特殊部落民《とくしゆぶらくみん》の自覺《じかく》と民衆《みんしゆ》の反省《はんせい》を促《うなが》さんとする

◆會場　京都市岡崎公會堂

◆日時　來る三月三日正午(時間勵行)

男女何《だんじよいづ》れを問《と》はず奮《ふる》つて參集《さんしう》せられたし

關東《かんとう》、東海《とうかい》、近畿《きんき》、中國《ちうごく》、四國《しこく》、九洲《きうしゆ》の人士《じんし》を網羅《もうら》す

水平社同人

全国水平社創立大会ビラ　［水平社博物館蔵］

創立大会への参加を呼びかけたビラ。1922年2月中旬に作成され、各地で撒かれた。

このビラを見て福岡県出身の田中松月は、創立大会への参加を決めた。しかし、入口では入るか入らないかを迷った上で、入ったと証言している。

全国水平社の創立者たち　［水平社博物館蔵］

農民組合創立の打合せを神戸の賀川豊彦宅でしていたところ、全国水平社創立の相談を同じく、西光万吉、坂本清一郎、米田富らがしていた。二つの準備会、身分解放のための水平社運動を起こすと同時に、経済的運動としての農民運動にも利害相通ずるので、これら水平運動の先覚者は直ちに農民運動にも加担してくれることになった。奈良県で農民組合運動の最初の火蓋を切ってくれたのは西光万吉氏。　〔『土地と自由のために：杉山元治郎伝』〕

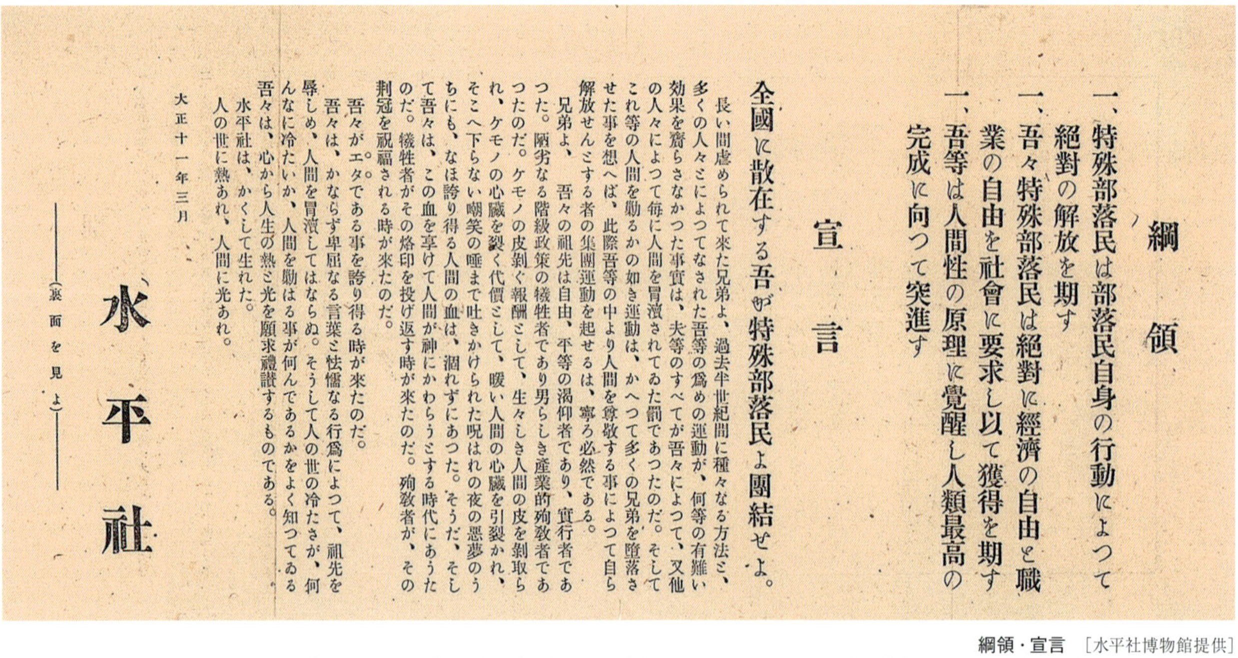

綱領

一、特殊部落民は部落民自身の行動によつて絶對の解放を期す

一、吾々特殊部落民は絶對に經濟の自由と職業の自由を社會に要求し以て獲得を期す

一、吾等は人間性の原理に覺醒し人類最高の完成に向つて突進す

宣言

全國に散在する吾が特殊部落民よ團結せよ。

長い間虐められて來た兄弟よ、過去半世紀間に種々なる方法と、多くの人々とによつてなされた吾等の爲めの運動が、何等の有難い効果を齎らさなかつた事實は、夫等のすべてが吾々によつて、又他の人々によつて毎に人間を冒瀆されてゐた罰であつたのだ。そしてこれ等の人間を勦るかの如き運動は、かへつて多くの兄弟を墮落させた事を想へば、此際吾等の中より人間を尊敬する事によつて自ら解放せんとする者の集團運動を起せるは、寧ろ必然である。

兄弟よ、吾々の祖先は自由、平等の渇仰者であり、實行者であつた。陋劣なる階級政策の犠牲者であり男らしき産業的殉教者であつたのだ。ケモノの皮剝ぐ報酬として、生々しき人間の皮を剝取られ、ケモノの心臓を裂く代價として、暖い人間の心臓を引裂かれ、そこへ下らない嘲笑の唾まで吐きかけられた呪はれの夜の惡夢のうちにも、なほ誇り得る人間の血は、涸れずにあつた。そうだ、そして吾々は、この血を享けて人間が神にかわらうとする時代にあうたのだ。犠牲者がその烙印を投げ返す時が來たのだ。殉教者が、その荊冠を祝福される時が來たのだ。

吾々がエタである事を誇り得る時が來たのだ。

吾々は、かならず卑屈なる言葉と怯懦なる行爲によつて、祖先を辱しめ、人間を冒瀆してはならぬ。そうして人の世の冷たさが、何んなに冷たいか、人間を勦はる事が何んであるかをよく知つてゐる吾々は、心から人生の熱と光を願求禮讃するものである。

水平社は、かくして生れた。

人の世に熱あれ、人間に光あれ。

大正十一年三月

水平社

―(裏面を見よ)―

綱領・宣言　［水平社博物館提供］

「綱領・宣言」。「綱領」は水平社運動の姿勢と目標を明らかにし、部落民自身の運動による解放を主張した。「宣言」は主に西光万吉と平野小剣によって起草され、部落民が自らに誇りを持ち、自主的集団的解放運動に立ち上がることを述べた。

第２回　全国水平社大会　1923年３月３日

第２回大会準備会に松本吉之助を派遣。そして、第２回大会に松本吉之助、中島鉄次郎を派遣。

第2回大会の様子　［新聞文化資料館蔵］
第２回大会。会場には荊冠旗が立ち並んでいる。議長に南梅吉、副議長に寺田清四郎（京都）と島田忠三郎（大阪）が選任され、駒井喜作が進行役として南を補佐した。

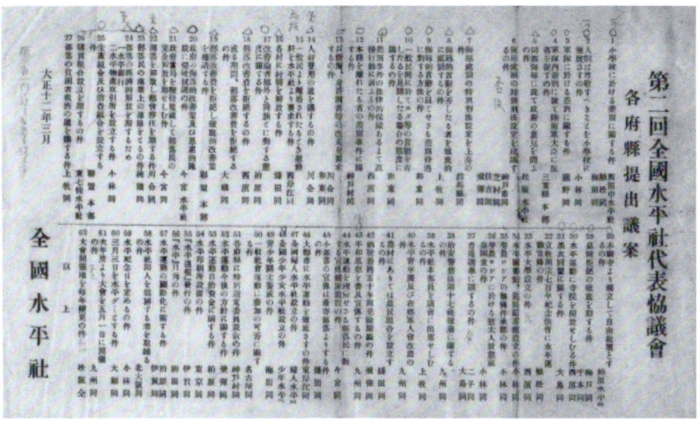

第二回全國水平社代表協議會
各府縣提出議案

大正十二年三月

全國水平社

第2回全国水平社代表協議会
第２回大会議案。提出議題は、62件で、その多くが奈良県の水平社からの提案だった。

第3回　全国水平社大会　1924年３月３日

第3回大会の様子　［新聞文化資料館蔵］

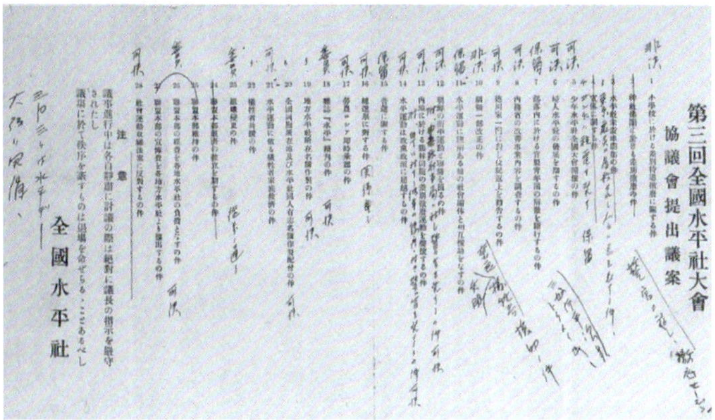

第三回全國水平社大會
協議會提出議案

全國水平社

大会議案　［法政大学大原社会問題研究所蔵］
第３回大会議案。28件の提出議案が載せられ、それぞれ可決、否決、保留、委員会付託などと書き入れられている。

第4回　全国水平社大会　1925年５月７～８日

第4回大会ポスター　［大阪人権博物館蔵］
全国水平社第４回大会ポスター、荊冠旗を手にした男性が描かれている。

第4回大会

第４回大会は、1925年５月７日～８日、大阪・中之島中央公会堂で開催された。前年、いわゆる「スパイ事件」の責任を問われて中央執行委員長の南梅吉が辞任、平野小剣は除名となり、ボル派（ボルシェビキ派）の全国水平社青年同盟が全水本部を掌握するなかでの大会となった。この大会で松本治一郎が中央委員会議長となった。

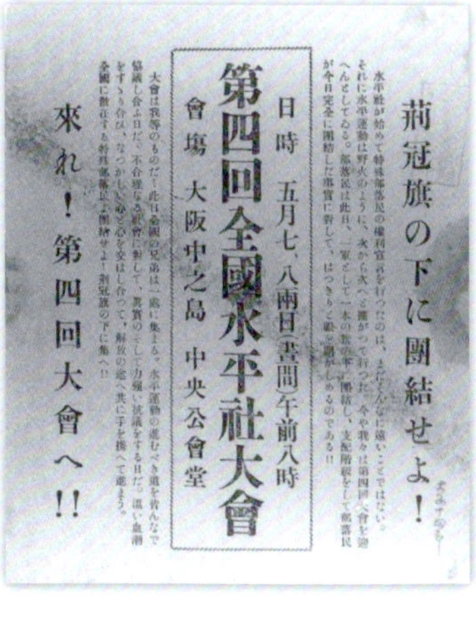

荊冠旗の下に團結せよ！

第四回全國水平社大會
日時　五月七、八兩日（晝間）午前八時
會場　大阪中之島　中央公會堂

來れ！第四回大會へ!!

第4回ビラ
［法政大学大原社会問題研究所蔵］

第5回　全国水平社大会　1926年5月2～3日

第5回大会は初めて九州の地、福岡で開催された。

来れ‼全国の兄弟よ本大会へ
併せて吾等の勝利を期せよ

第5回大会ポスター　［山本史料］（1926年）

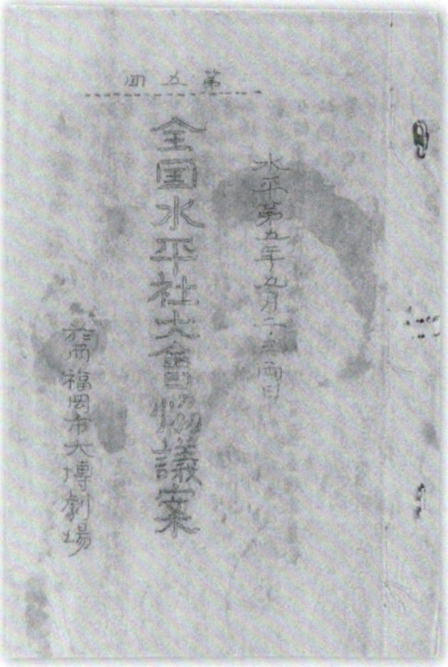

第5回大会議案書表紙

第6回　全国水平社大会　1927年12月3～4日

第6回大会の中心スローガンは、

一切の賤視差別を撤廃せよ
差別撤廃の自由を獲得せよ
全国の特殊部落民団結せよ

第6回大会ポスター
［嘉麻市教育委員会蔵 田中松月史料］
（1927年）

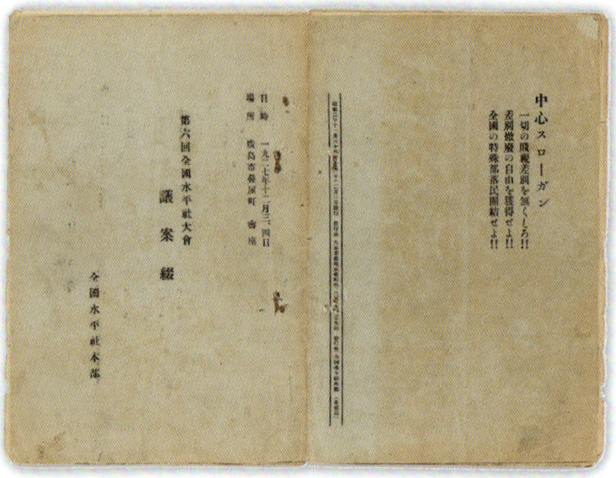

議案書　［井元麟之史料］
第6回大会議案書

第7回　全国水平社大会　1928年5月26～27日

第7回大会は、

一切の賤視差別をなくしろ
差別撤廃の自由をよこせ
全国の特殊部落民よ団結せよ

第7回大会ポスター
［法政大学大原社会問題研究所蔵］
（1928年）

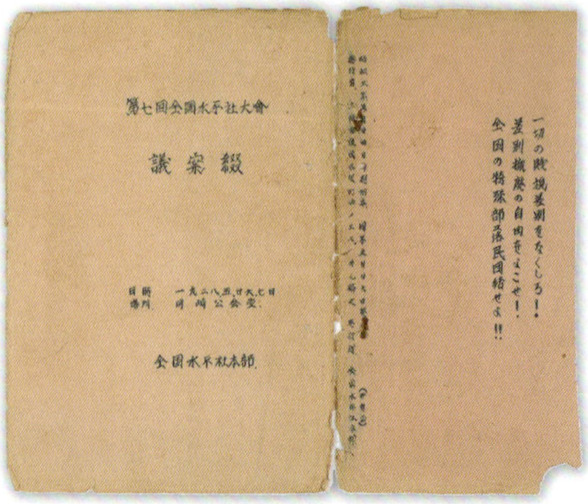

議案書　［井元麟之史料］
第7回大会議案書

第8回　全国水平社大会　1929年11月4日

第８回全国大会の中心スローガンは、
一切の賤視差別を無くしろ
差別撤廃の自由を獲得せよ
全国の特殊部落民団結せよ

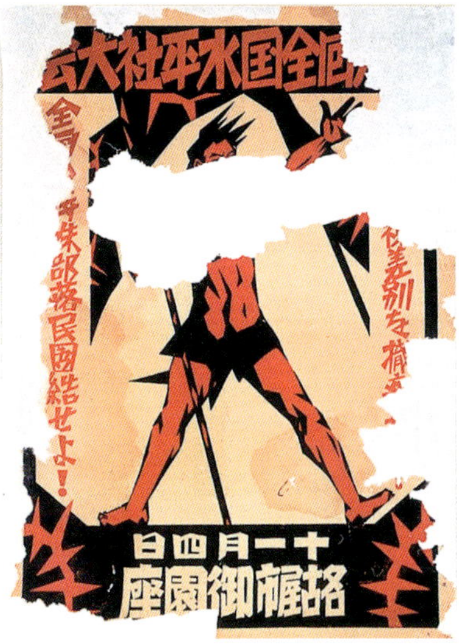

第８回大会ポスター
［法政大学大原社会問題研究所蔵］
（1929 年）
一部破損

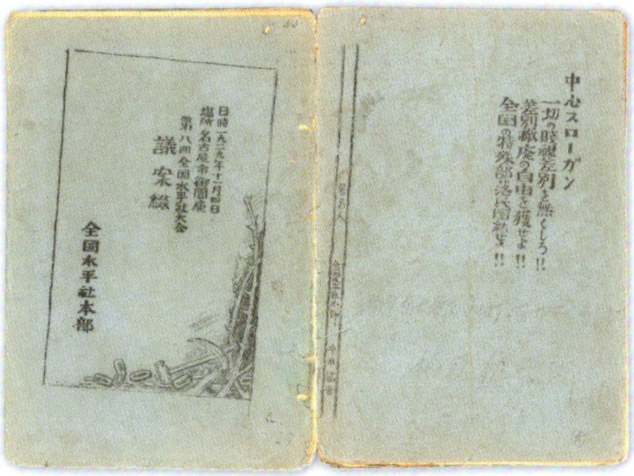

議案書　［井元麟之史料］
第８回大会議案書

第9回　全国水平社大会　1930年12月5日

第９回大会は、
封建的身分制の廃止
奪われたる生活権を奪還せよ
全国の特殊部落民団結せよ

第９回大会ポスター
［法政大学大原社会問題研究所蔵］
（1930 年）

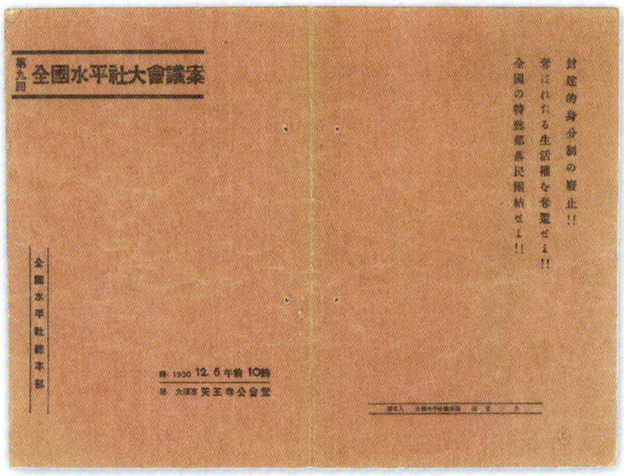

議案書　［井元麟之史料］
第９回大会議案書

第10回　全国水平社大会　1931年12月10日

第10回大会には、
封建的身分制の廃止せよ
生活権を奪いかえせ
全国の特殊部落民団結せよ

第 10 回大会ポスター
［法政大学大原社会問題研究所蔵］
（1931 年）

会場の様子　［水平社博物館蔵］
第 10 回大会会場。議長席は阪本清一郎。

第 11 回　全国水平社大会　1933 年 3 月 3 日

第11回大会は、再び福岡の地で開催された。

差別を無くせよ！
上層身分の廃止！
全勤労者大衆は手をつなげ
米と土地と自由をよこせ！

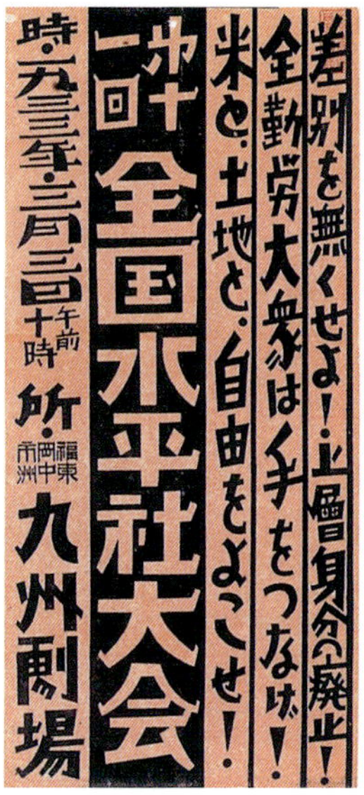

第 11 回大会ポスター
［松本治一郎史料］
（1933 年）

第 11 回大会会場 福岡市九州劇場
［井元麟之史料］

第 12 回　全国水平社大会　1934 年 4 月 12 ～ 13 日

第12回大会は、
応急施設費廃止反対！
地方改善費の増額！
全額国庫負担による徹底的部落改良施設の獲得！
ファシズム・社会ファシズム粉砕
封建的身分制の廃止による被圧迫部落民の解放！
全国の被圧迫部落大衆団結せよ！

第 12 回大会ポスター
［井元麟之史料］
（1934 年）

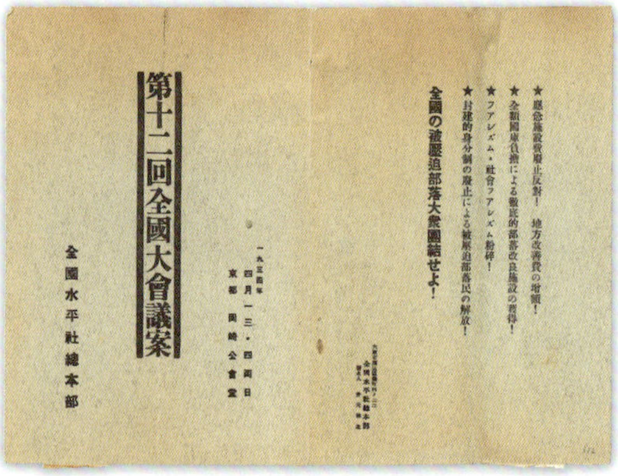

議案書　［井元麟之史料］
第 12 回大会議案書

第 13 回　全国水平社大会　1935 年 5 月 4 ～ 5 日

第13回大会は、
地方改善費の増額！
軍隊内の融和政策樹立！
差別的検閲方針の絶滅！
封建的身分制の廃止！
全国の被圧迫部落大衆団結せよ！

第 13 回大会ポスター
［嘉麻市教育委員会蔵 田中松月史料］
（1935 年）

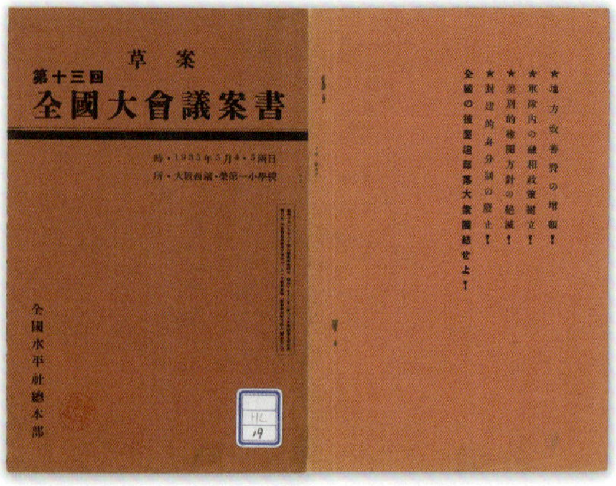

議案書　［井元麟之史料］
第 13 回大会議案書

第14回 全国水平社大会 1936年3月3日

第14回大会は、
全国の被圧迫部落大衆団結せよ！
融和事業完成十ヵ年計画反対！
大衆課税反対！
検閲制度の差別認許反対！
反ファッショ戦線の統一！
封建的身分制の廃止

第 14 回大会ポスター
(1936 年)

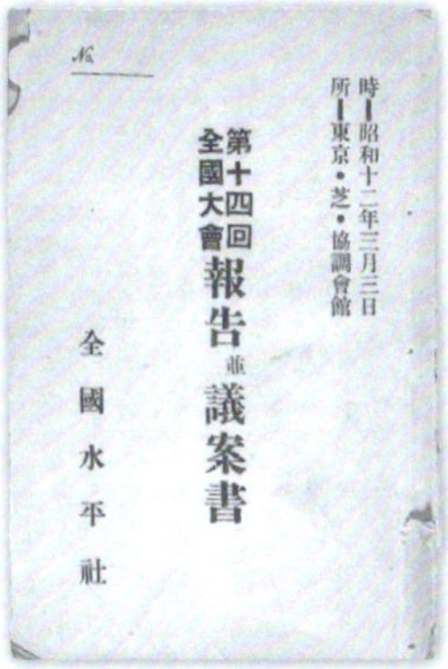

議案書・表紙

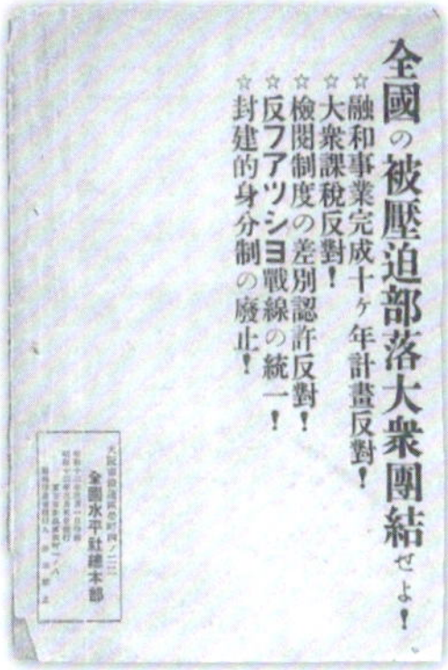

同書・裏表紙

第15回 全国水平社大会 1938年11月23日

第15回大会は、
挙国一致！
差別撤廃！
更新経済確立！

第15回大会ポスター ［水平社博物館蔵］
「挙国一致！」のスローガンが掲げられている。

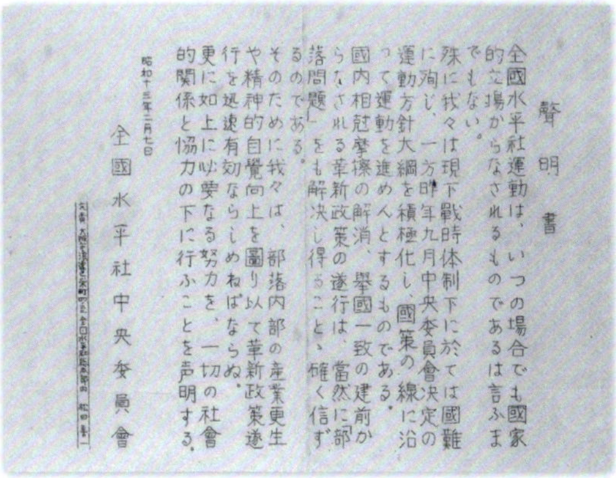

聲明書

全國水平社運動は、いつの場合でも國家的立場からなされるものであるは言ふまでもない。
殊に我々は現下戦時体制下に於ては國難に殉じ、一方昨年九月中央委員會決定の運動方針大綱を積極化し、國策の線に沿って運動を進めんとするものである。
國内相尅摩擦の解消、擧國一致の建前からなされる革新政策の遂行は、當然に部落問題をも解決し得ること、確く信ずるのである。
そのために我々は、部落内部の產業更生や精神的自覚向上を圖り以て革新政策遂行を迅速有効ならしめねばならぬ。
更に如上に必要なる努力を、一切の社會的関係と協力の下に行ふことを声明する。

昭和十三年二月七日
全國水平社中央委員會

声明書
「声明書」。全水は2月7日の中央委員会で「国策の線に沿って」「挙国一致」など、政府への協力を決定し、それを表明する「声明書」を発表した。

第16回 全国水平社大会 1940年8月28日

第16回大会は、1940年8月28日、東京・芝協調会館で開催された。全国水平社最後の大会。「融和問題完全解決体制の樹立」「国体の真姿顕現、皇道国家建設」などがスローガンに掲げられ、戦争への協力を宣言した。

第 16 回大会ポスター
［大阪人権博物館蔵］
(1940 年)

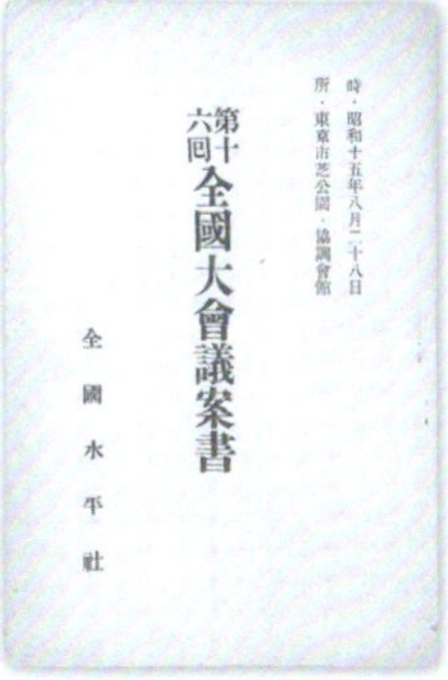

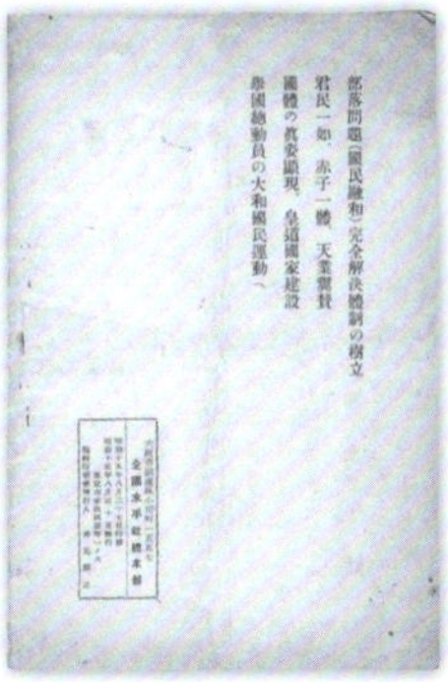

議案書
第 16 回大会議案書。

Ⅱ．全九州水平社の闘いと戦後の解放運動

全九州水平社創立大会

全九州水平社創立大会記念写真［水平社博物館蔵］

全九州創立大会記念写真。1923 年5月1日。福岡市・博多座で全九州水平社創立大会が開催された。委員長に選出された松本治一郎は獄中にあったため、この中にはいない。最前列左から２人目近藤光、６人目花山清、２列目右から３人目米田富、最後列右から４人目阪本清一郎

（花山　清）　（松本治一郎）　（米田　富）

＊

「水平」第二號は何頃發行され候や序ながら御報告被下度願候

パンフレットは御社は賣切れの節は東京出版部の方より御送附相成樣御取はからひ被下度候草々

松山市外朝生田八塚吉次方
柴田　啓藏

機関雑誌の発行　「水平」の発行は啻に宣伝の用のみならず本部維持費を得る点に必要切なるものあるが為、大会終了と共に清原・千崎・近藤・平野の四名本部（南梅吉宅）に詰切り編輯を急ぎ、又南・阪本の両名は三月十九日京都市上京区聖護院山王町浅田義治より印刷費□を借入れしが発行に当り保証金の調達に行詰り、爾来四ヶ月に亘りて之が調金に奔走せり。斯くて七月上旬千崎富一郎に於て保証金五百円を調達（阪本清一郎出資せりと云う）し、同月六日発行届を出し、大阪府甲号岩出金次郎経営の大阪市南区難波桜川町岩出印刷所に於て印刷、同月十五日第一巻第一号（創立大会号）三千部を発行せり。頒布先左の如し

奈良県五条町　千崎富一郎へ（近畿地方配付の分）　一千部、　三重県松阪町　北村庄三郎へ　五百部、　埼玉県箕田村　成塚方へ　壱百部、　福岡県嘉穂郡二瀬村　花山清へ　壱百部、　新潟県　壱百部、　京都市上京区田中西河原町　寺田清次郎へ　壱百部、　同下京区東七条町　藤岡規矩三へ　壱百部、　残一千部は予備として控置けり

（附記）本号内容は大会及大会後の運動状況及部落解放に関する水平社員の起稿を網羅せる外、警視庁容疑者佐野学の「特殊部落解放論」、神奈川県甲号伊藤野枝の小説「火つけ彦七」等を掲げたるが、特に不穏と認むる記事なし。

福岡県飯塚
全九州水平社本部
「岡本隆 史料」

全九州水平社
大會＝演説會
各代表婦人少年辯士等交々登壇して
熱辯を揮ふ

全九州水平社第一回大會は夕刊所報の如く昨一日午前十時から福岡市外東公園博多座に於て開會、日程通り協議後、大會に續いて各地代表者の演説會に移つた劈頭全九州水平社代表中島鐵次郎氏は

一千餘年來迫害と侮辱の下に悲慘なる月日を送つて來たのを今水平線上に達せしめやうとするの努力に外ならぬ所以を述べ一部の人達や官憲當局には過激な運動でゝもあるかの樣に引受けられて居るが人間としての正義の叫であり光榮ある社會の建設を企劃したものでユーゴーの所謂『怨が與へた者は之を忘れる事はあらうとも怨を受けた者の胸中には力強く而かも愈大きく擴がり行くものである』からとて水平線に到達せん事を努力して居る

と苦衷を述べ福岡縣婦人水平社代表藤開江子は極て落付た態度で

私達の祖先程迫害、侮蔑、苦しめられた人類は他に求めても無いがそれは軟弱な封建政治の餘殃である、赤穗義士武林唯七は朝鮮人の子であつたが其爲めに少しも侮辱は受けて居らぬ、私等が祖先以來神國の國民である事は山程の例を探しても間違は無い、畢竟差別的待遇をしようとするのは盲目の亡者である、宜しく火の樣な襷、火の樣な鉢卷掛けで此亡者共を覺醒させねばならぬ

と述べて喝采を博した此時花山座長は一時休憩を諮つたが此儘代表の演説を續くる事となり聯盟本部代表阪本清一郎氏は

水平運動の第一線に立ち一兵卒として働いて來たが夫は歴史的

と述べた時臨監の岩田署長は注意を命じたが辯士は更に語を續け

或地方の出來事から奈良高師卒業生で身分が判つて狂死した實例教師に侮辱されて鐵路の露と消えた十四歳の廣島の小學兒童嘉穗郡でも教師の侮蔑の爲め退校した兒童等の事實を示し更に自己の體驗に入り一旦醫を志し乍ら斷然意を決して國家を癒す醫師となりたい爲め正義の下に輿論を喚起すべく日夜奮闘を續けて居る

と述べ次に全國婦人水平社代表者高丘さの子は拍手の裡に靜に歩を運んで朗讀演説を試み朗々たる音聲は十分に會衆を靜聽させ最後に岡山縣水平社代表者米田富氏壇上の人と爲り

吾人の運動に對し每に誤解と恐怖の以て臨まるゝは吾人の特に諒解に苦しむ所である當警察でも壓迫か威嚇かは知らぬが巡査網が張られて居る然し水平運動の第一線に立つ吾人は之を憤慨するよりは吾人の運動と衷心から理解するの機會を捉へられたものと考へたい水平社の運動は全世界十六億の全人類として自覺を得る事就き徹底したものである即ち萬有人間は水平なるべきもので決して哀訴嘆願すべきものでなくルーソーの所謂人間は自由であり平等とあらねばならぬ　帝陛下は此眞理に依り一視同仁なるを宣せられた然るに當時の大官連は見苦しく狼狽したものである從つて聖旨を奉じ得なかつたのは官僚輩である今や皇道會平等會同愛會等の設立があるが何れも同情を表して救濟しようとするもので潜越至極である由來彼等は吾人を下位にして今日あるを得た從つて先づ彼等こそ從來の非違を陳謝せねばならぬのである然るに吾人は自己の力に依つて解放に向つて努力すべきもので病者は患者自身でなければ醫者にも知る事が出來ない而かも階級あり差別あるは爭鬪の因を爲すものであるから其絶滅を水平の運動に依つて完了すべきものである若し相變らず侮蔑せんか吾人は或手段に依つて膺懲するの擧に出ねばならぬ

と述ぶるや岩田署長注意を命じ辯士は引續き奈良縣下に起つた實例を擧げて再び注意を受けた爲め會衆は稍熱しかけたが辯士及梅津座長から之を靜め『罪人の膺懲は正義の士の任務である吾人は正義の精神を以て對抗するのみである』と結んで喝采を博し更に九州婦人水平社代表高丘かね子は

波の四面に擴大して行く如く又渦卷の如く擴がり動くのを見聞して處女も默する事が出來なくなつた狂者を出し自殺者を出し而かも貧者は常に苦しめられて居る吾人は此苦境を脱するため水平社運動に參加するものである

と述べて拍手一時に起つたが之で各地方代表者演説が濟んだので一先づ休憩を宣した時に午後三時半であつた斯くて四時十分前より和田靜夫氏外十數名の九州各地代表者の五分間演説に移つた各辯士も熱烈に現代社會制度の誤れる事を力說し如何に少數同胞が此の誤れる制度の下に苛斂誅求の苦を嘗めてゐるか此の苦惱より脱するには一に團結の力に俟たなければならないと怒號した或辯士の如きは壇上に流涕し一種悲愴の感に包まれる事もあつた又一婦人辯士の如きは自己の體驗に基き如何に迫害されたかを告白して滿場を肅然たらしめた夫れより新員の飛入演説を行ひ午後五時十分梅津座長發聲の下に水平社萬歳を三唱して無事散會した

［九州日報　1923.5.2］

第1回　全九州水平社大会　1923年5月1日

九州水平社大會

今一日福岡東公園博多座に開會　各地よりの來會者二千人に上る

滿場一致綱領宣言決議

第一回全九州水平社大會は一日午前十時福岡市外東公園博多座に於て開催した入場口には我兒器の携帯者や泥醉者を入れざる事を掲示し風紀係と書いた赤襷の會員入場者を導き舞臺正面には赤文字で『全國に散在する吾特殊部落民よ團結せよ』と大書した宣言の一部並に綱領宣言の外黑地に赤の荊冠を染抜いた會旗數旒を樹て田代藤高等警察課長を始め二百の警官は場内外の警戒頗る物々しく出席社員は福岡縣を始め全九州より二千名に達し中には妙齢の處女會員も見受られ場内沿衆横溢した瞬間下縣中の内務省囑託今井兼氏も來場したが開會に先だち代議員の資格選定をなし全九州水平社より百二十名を選び司會者鶴尾方氏の開會の辭にて愈々大會協議會に入り議長に花山清、副議長に中嶋鐵次郎、進行係に和田清太郎諸氏を推し岩田警察署長臨席に着く斯くて協議に入り先づ『門戸を開放し人材登用の件』は滿場一致にて可決し次で『全國水平社大會期日を五月二日より五日迄の間に變更の案を第三回全國水平社協議會へ提出する事』を可決次に『陸海軍人に對する特種の事業を一般軍人より選擇の件』に移り之が方法に付いては去三月三日京都にて開催の全國大會の決議に依り陸海軍大臣に請願其他の方法を取る旨を坂本本部員より說明し『本年十月全九州水平社秋季大會開催の件』は一二の異議もあつたが同じく可決、次で『人間は尊敬すべきことを小學校に徹底の件』『全九州に水平運動の趣旨宣傳の件』を可決全九州水平社執行委員長は同會創立に特功ある松本治一郎氏推薦の件は滿場一致にて賛意を表し『月刊雜誌「九州水平」を發行する件』は甲論乙駁本部より發行の『水平』にて可なりといふ議も出たが全國的歩調の取れぬ水平運動の現狀に付いては支部は獨立して部分的機關雜誌の必要ありと述ぶるものもあつたが結局右の件は委員附託とし猶ほ全九州水平社執行委員廿名推選の件は委員に一任する事となり全九州水平社事務所を委員長松本治一郎氏宅（福岡市外金平）に設置する件は全會一致可決十一時四十分一先づ休憩した斯くて十分間休憩後午前十一時五十分大會に入り司會者鶴尾方氏登壇し『我等は陛下の臣民として至誠奉公し過ぐる戰役に於て多數の戰病死者を出すと同時に亦多數の戰功者を出して居る然るに拘らず獸類同然に祖先以來大正の今日迄慘虐の待遇を受けし故相互覺醒し慈愛を嬌め將來協力一致社會永劫の爲め各々の責務として竭さねばならぬ此主旨からして此大會を開くのである』と理由を擧げて痛切なる開會の辭を述べ猶『此大會は世の常の政談演說等と選を異にし殊に今回が九州最初の試みであるからして世人の一笑に付せられぬ樣緊張に此式を終りたい』と附加し花山氏の經過報告、石室孝次氏の綱領朗讀高崎松雄氏の宣言朗讀就て披露に次いで目下未決監入監中の松本治一郎氏に對し委員長當選の件を打電する旨を決した

綱領

一、特殊部落民は部落民自身の行動によつて絶對の解放を期す

一、吾々特殊部落民は絶對に經濟の自由と職業の自由を社會に要求し以て獲得を期す

一、吾等は人間性の原理に覺醒し人類最高の完成に向つて突進す

宣言

全國に散在する吾が特殊部落民よ團結せよ、長い間虐められて來た兄弟よ、過去半世紀間に種々なる方法と多くの人々とによつてなされた吾等の爲めの運動が何等の有難い效果をもたらさなかつた事實は夫等のすべてが吾々によつて又他の人々によつて毎に人間を冒瀆されてゐた罰であつたのだ、そしてこれ等の人間を勦るかの如き運動はかへつて多くの兄弟を墮落させた事を想へば此際吾等の中より人間を尊敬する事によつて自ら解放せんとする者の集團運動を起せるは寧ろ必然である、兄弟よ吾々の祖先は自由平等の渇仰者であり實行者であつた陋劣なる階級政策の犧牲者であり男らしき產業的殉敎者であつたのだ、ケモノの皮剝ぐ報酬として生々しき人間の皮を剝取られケモノの心臟を裂く代價として暖い人間の心臟を引裂かれそこへ下らない嘲笑の唾まで吐きかけられた呪はれの夜の惡夢のうちにも尙誇り得る人間の血は涸れずにあつた、そうだそして吾々はこの血を享けて人間が神にかわらうとする時代にあふたのだ、犧牲者がその烙印を投げ返す時が來たのだ、殉敎者が其荊冠を祝福される時が來たのだ、吾々がエタである事を誇り得る時が來たのだ、吾々は必ず卑屈なる言葉と怯懦なる行爲によつて祖先を辱め人間を冒瀆してはならぬ、そうして人の世の冷たさが何んなに冷いか人間を勦はる事が何んであるかをよく知つてゐる吾々は心から人生の熱と光を願求禮讃するものである、人の世に熱あれ人間に光あれ

決議

一、吾等に對しエタ及特殊部落民等の言行に依て侮辱の意志を表示したる時は徹底的糺彈をなす

一、東西兩本願寺に對する募財拒絕の斷行を期す

一、政府其他一切の侮辱的改善策及び恩惠的施設の改革を促す

一、吾等は水平社を統一する爲めに月刊雜誌「九州水平」を發行す

全九州水平社は柴田啓蔵が近藤光との松山会談後帰省し、花山清、中島鉄次郎、松本吉之助ら嘉穂グループが結集して本部（事務所）を飯塚町に置いた。1923年1月柴田が筑前叫革団で活躍していた松本治一郎宅を訪ね、2月15日嘉穂グループのメンバーが福岡市郊外の松本宅を訪ね、藤岡正右衛門、梅津高次郎等福岡グループと会談し、松本を委員長に選出し、本部（事務所）を松本宅に置き5月1日メーデーの日に全九州水平社創立大会を開くことを決めた。［福岡日日新聞　1923.5.2］

全九州水平社創立の日に
［福岡における解放運動・水平50年］
（部落解放同盟福岡市協議会）
（左より）　松本吉之助　高丘カネ　近藤光　高岡トノ
和田（清）　浜ミサノ　中島鉄次朗　菊竹ヨシノ
藤開シズエ

［福岡日日新聞　1923.5.2］

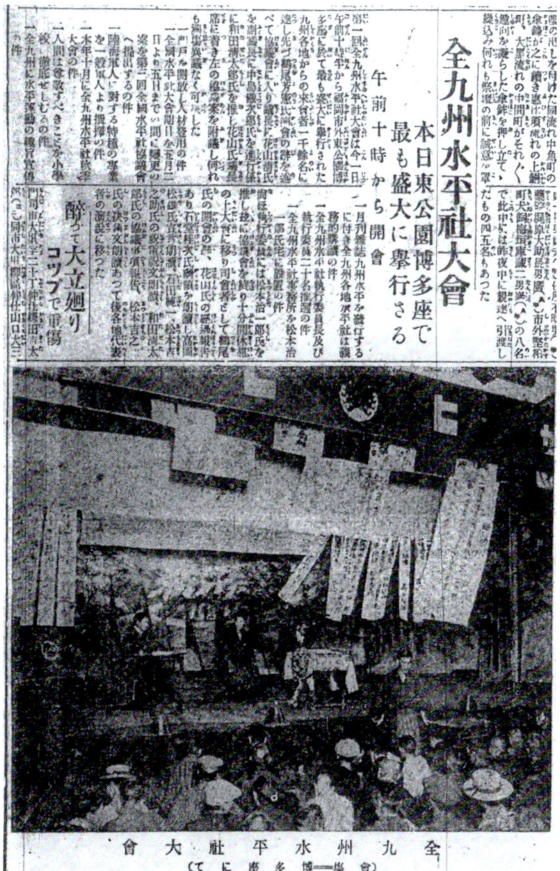

全九州水平社大會

本日東公園博多座で最も盛大に擧行さる

午前十時から開會

第一回全九州水平社大會は今一日午前十時半から福岡市外東公園博多座に於て最も盛大に擧行された九州各地からの來會者一千餘名に達し先づ鶴尾芳氏開會の辭を述べて協議會に入り議長に花山清氏を副議長に中島鐵次郎氏を進行係に和田清太郎氏を推し花山氏議長席に着き左の協議案を附議し何れも滿場異議なく可決した

一門戸を開放し人材登用の件

一全國水平社大會期日を五月二日より五日までの間に變更の案を第二回全國水平社協議會へ提出するの件

一陸海軍人に對する特種の事業を一般軍人より撰擇の件

一本年十月に全九州水平社秋季大會の件

一人間は尊敬すべきことを小學校に徹底せしむるの件

一全九州に水平運動の趣旨宣傳の件

一月刊雜誌九州水平を發行するに付き全九州各地水平社は義務的購讀の件

一全九州水平社執行委員長及び執行委員二十名推選の件

一全九州水平社事務所を松本治一郎氏宅に設置の件

尙ほ執行委員長には松本治一郎氏を推し茲に協議會を終り十分間休憩の上大會に移り司會者として鶴尾氏の開會の辭、花山氏の經過報告あり石室孝次氏綱領を朗讀し高岡松雄氏宣言朗讀、石田純一、松本吉之助氏の祝電祝文朗讀、和田清太郎氏の協議事項報告、松本吉之助氏の決議文朗讀あつて後各地代表者の演說に移つた

醉つて大立廻り　コップで重傷

全九州水平社大會（會―博多座にて）

［九州日報　1923.5.2（夕）］

第2回 全九州水平社大会 1923年10月10日

徳川一門に 位記返上を勸告 する事を九州水平社で可決

第二回全九州水平社大會は既記の通り十日午前十時から博多大博劇場及び帝國館の二ケ所に於て開催委員長松本順一郎氏開會辭を述べ議長(松本氏)副議長(梅津高次郎氏、花山清氏)書記進行係(和田清太郎氏)等選擧の後吉村、森脇、岡三氏提出の議案及緊急動議五件を議し次で熊本縣本水平氏一輌朗讀、福岡高丘松雄氏宣言朗讀、佐賀縣本大一郎氏決議文朗讀、何れも滿場喝采の下に通過し次で福岡永山濤三郎氏祝詞朗讀、同石田純一氏祝電披露等ありて演説會に移り聯盟本部員米田、栗須、泉野諸氏關東代表外數、九州婦人代表福岡氏其他各地代表少年少女等の何れも活氣横溢せる演説あり大盛況裡に午後四時閉會した當時決議の綱領宣言決議文の外協議事項如左

提出議案

一、綱領の一部改正を第三回全國水平社大會に協議提出の件
一、德川一門に位記返上勸告の件
一、水平社は政黨政派に超越するの件

緊急動議

一、第三回全國大會に提議し全國小學校に水平運動を徹底せしむる事
一、水平運動の爲に犠牲となれる者に慰問狀を發送する件
一、一般勞働運動と提携の件(否決)
一、水平運動を同族間に徹底せしむる件
一、運動犠牲者家族扶助の件

綱領

一、特殊部落民は部落民自身の行動によつて絶對の解放を期す
一、吾々特殊部落民は絶對に經濟の自由と職業の自由を社會に要求し以て獲得を期す
一、吾等は人間性の原理に覺醒せしめ相互人類最高の完成に向つて突進す

決議

一、吾等に對しエタ及特殊部落民等の言行に依て侮辱の意志を表示したる時は徹底的糺彈をなす
一、東西兩本願寺に對する寄財拒絶の勵行を期す
一、政府其他一切の侮辱的改善及び恩惠的施設の撤去を促す
一、吾々は無産者階級の立場より部落民の經濟的爭議の解決を期す
一、吾等は水平社を統一する爲に月刊雜誌「九州水平」を發行す

［福岡日日新聞　1923.10.10（夕）］

水平社 全九州大會 本日開會 福岡市大博劇場及帝國館にて開かる

九州水平社大會は十日午前十時より福岡市博多東町大博劇場及蓮池町帝國館にて最も盛大に且つ厳粛に開會された會場を二つ設けたのは來會者多數の爲めであるが大博劇場前も帝國館前も早朝より正服私服の警官がゾロ〳〵して警戒し尚は會場の内外には水平社側から赤襷の青年が風紀係として來會者を整理して居た第一會場大博劇場では定刻松本九州水平社委員長開會の辭として水平運動に關する將來の希望を述べて滿場の喝采を博し次で第一回大會に於て議長に選任を一任して居た全九州水平社執行委員を決定して左記の通りに發表して滿場の承認を得た

全九州水平社執行委員
佐賀縣 瀧本大一郎
熊本縣 宮林庄平
福岡縣 梅津高次郎
同 藤岡正右衛門
同 中村迫次郎

次で議長副議長及び議事進行係の選擧に移り之は執行委員に一任されなり其結果左の通りに決定した

議長 松本治一郎
副議長 梅津高次郎
副議長 花山清
議事進行係 和田清次郎

それより提出議案の協議會に移り松本氏議長席に就き左の件を協議に諮る

(イ)綱領の一部改正を第三回全國水平社協議に提出の件(吉村賢氏提出)(ロ)德川宗一門に位記返上勸告の件(播磨繁男氏提出)(ハ)水平社は政黨政派に超越する件(藤岡正右衛門氏提出)

以上三件共に滿場一致にて可決し更に緊急動議として左の諸件を協議した

一全國小學校生徒に水平運動を一層徹底せしむる事殊に小學教員及び校長に理解徹底せしむるの件(可決)
一水平運動の犠牲者(熊本縣菊池郡の人)に對し九州水平社より慰問電報を發するの件(可決)
一水平運動に徹底せぬ巡査の態度を改善せしむる事(可決)
一勞働運動と水平運動とを提携されたし 否決)
一水平運動は全人類の爲の戰なる旨を同族間に徹底せしむるの件(可決)
一犠牲者の家族扶助の件(可決)

右終つて休憩次で十時五十分より綱領宣言並に決議文の朗讀に入り熊本縣代表熊本又平氏綱領朗讀、福岡縣代表高丘松雄氏宣言朗讀、佐賀縣代表瀧本大一郎氏決議文朗讀以上は何れも前回決定のもの)があり次で福岡縣代表石田純一郎永山濤三郎兩氏外數氏は各地より來た數十通の祝電及び祝詞を朗讀し尚ほ一般會員以外賀川豐彦氏外數名より來た祝詞の披露もあり終つて十一時より全國水平社聯盟本部員の演説各地代表の五分演説に入る先づ全國水平社聯盟本部米田富氏の演説があり次で
全九州水平社婦人代表高丘さの、金平水平社婦人代表菊竹さり、大阪少年代表泉岡國忠、下の關少女代表西山さき、關東水平社代表近藤光、福岡水平社婦人代表高丘かね、本部少年代表山田孝野次郎、本部代表栗須七郎、全國婦人代表奥田しずゑ、本部特派泉野利喜蔵諸氏
交々起つて熱辯を揮ひ言々悲壯涙なくして聽くを得ざる迄多大の感動を與へた此間四百を越ゆる正服私服の警官のいかめしき警戒振りは極めて矛盾を感ぜしめたが折柄の降雨に風さへ加はつて『兄弟よ團結せよ』と大書せる標語林立たる演壇の大旗幟の裡に翻るも何となう悲壯の感を起さしめた

頑是無い少年少女の口から衝いて出る熱辯 全九州水平社大會 第二會場の盛況

全九州水平社大會第二會場たる蓮池町帝國館では熊本縣水平社本部宮村庄平氏司會の下に午前十一時半から開會された、此處も赤襷物々しいまで官服私服の警官で固めてゐた、先づ宮村氏は開會の挨拶に代へて今日此の大會を開催せざるべからざるに至つた經過に就いて述べ、續いて田中松月、永山濤三郎、茨木四郎、松本清、近藤光氏を初め全九州より集つた十數名の代表者が交々演壇に立つて熱烈なる演説を續けて滿場を狂させた、殊に菊竹さり、高丘さの、高丘かね女史等の婦人代表が自身の體驗を基とした悲痛なる告白、少年泉岡國忠(大阪)少女西山さき子(下關)の頑是ない乍らも痛烈な熱辯には聞く者は何れもホロリとさせざるを得なかつた、午後になると聽衆益々多く階上階下立錐の餘地なき盛況を呈したが格別大した問題もなく午後五時無事散會した

水平社全九州大會(第一會場大博劇場に於ける)

［九州日報　1923.10.11］

第3回 全九州水平社大会 1924年5月1日

全九州水平社大會 メーデーを期して擧行 米國の排日問題に抗議

第三回全九州水平社大會は一日のメーデーを期し午前九時半福岡市東中洲九州劇場で盛大に開催し恰も此博多名物松囃子當日のことゝて定刻前より會場附近は數百の私服及び福岡署の正私服警官に物々しく固められてゐたが來會者は忽ち會場內を立錐の餘地なく埋め其數約四千と註せられた壇上には大小數十旒の社旗其他「解放運動へ」の揭示一面に張られ頗る緊張を呈してゐた定刻全九州水平社本部の松本治一郎氏の開會に次ぎ藤岡正右衛門氏の九州本部としての挨拶あり座長に梅津高次郎氏を選擧一致推し花山清氏の經過報告後別項の如き綱領を田川郡水平社代表者松本清氏宣言を熊本縣代表米村喜一郎氏決議を佐賀縣代表永山濤人氏各朗讀後大分縣代表者本山勉氏は祝辭を朗讀し議長副議長議事進行係の選擧に入つた結果議長松本治一郎△副議長和田清太郎、同藤岡正右衛門△議事進行係花山清當選し松本治一郎氏議長席に就いて左記二十項の協議案を一瀉千里に討議したが中第四五項を除き全部異議なく可決した即ち

一、德川家一門に對し本大會より勸告狀の回答を促すの件(田川郡水平社)
二、水平社の名義使用を制限するの件(手鎌水平社)
三、新聞雜誌に記載しある差別的文字に關する件(糸島郡水平社)
四、總選擧に際し水平社に理解ある候補者に投票するの件(西脇水平社)
五、三養基郡水平社は、他の水平運動と其の趣を異にする件(三養基水平社)
六、糺彈事件に對し、金品に依り、其れを解決せし同人に對する處置の件(西脇水平社)
七、三養基郡水平社は三養基郡一般民の覺醒を促すの件(三養基水平社)
八、米國の非人道排日案を撤回せしむるために努力するの件大統領打電(西脇水平社)
九、排日案通過に鑑み我國一般民に反省を促すの件(全九州水平社)
十、青年水平社設立の件(全筑後水平社)
十一、水平青年の教育に關する件(全國水平社青年同盟九州支部)
十二、全九州に少年水平社設立促進の件(金平少年水平社)
十三、會社工場の勞働者に、水平運動を徹底せしむる件(早良水平社)
十四、宣傳部を九州本部に設立する件(全筑後水平社)
十五、水平運動を國際化するの件實行方法を考慮する事(全九州水平社)
十六、婦人鬪士を養成するの件(金平婦人水平社)
十七、夏期講習會を開催するの件(築上郡水平社)
十八、青年水平社大會開催の件(青年同盟)
十九、壯丁合格者に、入營前糺彈方法を徹底せしむる件(筑紫郡水平社)
二十、社會課の融和部落視察に關する件(全九州水平社本部)

第三項は原案を「水平社の事件を起したる場合のみ名義使用を制限するの件」と修正可決し第四項は原案撤回、第五項は否決した爲緊急動議として

一、米國の非人道排日に對しクーリッヂ大統領に對し排日案阻止を打電する件
一、九州各縣水平社同人の名簿作成の件
一、水平社辯護士故岸田岡太郎氏の追悼會當日來る三日弔電發信の件
一、九州各縣舊藩主に對し徹底的糺彈をなすの件

等何れも滿場一致可決して午後一時休憩同一時半より聯盟本部平野小劔、下坂正英、近藤光、山田孝之次郎氏等を始め各地代表者の演説に移つた

［福岡日日新聞　1924.5.2］

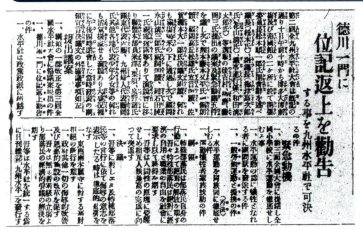

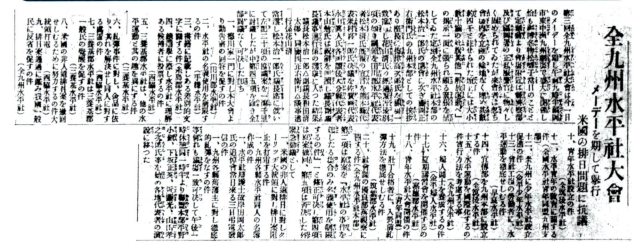

全九州水平社大會

けふ福岡市で

臨席警官は尠なく 大會極めて無事に進捗

全九州水平社大會々場

第三回全九州水平社大會は一日午前九時三十分より福岡市東中洲九州劇場にて開會した恰度メーデー當日であつたので殊に出席者多く階上階下共人を以て埋まり約三千人の入場者を見た平素と異つて臨たのは例の如き物々しい警官の影が殆どなく僅に二三名が警察の隅に交つて居た事である斯くて全九州水平社本部執行委員長松本治一郎氏の開會の辭あり次で九州本部藤岡庄右衛門氏の挨拶があつて座長選擧に移り梅津高次郎氏選ばれて座長席に就く次で松本執行委員長任期につき後任者の選擧に入り松本治一郎氏再任夫れより花山清氏經過報告及び全國大會の決議事項を報告あり終つて田川郡水平社代表松本清氏の綱領朗讀、熊本縣水平社代表米村嘉一郎氏の宣言朗讀次で佐賀縣水平社代表永山寅人氏決議朗讀、筑紫郡代表石田純一氏全筑後水平社代表和田一新氏祝電朗讀大分縣水平社代表木山勉氏祝詞朗讀等があり終つて議長及び副議長選擧をなし

△議長松本治一郎氏△副議長藤岡庄右衛門、和田清太郎△進行係花山清△書記深川深、高丘松男、次義郎

の諸氏を選擧し十時三十分より議事に入る

協議會

議事秩序整然として進行

松本治一郎氏議長席に着席すると共に協議會に入り劈頭緊急動議を協議す

▲緊急動議

一 京都水平社南氏へ當大會の盛況通知の件可決

次で協議案の議事に入る

一 徳川家一門に對して本大會より勧告書の回答を促すの件(田川郡水平社)可決

一 水平社の名義使用を制限するの件(手鎌水平社)之は水平社同人中社名を汚す不都合ありしものに名義を使用せしめぬといふのであるが『水平社以外の事に水平社の名義を使用せしめず』と修正して可決

一 書籍に記載しある差別的[illegible]的文字に關する件(糸島郡水平社)可決

一 總選擧に際し水平社に理解ある候補者に投票するの件(西脇水平社)第二回全九州大會又は第三回全國大會に政黨政派に超越すべしとあり自然消滅したるにつき撤廢

一 三養基郡水平社は他の水平運動と其趣を異にする件(三養基水平社)否決

一 糺彈事件に對し金品等に依りそれを解決せし同人に對する處置の件(西脇水平社)糺彈方法は水平社を侮辱せし人に對する糺彈方法と同一方法に可決

▲緊急動議

一 水平社同人に惡感情を與ふる人への處置の件撤廢

一 三養基郡水平社は三養基郡一般民の覺醒を促すの件(三養基郡)可決

一 米國の非人道排日案を撤回せしむる爲に努力するの件(西脇水平社)水平社の立場より提出し其方法として米國大統領へ電報にて撤回を送電する事滿場一致可決

一 排日案通過に鑑み我國一般民に反省を促すの件(全九州水平社)可決

一 青年水平社設置の件(全筑後水平社)可決

一 水平青年教育に關するの件(全國水平社青年同盟九州支部)可決

一 全九州に青年水平社設立促進の件(金平水平社)可決

一 會社工場主に水平運動を撤底せしむるの件(早良水平社)可決

一 宣傳部を九州本部に設立の件(全筑後水平社)可決

▲緊急動議

一 全水平社の正確なる名簿作製の件(九州本部播磨氏)名簿は正確に知る事に可決

一 水平運動を國際化するの件(全九州水平本部)可決

▲緊急動議

一 衡平運動と聯絡をとる事既に全國大會にて可決されて居る故に撤廢

一 本日の決議には小作問題がないが同人の後援を求む、撤回

一 婦人闘士養成の件(金平婦人水平社)可決

一 夏期講習會を開催するの件(嘉穂水平社)福岡にて開催し講師は米田氏その他の方に依頼した、可決

▲緊急動議

一 大阪岸田岡太郎(水平社同人辯護士)氏に弔電を發するの件、可決

一 青年水平社大會開催の件(青年同盟)具體的方法委員附托にて可決

一 壯丁合格者に入營前糺彈方法を徹底せしむる件(筑紫郡水平社)可決

▲緊急動議

一 廢藩主に向つて位記を返上方勸告の件(九州水平社本部播磨氏)可決

▲緊急動議

一 戸畑の罷業團員目下餓死の状態にあり故に義金を此場内に求む(益田氏)否決

▲緊急動議

一 中島鐵次郎氏犧牲の水死に對して義金を本部宛てに送金を求む(花山清氏)可決

當日の協議事項は米國排日問題が多く熱心に審議されたが協議中は警官席には一人も警官の影を見なかつた爲却て靜粛に且つ彼等の混亂もなく秩序整然として進行したのは今迄になき事にて特筆すべき事である斯くて協議會を終つたのは午後一時

［九州日報　1924.5.2］

第4回 全九州水平社大会 1925年3月21日

第四回 全九州水平社大會

二十一日福岡に開催

諸種の重要案件を協議

第四回全九州水平社大會は二十一日午前十時より福岡市東中洲博多劇場にて開催された、當日は來會者非常に多く九州

各縣

の水平社代表者婦人水平社代表者、少年水平社代表者及び聯盟本部よりも隷十來援した今回の大會は群馬縣事件對策、無産階級政黨參加の件、全九州水平社組織綱領確立の件等重要問題が多かつたので來會者一同大に緊張し定刻松本治一郎氏の開會の辭あり次で會衆一同水平歌を合唱しそれより九州本部員藤岡庄右衛門氏の挨拶があつて福岡縣水平社執行委員長梅津高次郎氏を

座長

に推し次で水平社青年聯盟岩尾家貞氏水平社過去一ケ年の經過報告に次き綱領、宣言及び決議の朗讀、祝電披露、九州農民組合高崎正戸氏及日本勞働總同盟福岡勞働合同組合本部よりの祝辭朗讀あり、夫れより議長選擧に移り松本治一郎氏を議長に中村浪次郎氏を副議長に花山清氏が議事進行係に深川房吉、田中松月兩氏を書記に選び次で

執行

委員長及委員の改選に移り松本治一郎氏執行委員長に再任、委員には各縣部委員長を充つる事とし常務委員、深川房吉伊賀鐵雄、高丘那[illegible]、藤岡庄右衛門高丘三郎、吉村賢一、吉田輝次郎川口十次郎の九氏を常任委員に選び松本治一郎氏議長席に就き各地より提出の議案協議に移る

協議案

一 治安維持法案に賛成せし代議士に普選實施後投票せざるの件(可決)(福岡青年同盟提出)

一 各水平社青年團長及所在地調査の件(可決)(福岡青年同盟)

一 故松本源太郎氏の一週忌法要を營むの件(可決)(朝倉郡水平社提案)

一 農民運動と水平運動と提携の件(論戰ありたるが結局保留)(席田村水平社提案)

一 各水平社の委員改選期日を一定するの件(撤回)

之にて休憩に入り會員一同晝食をなし午後二時再開、左記の協議をなす

一 全國融和聯盟に對する件(否決)(熊本青年同盟提案)

一 農民部勞働部設置の件(保留)(嘉穂郡水平社提案)

一 故松本源太郎氏獄死眞相實行の件(實行委員岩尾家貞氏報告の結果再び此問題を第四回全國大會に提出する事に決定)(九州水平社提案)

一 群馬事件對策の件(九州水平社としては關東水平社及聯盟本部の態度如何に拘らず對策を講ずるに至るやも知れずとの激勵の決議文を關東に送る事に決定)

一 武道部設置の件(群馬事件其他の事がありたる場合に自衛上武道を錬るの必要ある故設置する事に決定)(福岡青年同盟)

一 全九州水平社組織原則確立の件(現在九州水平社には少年部、婦人部、庶務部、宣傳部があるが此外に政治部を新設する事、次に執行委員を選ぶ場合は町村内の水平社委員は[illegible]水平社執行委員を選び、郡の水平社委員は縣の委員を、縣の委員は全九州の委員を更に選ぶ事、男子委員、女子委員共に任期一ケ年たる事(再選許可)半數以上の信任なき時は委員長は失格する事、其他について委員附托となり委員會の結果原案通りに決定)(九州水平社本部提案)

一 無産階級政黨に參加するの件(聯盟本部泉野利喜藏氏の説明あり結果委員附托となり之は九州水平社全團體としては參加せず個人として參加隨意といふ事に決定)(九州水平社本部提案)

一 全九州婦人水平社大會の件(可決)(福岡縣婦人水平社提案)

緊急動議

一 農民組合に水平運動を撤底せしむるの件(可決)

一 在監中の近藤光氏に電報の件(不審すべきにつきその理由にて撤回)

一 徳川公へ辭爵の件貫徹の件(松本治一郎氏より目下此問題は關係は切れて居らず追つて徳川公より返事を呉れる事になつて居るが今に貰はぬ、此事を承知して貰いたいとの説明あり)

一 糺彈事件に基本金を作る事(原則問題中にあるにつき撤回)

一 選關紙水平月報維持の爲に購讀奬勵の件(可決)

右の内群馬事件に對しては重大問題なので殺氣の氣分と緊張した決意を以て協議し提案者よりも詳細報告する處があつた、斯して協議會は三時三十分終了引續き演説會に入り聯盟本部泉野利喜造、全國少年水平社代表山田孝之次郎、全國少女代表箱田久江及び九州各縣代表として福岡縣朝倉郡森喜三郎の諸氏以下數十名の辯士熱辯を揮ひ午後八時滿散會したが當日は水平社同人のみならず一般の入場を許したので會場内は立錐の餘地無き盛況を呈した

［九州日報　1925.3.26］

第5回 全九州水平社大会 1927年4月26日

全九州 水平社大會

昨日博多で

第五回全九州水平社大會は福岡市博多東町大博劇場にて昨廿六日開催した當日は平素の會の時にも増して會場内外の警官の物々しい警戒振りで會場へ出入の水平社同人は勿論、新聞記者までも身體檢査をなして兇器携帶の有無を調べるなど神經を尖らして居たが來會者は九州各地の代議員三百五十名其他の同人を合せ五百餘名に上つた午前九時より總會を開き藤岡庄右衛門氏座長となつて和田一郎氏を議長に推し會計報告綱領宣言等の朗讀に次で祝辭祝電披露ありて議事に移り各縣よりの提出問題を附議したが提出者の説明中、屢々中止を命ぜられて場内一層の緊張振りを見せた

一 日本水平社排撃の件(早良水平社提出)可決

一 青年同盟組織の件(水平社青年同盟提出)可決

一 水平者新聞、無産者新聞支持の件(早良水平社提出)可決

右の外『運動費徴收の件』『レポーター設置の件、聯隊問題對策の件』『勞農黨支持の件』等を議し午後五時頃閉會した

［九州日報　1927.4.27］

第6回全九州水平社九州大会・全国水平社九州大会

第6回全九州水平社大会ポスター
［嘉麻市教育委員会蔵 田中松月史料］

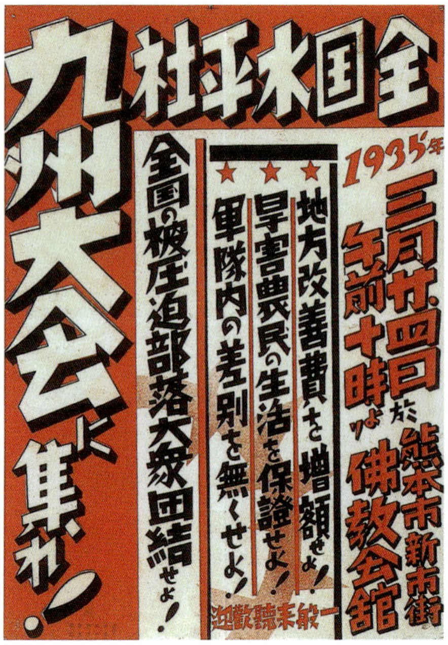

全国水平社九州大会ポスター
［嘉麻市教育委員会蔵 田中松月史料］
全国水平社九州大会ポスター　1935 年

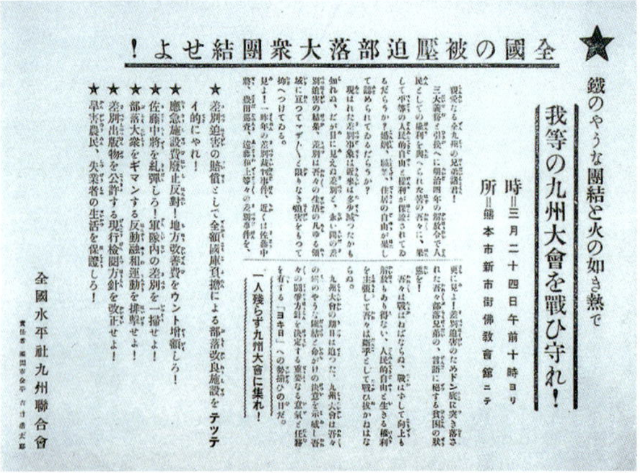

★ 全國の被壓迫部落大衆團結せよ！

鐵のやうな團結と火の如き熱で
我等の九州大會を戰ひ守れ！

時＝三月二十四日午前十時ヨリ
所＝熊本市新市街佛教會館ニテ

親愛なる全九州の兄弟諸君！
三大義務と引換へに明治四年の解放令で人民としての權利を與へられた筈の吾々に、果して平等の人民的自由と權利が保證されてゐるだらうか？婚姻、職業、住居の自由が果して認められてゐるだらうか？
現はれた差別事象は多少減つたかも知れぬ、だが目に見えぬ差別と、永い間の差別迫害の結果、差別は吾々の生活の凡ゆる領域に亘つてマザ／＼と限りなき迫害をもつて抑へつけてゐる。
見よ！一昨年の差別裁判事件、近くは佐藤中將、[illegible]田區長、遠藤和上等々の差別事件を。
更に見よ！差別迫害のためドン底に突き落された吾々部落兄弟の、言語に絶する貧困の狀態を！
吾々は戰はねばならぬ、戰は少して向上も解放もあり得ない、人民的自由と生きる權利を主張して吾々は斷乎として戰ひ拔かねばならぬ。
九州大會の期日は迫つた、九州大會は吾々の鐵のやうな團結と命がけの決意を示威し吾々の鬪爭方針を決定する重要なる意義と任務を有する「ヨキ日」への勢揃ひの日だ。

一人殘らず九州大會に集れ！

★差別迫害の賠償として全額國庫負擔による部落改良施設をテッテイ的にやれ！
★應急施設費廢止反對！地方改善費をウント增額しろ！
★佐藤中將を糺彈しろ！軍隊内の差別を一掃せよ！
★部落大衆をギマンする反動融和運動を排撃せよ！
★差別出版物を公許する現行檢閲方針を改正せよ！
★旱害農民、失業者の生活を保證しろ！

全國水平社九州聯合會

九州大会への参加のビラ
［松本治一郎史料］
「鉄のような団結と火の如き熱で　我等の九州大会を戦い守れ！」と呼びかけている。

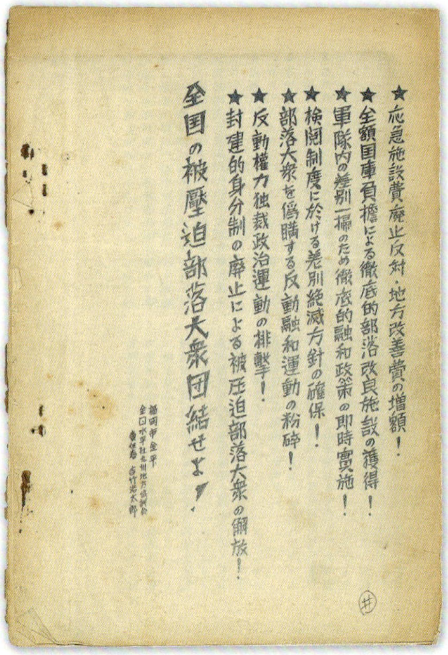

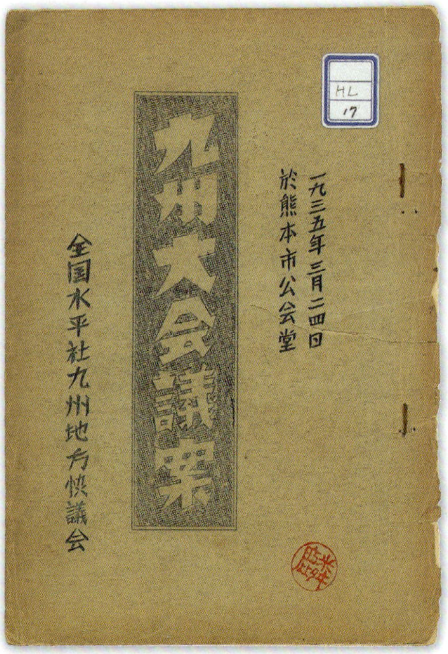

九州大会議案書　［井元麟之史料］
全国水平社九州大会議案書　1935 年

第６回　全九州水平社大会　1930年3月15日

九州水平社大會
昨日福岡市記念館で

…員は長崎、佐賀兩地方から選定してそれぞれ役員の任命を爲し次で各地からの祝辭祝電を披露し資格審査委員會に本部諸報告があり議事に入つて
一、組織變更に關する件
一、財政に關する件
一、政治部設置に關する件
一、役員改選の件
一、大會宣言發表の件
一、運動方針決定の件
一、農民委員會設置の件
一、青年部設置の件
をそれぞれ提案者から說明して協議し『全國の特殊部落民團結せよ』『我等に人間權と生活權を與へよ』

全九州水平社大會

全九州水平社第六回大會は十五日午前十一時半から福岡市記念館に開催福岡佐賀長崎熊本大分各縣より代議員約三百名出席福岡の花山清氏議長に推され各種役員を任命、祝電の披露後友誼團體の祝辭演説に移り、無產黨、社民黨、南方プロ藝術聯盟、全農組合福岡聯合會、日大黨、全國官業勞働組合、勞働總同盟等各支部の代表者が交々熱辯を振ひ臨監官から注意や禁止を喰ふ者多く騒然裡に午後一時休憩した

［福岡日日新聞　1930.3.15］

復活後最初の 九州水平社大會
昨日福岡市記念館で

大正十五年以來種々の事情に妨げられて中絶してゐた全九州水平社大會は復活第一回即ち第六回大會を十五日午前十一時半から福岡市記念館に開會、久々の大會であるため友誼團體等を加へて三百名の出席者があり先づ議長に井元麟之氏、副議長に花山清氏、書記各種…

…ぎ大いに氣勢を揚げて午後四時閉會した

［九州日報　1930.3.16］

福岡日日新聞　日曜日　昭和五年三月十六日　（第三種郵便物認可）

生活權奪還と差別撤廢と 今後は政治鬪爭へ
組織を變更し政治部を設けた
全九州水平社大會の意義

【夕刊所報】十五日福岡市記念館に開催の全九州水平社第六回大會は休憩午後一時半再開上田、三木、森田各中央委員の熱烈なる祝辭演説あり資格審査委員會より八十八水平社より代議員百九十五名の出席者ある旨を報告、協議會に移つて左記議案の說明討論あり

一、組織變更の件（從來の地域的區分による單位を改め五十人一單位の組織とし、之を郡市支部、縣支部聯を經て中央委員會に結びつけ政治、組織、財政、機關紙の各部を設けて統制ある活動を爲す）

一、財政に關する件（每月一戶に付五錢の維持費を徵集、中三錢を九聯本部に納め二錢を支部費とする

一、政治部設置の件（今後は政治鬪爭に重きを置き、生活權奪還、差別撤廢をスローガンとして突進する）

一、役員改選の件（銓衡委員會に一任となつたが松本治一郎氏を執行委員長に推し、同氏の不在中梅津高次郎氏之を代行する事となるらしい）

一、大會宣言發表の件（全被壓迫民衆の階級的結合による政治行動に參加する事、階級意識の徹底たる融和運動の排擊等を高調し、『社會民主々義』にまで反對する意味の一項があつたが社民黨員の反對あつて抹殺の上原案決定）

其他運動方針の件、農民委員會青年部設置の件等を可決して五時過ぎ散會、七時から松原公會堂に於て演說會を開いたが本大會の意義としては組織の變更及び政治部の設置等全國水平運動の上に大なる刺戟を與へるものと噂せられて居る

［福岡日日新聞　1930.3.16］

全九州水平社大会　1935年3月24日

昨日、熊本で 水平社九州大會
市公會堂に千五百名參集
書記長以下選出

全國水平社九州大會は二十四日午前十一時から熊本市公會堂において開催、松本中央委員長を始め九州各縣聯合會代議員六十餘名並に一般參加者約千五百名參集物々しい警…

［九州日報　1935.3.25］

全九州水平社大会　於熊本市公会堂

全國水平社 九州大會
熊本市で盛大に開催

全國水平社九州大會は二十四日午前十一時より熊本市公會堂で開催中央委員長松本治一郎氏外九州各縣聯合會代議員並に會員など約千五百名參集ものものしい警戒裡に松本中央委員長議長席につき議事に入り大會宣言及び各種委員二十四名の選擧を行ひ熊本縣代表宮村又又氏の歡迎の辭、長崎縣代表永山清三郎氏の祝辭、九州聯合會並に熊本縣聯合會の情勢報告あり…の件外數件を附議の後九州聯合會の役員改選を行ひ滿場一致可決して議事を終り松本中央委員長外數氏は火の如き熱辯を揮ひ午後六時過ぎ大盛況裡に閉會した

［福岡日日新聞　1935.3.26］

福岡連隊事件

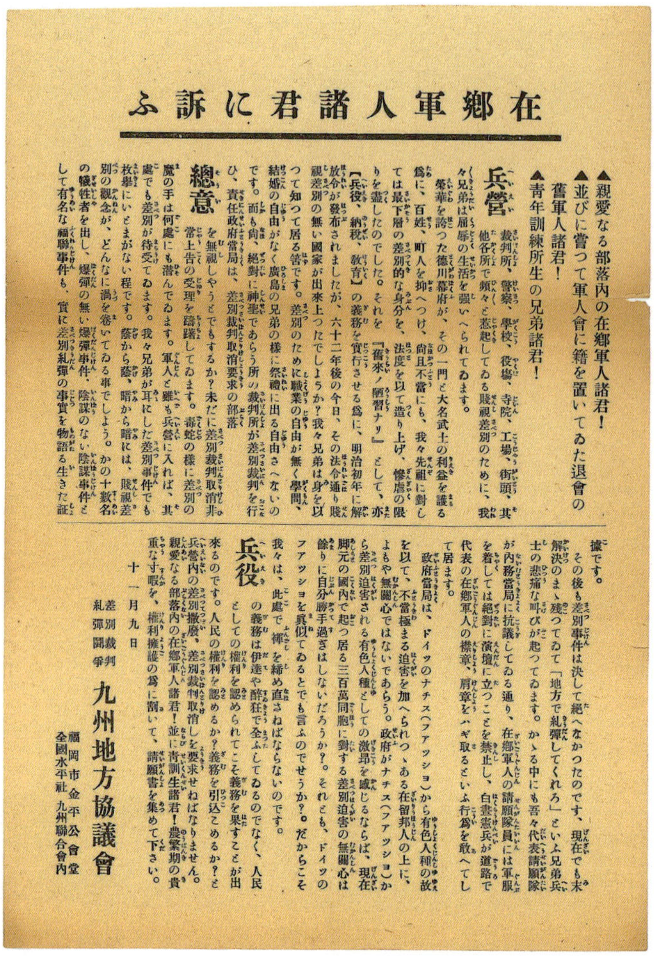

在郷軍人諸君に訴ふ

▲親愛なる部落内の在郷軍人諸君!
▲並びに嘗つて軍人會に籍を置いてゐた退會の舊軍人諸君!
▲青年訓練所生の兄弟諸君!

兵營《へいえい》 裁判所《さいばんしよ》、警察《けいさつ》、學校《がくこう》、役場《やくば》、寺院《じいん》、工場《こうじやう》、街頭《がいとう》、其《そ》他各所《たかくしよ》で頻々《ひんぴん》と惹起《じやくき》してゐる賤視差別《せんしさべつ》のために、我《われ》々兄弟《きやうだい》は屈辱《くつじよく》の生活《せいかつ》を強《し》いへられてゐます。

榮華《えいぐわ》を誇《ほこ》つた徳川幕府《とくがはばくふ》が、その一門と大名武士の利益《りえき》を護《まも》る爲《ため》に、百姓、町人を抑《おさ》へつけ、尚且不當《なほかつふたう》にも、我々先祖《せんぞ》に對しては最下層《さいかそう》の差別的《さべつてき》な身分《みぶん》を、法度《はつと》を以て造《つく》り上げ、慘虐《ざんぎやく》の限りを盡《つく》したのでした。それを『舊來《きうらい》ノ陋習《ろうしう》ナリ』として、亦《また》【兵役《へいえき》、納稅《のうぜい》、教育《けういく》】の義務《ぎむ》を實行《じつこう》させる爲に、明治初年に解《かい》放令《はうれい》が發布《はつぷ》されましたが、六十二年後の今日、その法令通《はうれいどほ》り賤《せん》視差別《しさべつ》の無い國家が出來上つたでしようか?我々兄弟は身《み》を以つて知つて居る筈《はず》です。差別《さべつ》のために職業《しよくげふ》の自由《じゆう》が無く學問《がくもん》、結婚《けつこん》の自由《じゆう》がなく廣島《ひろしま》の兄弟の様に祭禮《さいれい》に出る自由《じゆう》さへないのです。而《しか》も尚《なほ》、絶對《ぜつたい》に神聖《しんせい》であらう所の裁判所《さいばんしよ》が差別裁判《さべつさいばん》を行《おこな》ひ、責任政府當局《せきにんせいふたうきよく》は、差別裁判取消要求《さべつさいばんとりけしようきう》の部落《ぶらく》

總意《そうい》 を無視《むし》しやうとでもするか?未だに差別裁判取消非《さべつさいばんとりけしひ》常上告《じやうこく》の受理《じゆり》を躊躇《ちうちよ》してゐます。毒蛇《どくじや》の様に差別《さべつ》の魔《ま》の手は何處《どこ》にも潜《ひそ》んでゐます。軍人《ぐんじん》と雖《いへど》も兵營《へいえい》に入れば、其《そ》處《こ》でも差別《さべつ》が待受《まちう》けてゐます。我々兄弟が耳《みゝ》にした差別事件《さべつじけん》でも枚擧《まいきよ》にいとまがない程です。蔭《かげ》から蔭《かげ》、暗《やみ》から暗《やみ》には、賤視差《せんしさ》別《べつ》の觀念《かんねん》が、どんなに渦《うづ》を卷《ま》いてゐる事でしよう。かの十數名《すうめい》の犠牲者《ぎせいしや》を出し、爆彈《ばくだん》の無い爆彈事件《ばくだんじけん》、陰謀《いんぼう》のない陰謀事件《いんぼうじけん》として有名《いうめい》な福聯事件《ふくれんじけん》も、實《じつ》に差別糺彈《さべつきうだん》の事實《じじつ》を物語《ものがた》る生《い》きた證《しよう》據《こ》です。

その後《ご》も差別事件《さべつじけん》は決して絶《た》へなかつたのです、現在《げんざい》でも未《み》解決《かいけつ》のまゝ殘《のこ》つてゐて「地方で糺彈《きうだん》してくれろ」といふ兄弟兵《へい》士《し》の悲痛《ひつう》な叫《さけ》びが起《た》つてゐます。かゝる中にも吾々代表請願隊《だいへうせいがんたい》が内務當局《ないむたうきよく》に抗議《かうぎ》してゐる通り、在郷軍人《ざいがうぐんじん》の請願隊員《せいがんたいいん》には軍服《ぐんぷく》を着《ちやく》しては絶對《ぜつたい》に演壇《えんだん》に立《た》つことを禁止《きんし》し、白晝憲兵《はくちうけんぺい》が道路《だうろ》で代表の在郷軍人《ざいがうぐんじん》の襟章《えりしやう》、肩章《けんしやう》をハギ取《と》るといふ行爲《かうゐ》を敢《あ》へてして居ます。

政府當局《せいふたうきよく》は、ドイツのナチス(ファッショ)から有色人種《ゆうしよくじんしゆ》の故《ゆゑ》を以て、不當極《ふたうきは》まる迫害《はくがい》を加へられつゝある在留邦人《ざいりうはうじん》の上に、よもや無關心《むかんしん》ではないであらう。政府《せいふ》がナチス(ファッショ)から差別迫害《さべつはくがい》される有色人種《ゆうしよくじんしゆ》としての激昂《げきこう》を感《かん》じるならば、現在《げんざい》脚元《あしもと》の國内《こくない》で起《おこ》つ居る三百萬同胞《どうはう》に對《たい》する差別迫害《さべつはくがい》の無關心《むかんしん》は餘《あま》りに自分勝手《じぶんかつて》過《す》ぎはしないだろうか?。それとも、ドイツのファッショを眞似《まね》てゐるとでも言ふのでせうか?。だからこそ我々は、此處《こゝ》で褌《ふんどし》を締《し》め直《なほ》さねばならないのです。

兵役《へいえき》 の義務《ぎむ》は伊達《だて》や醉狂《すゐきやう》で全《まつた》ふしてゐるのでなく、人民としての權利《けんり》を認《みと》められてこそ義務《ぎむ》を果《はた》すことが出來るのです。人民の權利《けんり》を認《みと》めるか?義務《ぎむ》を引込《ひつこ》めるか?と兵營内《へいえいない》の差別撤廢《さべつてつぱい》、差別裁判取消《さべつさいばんとりけ》しを要求《ようきう》せねばなりません。親愛《しんあい》なる部落内《ぶらくない》の在郷軍人《ざいがうぐんじん》諸君!並《なら》びに青訓生《せいくんせい》諸君!農繁期《のうはんき》の貴《き》重《ちやう》な寸暇《すんか》を、權利擁護《けんりようご》の爲《ため》に割《さ》いて、請願書《せいがんしよ》を集《あつ》めて下《くだ》さい。

十一月九日

差別裁判
糺彈闘爭 九州地方協議會
福岡市金平公會堂
全國水平社 九州聯合會内

在郷軍人に訴えるビラ ［松本治一郎史料］
福岡連隊差別事件で在郷軍人への呼びかけ

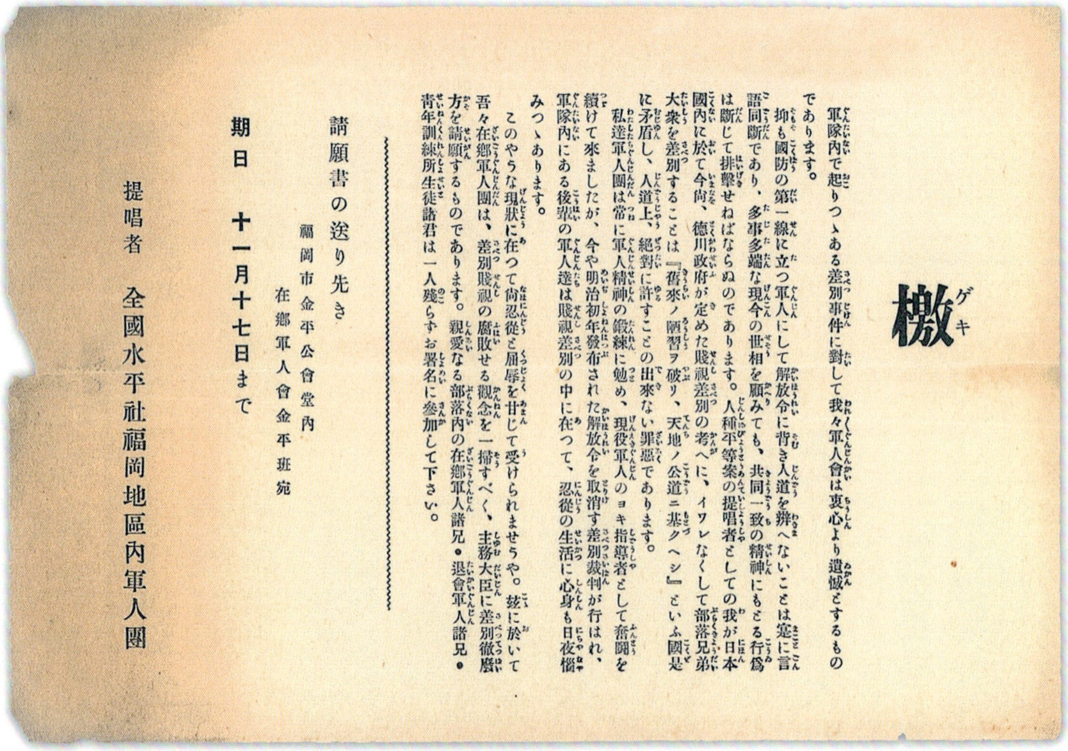

檄《ゲキ》

軍隊内《ぐんたいない》で起《おこ》りつゝある差別事件《さべつじけん》に對《たい》して我々軍人會《われわれぐんじんかい》は衷心《ちうしん》より遺憾《ゐかん》とするものであります。

抑《そもそ》も國防《こくばう》の第《だい》一線《せん》に立《た》つ軍人《ぐんじん》にして解放令《かいはうれい》に背《そむ》き人道《じんだう》を辨《わきま》へないことは寔《まこと》に言《ごん》語同斷《ごどうだん》であり、多事多端《たじたたん》な現今《げんこん》の世相《せさう》を顧《かへり》みても、共同一致《きようどういつち》の精神《せいしん》にもとる行爲《かうゐ》は斷《だん》じて排撃《はいげき》せねばならぬのであります。人種平等案《じんしゆびやうどうあん》の提唱者《ていしやうしや》としての我《わ》が日本《にほん》國内《こくない》に於《おい》て今尚《いまなほ》、徳川政府《とくがはせいふ》が定《さだ》めた賤視差別《せんしさべつ》の考《かんが》へに、イワレなくして部落兄弟《ぶらくきやうだい》大衆《たいしう》を差別《さべつ》することは『舊來《きうらい》ノ陋習《ろうしう》ヲ破《やぶ》リ、天地《てんち》ノ公道《こうだう》ニ基《もとづ》クヘシ』といふ國是《こくぜ》に矛盾《むじゆん》し、人道上《じんだうじやう》、絶對《ぜつたい》に許《ゆる》すことの出來《でき》ない罪惡《ざいあく》であります。

私達軍人團《わたしたちぐんじんだん》は常《つね》に軍人精神《ぐんじんせいしん》の鍛錬《たんれん》に勉《つと》め、現役軍人《げんえきぐんじん》のヨキ指導者《しだうしや》として奮闘《ふんとう》を續《つゞ》けて來ましたが、今や明治初年發布《めいぢしよねんはつぷ》された解放令《かいはうれい》を取消《とりけ》す差別裁判《さべつさいばん》が行はれ、軍隊内《ぐんたいない》にある後輩《こうはい》の軍人達《ぐんじんたち》は賤視差別《せんしさべつ》の中に在《あ》つて、忍從《にんじう》の生活《せいかつ》に心身《しんしん》も日夜《にちや》惱《なや》みつゝあります。

このやうな現状《げんじやう》に在《あ》つて尚忍從《なほにんじう》と屈辱《くつじよく》を甘《あま》じて受《う》けられませうや。玆《こゝ》に於《お》いて吾々在郷軍人團《ざいがうぐんじんだん》は、差別賤視《さべつせんし》の腐敗《ふはい》せる觀念《かんねん》を一掃《そう》すべく、主務大臣《しゆむだいじん》に差別徹廢《さべつてつぱい》方《かた》を請願《せいがん》するものであります。親愛《しんあい》なる部落内《ぶらくない》の在郷軍人《ざいがうぐんじん》諸兄・退會軍人《たいかいぐんじん》諸兄・青年訓練所生徒《せいねんくんれんしよせいと》諸君は一人殘《のこ》らずお署名《しよめい》に參加《さんか》して下さい。

請願書の送り先き
福岡市金平公會堂内
在郷軍人會金平班宛

期日 十一月十七日まで

提唱者 全國水平社福岡地區内軍人團

檄文 ［松本治一郎史料］
福岡連隊差別事件で在郷軍人への呼びかけ

高松差別裁判

請願隊ポスター(日付·会場名無し) とステッカー　[井元麟之史料]
高松差別裁判糾弾闘争請願隊のポスターとステッカー　1933 年

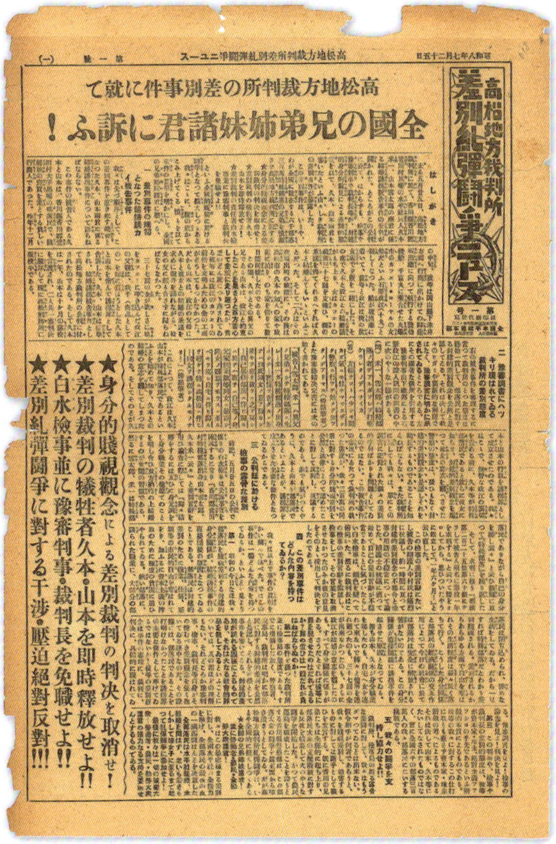

昭和八年七月二十五日　高松地方裁判所差別糾彈闘爭ニュース　第一號

高松地方裁判所差別糾彈闘爭ニュース

高松地方裁判所の差別事件に就て

全國の兄弟姉妹諸君に訴ふ!

★身分的賤視觀念による差別裁判の判決を取消せ!

★差別裁判の犠牲者久本・山本を即時釋放せよ!!

★白水檢事並に豫審判事・裁判長を免職せよ!!

★差別糾彈闘爭に對する干渉・壓迫絶對反對!!!

差別糾弾闘争ニュース　[井元麟之史料]
高松地方裁判所の差別事件に就いて

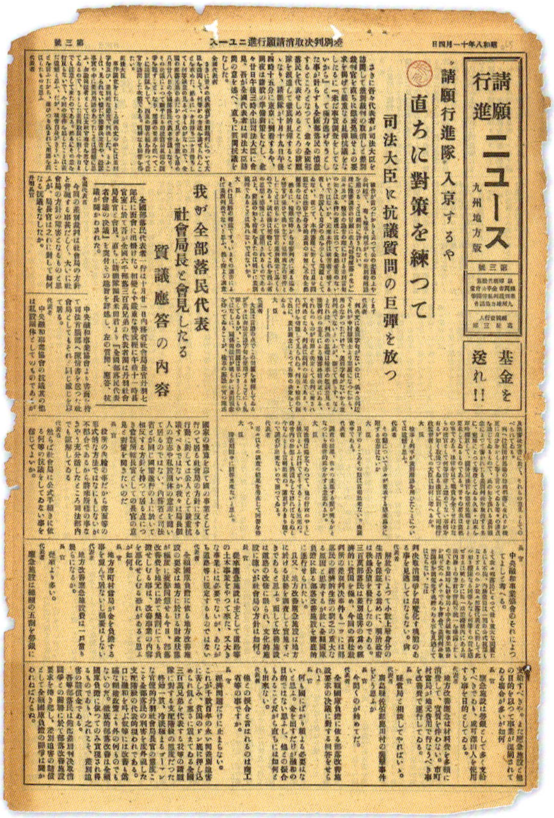

昭和八年十一月四日　差別判決取消請願行進ニュース　第三號

請願行進ニュース　九州地方版

"請願行進隊"入京するや

直ちに對策を練つて

司法大臣に抗議質問の巨彈を放つ

我が全部落民代表

社會局長と會見したる

質議應答の内容

基金を送れ!!

請願行進ニュース　[井元麟之史料]
請願行進隊入京するや　直ちに対策練って

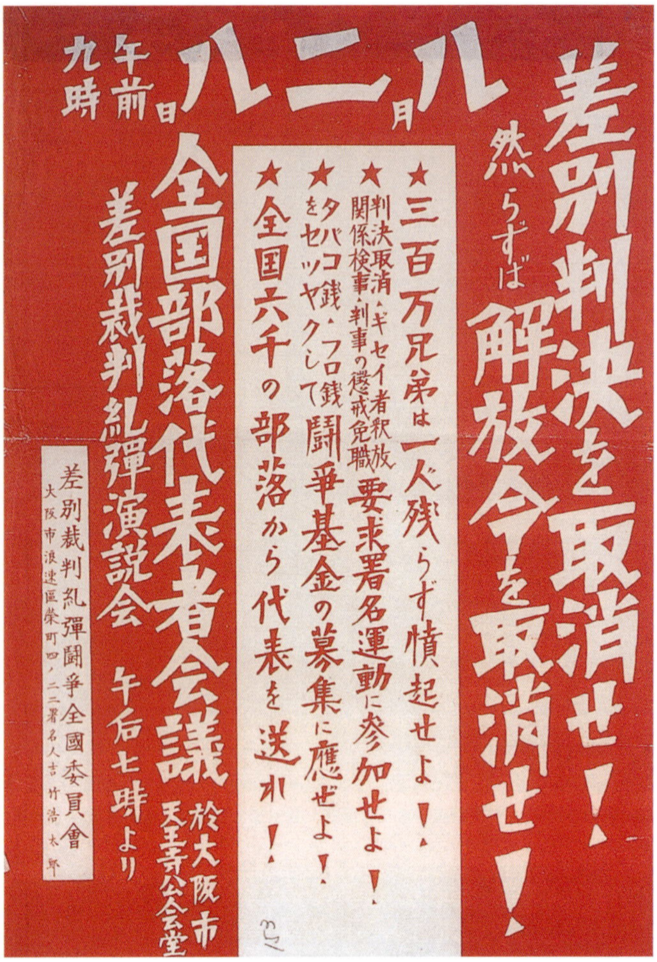

全国部落代表者会議ポスター ［井元麟之史料］
全国部落代表者会議ポスター 1933 年

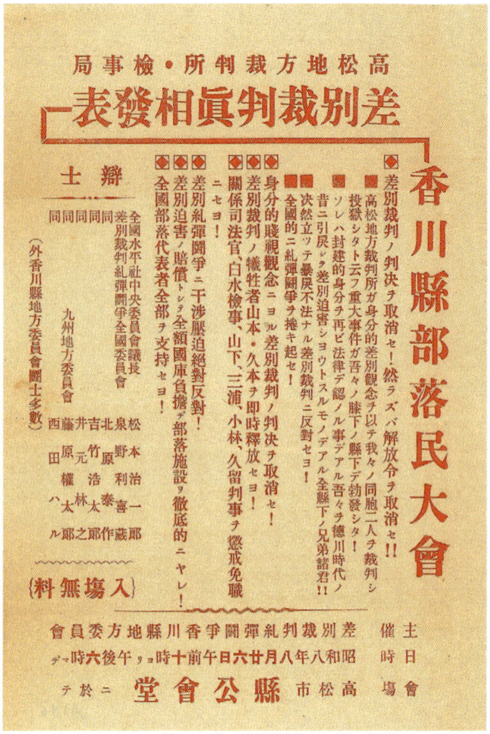

香川県部落民大会のビラ ［松本治一郎史料］

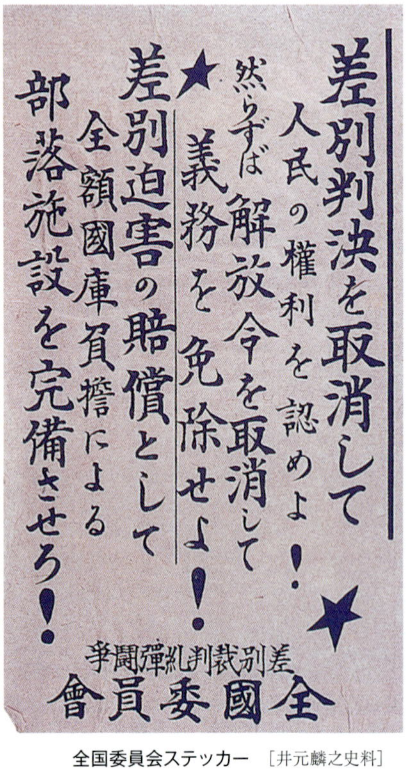

全国委員会ステッカー ［井元麟之史料］
高松差別裁判糾弾闘争ステッカー 1933 年

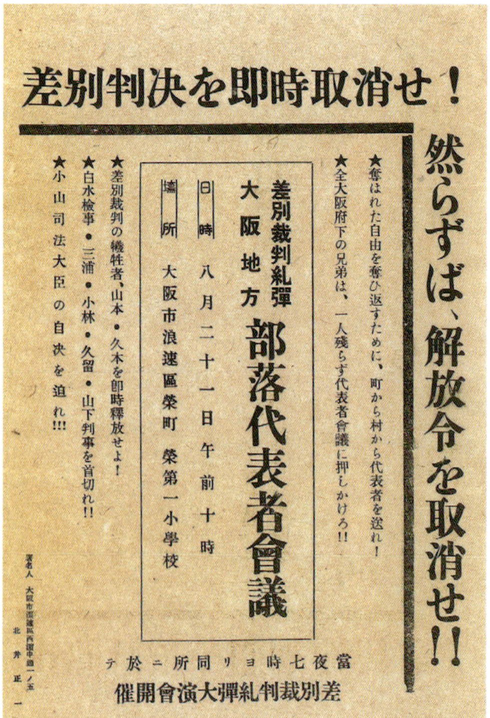

全国部落代表者会議（大阪）ビラ ［松本治一郎史料］
高松差別裁判糾弾の大阪地方部落代表者会議
「差別判決を即時取消せ！然らずば、解放令を取消せ！！」の名文句は井元麟之の発案による。

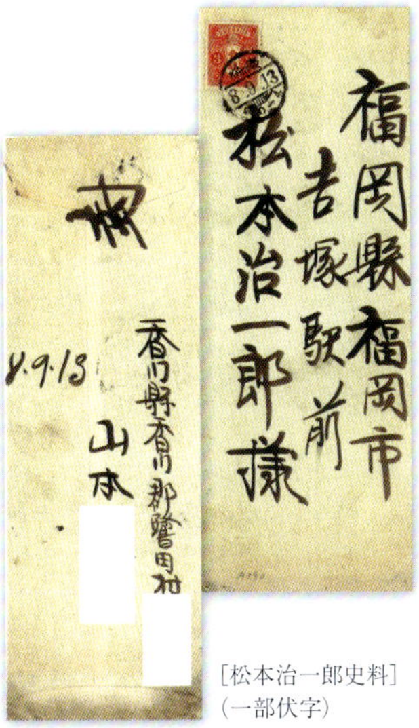

［松本治一郎史料］
（一部伏字）

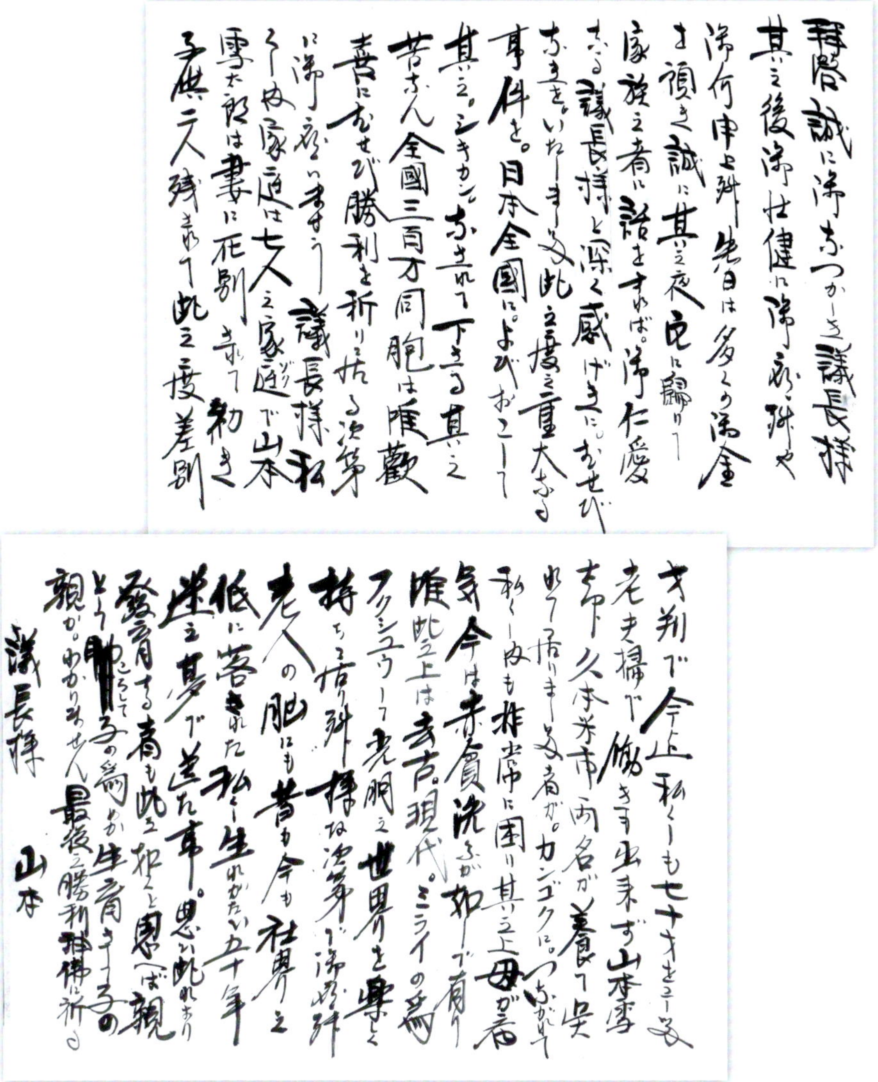

山本よりの手紙

香川県鷺田村の高松差別裁判の被告とされた山本、久本兄弟の父・山本より、松本治一郎に宛てた直筆手紙。差別裁判を糾弾している。

請願行進ニュース（ガリ）

［松本治一郎史料］

高松差別裁判反対請願隊の威風堂々の東京入りを伝えている。

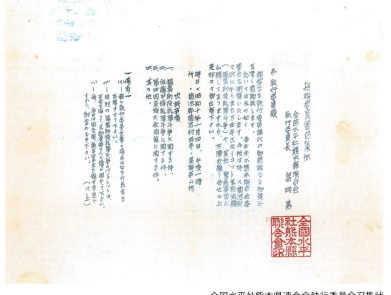

全国水平社熊本県連合会執行委員会召集状

［松本治一郎史料］

全水熊本県連委員会召集状

農民運動（全国農民組合福佐連合会）・政治運動

【表２－１】水平社組織状況

種　類	総　数	水平社ニ加入セルモノ	水平社ニ加入セザルルモノ
部落数	486	349	139
戸　数	15,495	12,665 (4,154)	2,829
人　口	81,412	66,173 (16,423)	15,239

〔原註〕括弧内ハ実際ニ加入セル戸数、人口ヲ示シ、括弧外ハ水平社ニ加入セル部落ノ総戸数、総人口ヲ示ス。

【表２－２】農民組合組織状況

種　類	支部数		組合員数	
	総　数	部落関係	総　数	部落関係
全農福佐連合会	50	32	2,015	1,460
全農福岡県連合会	11	6	614	370
日農九州同盟会	95	16	5.490	580

〔原註〕日農関係ニ於テハ、部落農民ト一般農民トニ於テ共同組織セルモノアリ、人員ハ推定ニ依ル。

出典：福岡県内務部「特種部落ニ於ケル小作争議」

九州での農民組合運動は、杉本元次郎が1922（大正11）年４月９日日本農民組合創立の翌年、福岡県宗像郡の農業技師高崎正戸が1923年４月１日開設した「九州農民学校」に始まる。この開校式には、労働組合の日本総同盟から加藤勘十らが、水平社からは中島鉄次郎、花山清らが参加した。

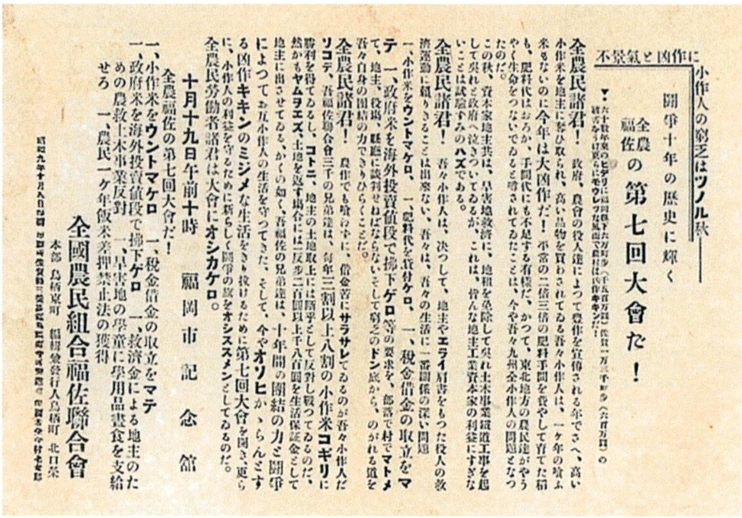
不景気と凶作に
小作人の窮乏はツノル秋――
闘爭十年の歴史に輝く
全農福佐の第七回大會だ！

全農民諸君！　政府、農會の役人達によつて豊作を宣傳される年でさへ、高い小作米を地主に奪ひ取られ、高い品物を買わされてゐる吾々小作人は、一ケ年の喰ふ米もないのに今年は大凶作だ！　平常の二倍三倍の肥料手間を費やして育てた稲も、肥料代はおろか、手間代にも不足する有様だ、かつて、東北地方の農民達がやうやく生命をつないでゐると噂されてゐたことは、今や吾々九州全小作人の問題となつたのだ。

この秋、資本家地主共は、旱害地救済に、地租を免除して呉れ土木事業鐵道工事を起して呉れと政府へ泣きついてゐるが、これは、皆んな地主工業資本家の利益にすぎないことは試験ずみのハズである。

全農民諸君！　吾々小作人は、決つして、地主やエライ肩書をもつた役人の救済運動に頼りきることは出來ない、吾々は、吾々の生活に一番關係の深い問題

一、小作米をウントマケロ、一、肥料代を貸付ケロ、一、税金借金の取立をマテ　一、政府米を海外投資値段で拂下ゲロ等の要求を、部落で村でマトメて、地主、役場、縣廳に談判せねばならないそして窮乏のドン底から、のがれる道を吾々自身の團結の力できりひらくことだ。

全農民諸君！　農作でも喰わずに、借金苦にサラサレてゐるのが吾々小作人だ

ソコデ、吾福佐聯合會三千の兄弟達は、毎年三割以上八割の小作米コギリに勝利を得てゐるし、コトニ、地主の土地取上には断乎として反對し戦つてゐるのだ、然かもヤムヲエズ、土地を返す場合には一反歩二百圓以上千八百圓を生活保証金として地主に出させてゐる、かくの如く、吾福佐の兄弟達は、十年間の團結の力と闘爭によつてお互小作人の生活を守つてきた、そして、今やオソヒかゝらんとする凶作キキンのミジメな生活をきり抜けるために第七回大會を開き、更らに、小作人の利益を守るために輝らしく闘爭の旗をオシススメンとしてゐるのだ。

全農民労働者諸君は大會にオシカケロ。

十月十九日午前十時　福岡市記念館

全農福佐の第七回大會だ！

一、小作米をウントマケロ　一、税金借金の取立をマテ
一、政府米を海外投資値段で拂下ゲロ　一、救済金による地主のための農救土木事業反對　一、旱害地の學童に學用品費食を支給せろ　一、農民一ケ年飯米差押禁止法の獲得

全國農民組合福佐聯合會
本部　鳥栖京町　編輯兼發行人鳥栖町　北口榮

全農福佐連合会第７回大会ビラ　［松本治一郎史料］
全農福佐連合会第７回大会のビラ

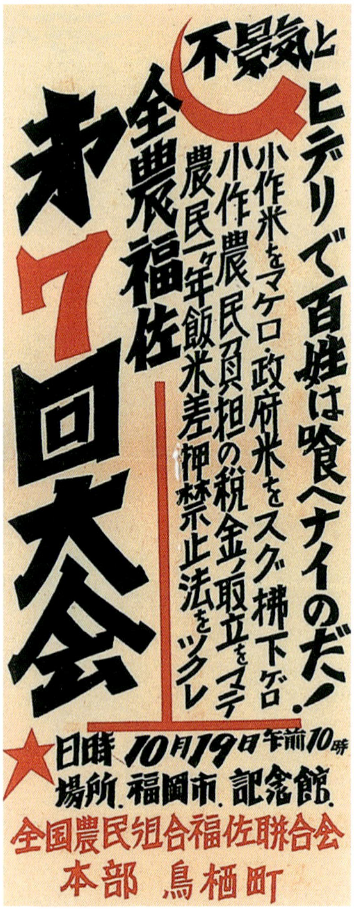

全農福佐連合会第７回大会ポスター
［松本治一郎史料］
全農福佐連合会第７回大会ポスター　1934 年

日本農民組合　於東京第四回全国大会
代議員章　(3.7 × 3cm)
［森田幸吉氏所有］
1925.2.27-3.1

（裏面）
『福岡県史近代史料編　農民運動（二）』より

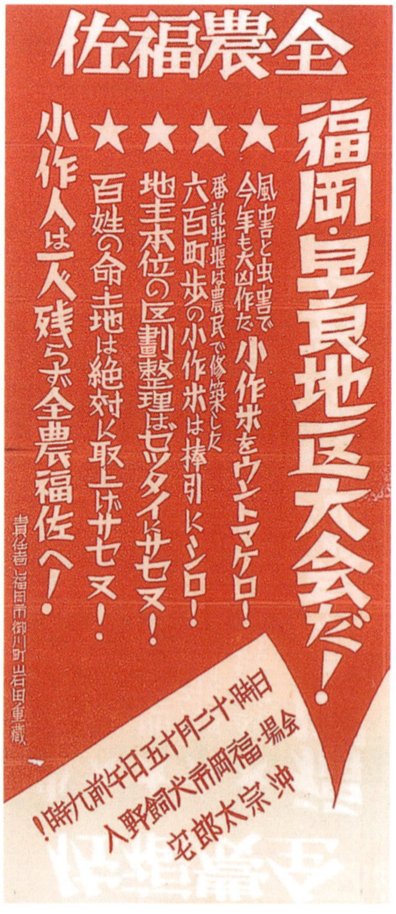

全農福佐連合会福岡・早良地区大会ポスター　［松本治一郎史料］
全農福佐連合会福岡・早良地区大会のポスター　1935 年

政治運動

労働争議が起こると資本家側はストライキ指導者（参加者）の首切り等、小作争議が起こると地主側は小作地引き上げ、立毛差押等、政府と一体となってな法律・規則を作って弾圧に乗り出した。そこで農民組合は、はじめに部落役員、農会、水利組合の代議員選挙に取り組んだ。つづいて、普通選挙法が成立すると市町村議会、府県議会、国政選挙衆議院選挙にも取り組み政府の事業や法律の改正・制定にも取り組んだ。全国水平社も1924年第三回大会では「選挙運動に関係せぬこと」としていたが、1930年全九州水平社第六回大会では「今後は政治闘争へ－組織を変更して政治部を設けた」と方針を変えて各級選挙に取り組んだ。その結果1931年の福岡県議会選挙で花山清が当選を勝ち取った。（鹿児島県議選では農民運動家の冨吉栄二が当選）

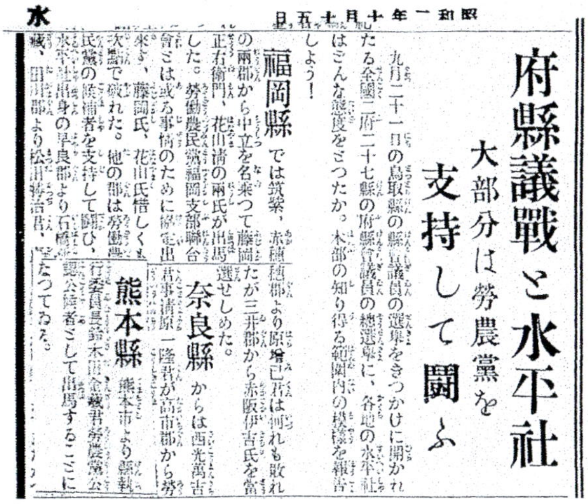
府縣議戰と水平社
大部分は勞農黨を支持して闘ふ
福岡縣
奈良縣
熊本縣

水平新聞　昭和二年十月十五日

總選擧戰に
福岡、奈良、岡山の各縣に於て
輝ける我等の候補者を
推立て、勇敢に闘かふ
選擧後の闘爭を更に展開せよ！
福岡第一區に於て
松本議長立候補す

水平新聞　昭和三年三月五日

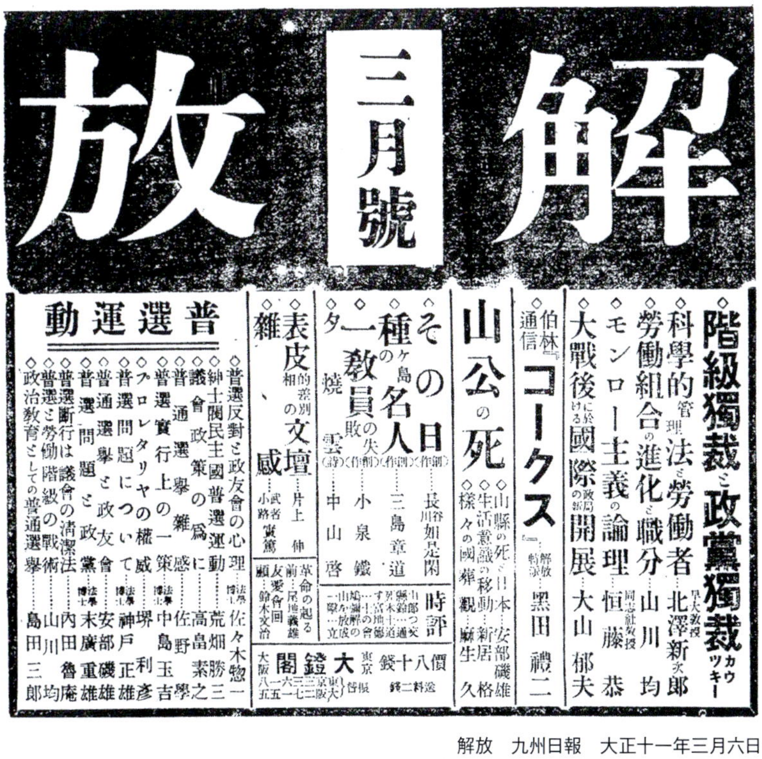
解放
三月號
◇階級獨裁と政黨獨裁…カウツキー
◇科學的管理法と勞働者…早大教授 北澤新次郎
◇勞働組合の進化と職分…山川均
◇モンロー主義の論理…同志社教授 恒藤恭
◇大戰後に於ける國際政局の新開展…大山郁夫
◇伯林通信『コークス』…解放特派員 黑田禮二
山公の死
◇山縣の死と日本…安部磯雄
◇生活意識の移動…新居格
◇様々の國葬觀…麻生久
◇その日（作劇）…長谷川如是閑
◇種ヶ島の名人（作劇）…三島章道
◇一教員の失敗（作劇）…小泉鐵
◇夕燒雲（詩）…中山啓
◇表皮的差別相の文壇…片上伸
◇雜感…武者小路實篤
時評
革命の起る前…尾崎義雄
友愛會回顧…鈴木文治
普選運動
◇普選反對と政友會の心理…法學博士 佐々木惣一
◇紳士閥民主國普選運動…荒畑勝三
◇議會政策の爲に…高畠素之
◇普通選擧雜感…佐野學
◇普選實行上の一策…法學博士 中島玉吉
◇プロレタリヤの權威…堺利彦
◇普選問題について…法學博士 神戸正雄
◇普通選擧と政友會…安部磯雄
◇普選問題と政黨…法學博士 末廣重雄
◇普選斷行は議會の淸潔法…内田魯庵
◇普選と勞働階級の戰術…山川均
◇政治教育としての普通選擧…島田三郎
價八十錢 送料二錢
東京 大鐙閣 大阪

解放　九州日報　大正十一年三月六日

松本治一郎に来た手紙

■松本治一郎に手紙を出した人たち

松本史料には多くの書簡、葉書が収められている。水平社活動家の手紙が多いのはもちろんだが、一般の囚人が獄中から出したものもある。本文には「おやじ様」という宛名もあって、松本治一郎がごくふつうに「おやじ」で通用していたことがわかる。ここには松本の交遊がわかるような形で、注目される人たちの書簡を選んでみた。

（原風景展で作成）

泉野利喜蔵（いずの・りきぞう）

1902（明治35）～1944（昭和19）。大阪府堺生れ。全国水平社創立期から幹部として活動、地元では市会議員。全九州水平社の創立時には福岡で運動の組織化に奔走している。

浜嘉蔵（はま・かぞう）

1899（明治32）～1975（昭和50）。福岡市川端生れ。徳川家達《いえさと》公爵への辞爵勧告で在監中獄死した松本源太郎事件への抗議から家達邸の焼討ちを敢行し、懲役15年の刑を受けた。

北原泰作（きたはら・たいさく）

1906（明治39）～1981（昭和56）。岐阜県生れ。はじめ全水青年連盟で活躍、軍隊内差別に抗議し天皇に直訴。のち全国水平社にはいり活躍。1930年代後半には福岡で活動した。

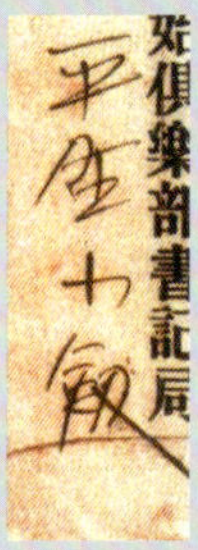

平野小剣（ひらの・しょうけん）

1891（明治24）～1940（昭和15）。福島県生れ。全国水平社結成時に宣言や綱領作製に加わった。のち関東水平社を創立、多くの闘いを指導したが、やがて運動から離れた。

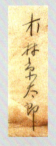

木村京太郎（きむら・きょうたろう）

1902（明治35）～1988（昭和63）。奈良県生れ。戦前戦後を通して解放運動に活躍した。福岡連隊糾弾の闘いでは福岡で宣伝など中心的に活動し、逮捕されている。

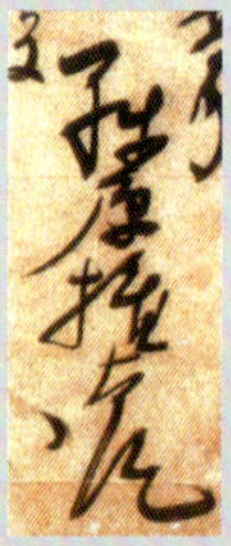

藤原権太郎（ふじはら・けんたろう）

1893（明治26）～1989（平成1）。佐賀県多久生れ。福岡市小学校訓導を辞め、水平社運動に入り、のち幹部、県議。高松差別糾弾闘争では香川県下を歩き、闘いを組織した。

田中松月（たなか・しょうげつ）

1900（明治33）～1993（平成5）。福岡県筑豊生れ。僧侶。水平社創立大会に九州唯一の参加。「水平月報」編集、福岡の水平運動の中心として活動。県議・衆議院議員。

布施辰治（ふせ・たつじ）

1880（明治13）～1953（昭和28）。宮城県生れ。弁護士で自由法曹団を結成、社会運動を支援、自らも実刑を蒙る。福岡連隊糾弾闘争の犠牲者の弁護など全国水平社の顧問弁護士をつとめた。

田原春次（たはら・はるじ）

1900（明治33）～1973（昭和48）。福岡県行橋生れ。戦前、豊前地方の部落小作農民を全国農民組合福岡県連合会に組織。戦後部落解放同盟福岡県連執行委員長。衆議院議員を7期つとめた。

松永安左ヱ門（まつなが・やすざえもん）

1875（明治8）～1971（昭和46）。長崎県壱岐生れ。西日本鉄道、西部ガス、九州電力の前身となる会社を創立。戦時中電力国営化に反対、戦後“電力の鬼”といわれた。松本治一郎と深い親交があった。

戦後の解放運動をになった人たち

1965（昭和 40）年 7 月 5 日、
治一郎最後の参議院選挙当選の喜びを分かちあう
治一郎と松本英一（松本資料）

元環境大臣松本龍（当時部落解放同盟副委員長）の著書
「大臣が語る COP 10の真実」とサブタイトルがつき、
環境問題でも実績を残した。
（日経 BP 社刊 2011 年 5 月）

故松本英一氏法事の際に、九州ブロック役員の
記念写真（1997 年 12 月 10 日・福岡市松本家で）

国際連帯も進む！ 世界先住民族・マイノリティフェスティバル
in 九州（1993 年 10 月）

部落解放基本法の制定要求行動

部落解放同盟中央執行委員会を中心とした
活動家の記念写真（1994 年 3 月・第 51 回全国大会）

各地の「同和」教育に関する副読本

『いきる』宮崎県人権・同和教育研究協議会編

『ひらく』鹿児島県人権・同和教育研究協議会編

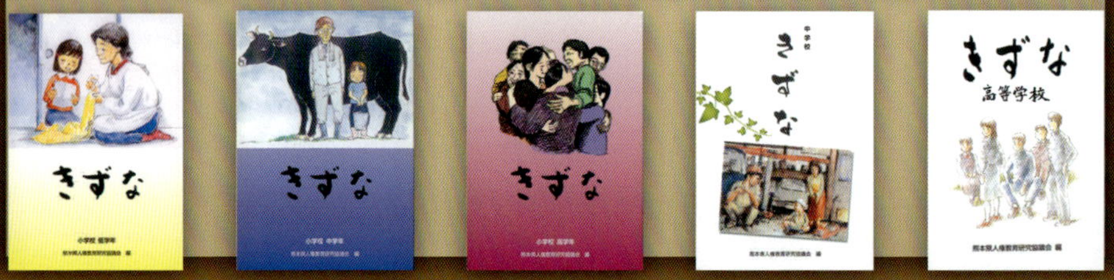

『きずな』熊本県人権教育研究協議会編

『かがやき』福岡県教育委員会

「平和教育資料」長崎県教職員組合編

『わたし かたらい ひびきあい』大分県同和教育研究協議会編

『部落史を見直そう』
佐賀県人権·同和教育
研究協議会編

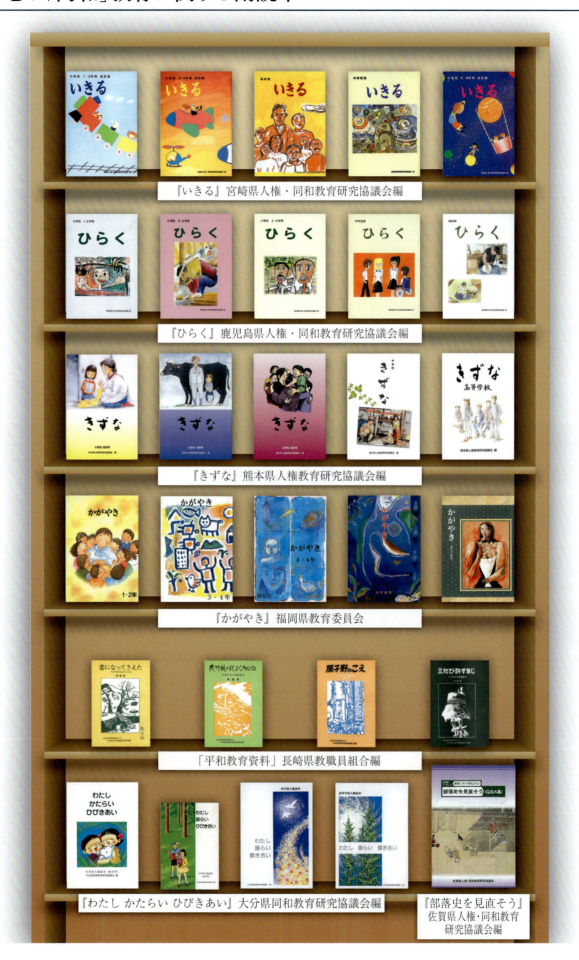

Ⅲ. 全九州水平社の結成と闘い（1923年〜）

全九州水平社の創立

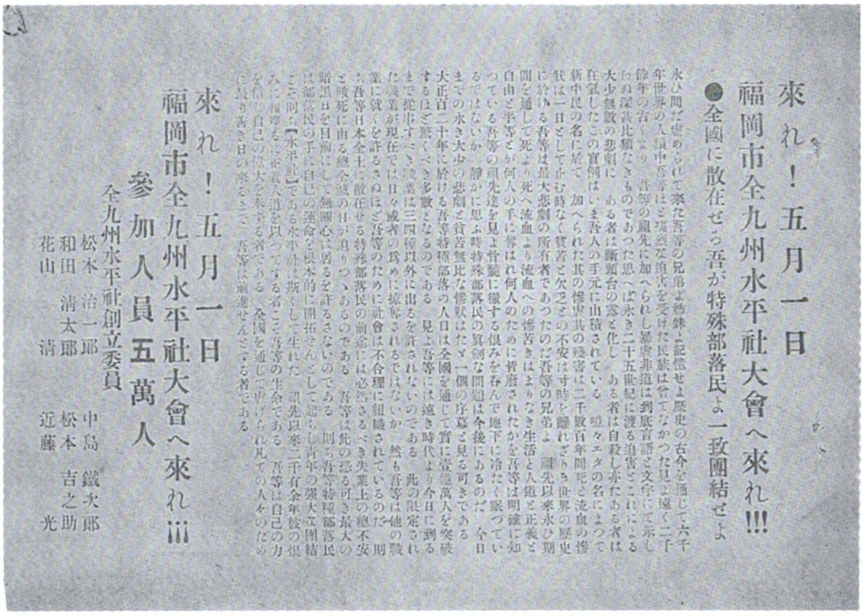

来れ！五月一日

福岡市全九州水平社大會へ來れ!!!

●全國に散在せる吾が特殊部落民よ一致團結せよ

永ひ間だ虐められて來た吾等の兄弟よ姉妹よ記憶せよ歴史の古今を通じて六千年世界の人類中吾等ほど痛烈な迫害を受けた民族は曾てなかつた見よ遠く二千餘年の古くより吾等の祖先に加へられし暴虐非道は到底言語と文字にて示し得ぬ深甚比類なきものであつた思へば永き二十五世紀に渡る迫害とこれによる大少無數の悲劇に　ある者は斷頭台の露と化し　ある者は自殺し亦たある者は狂氣したこの實例はいま吾人の手元に山積されている　嗚々エタの名によつて新平民の名に於て　加へられた其の惨虐其の殘害は二千數百年間死と流血の惨状は一日として止む時なく貧苦と欠乏との不安は寸時を離れざりき世界の歴史に於ける吾等は最大悲劇の所有者であつたのだ吾等の兄弟よ　祖先以來永ひ期間を通して死より死へ流血より流血への惨苦きはまりなき生活と人道と正義と自由と平等とが何人の手に奪はれ何人のために脅かされたかを吾等は明確に知つている吾等の祖先達を見よ骨髄に徹する恨みを呑んで地下に冷たく眠つているではないか　静かに思ふ時特殊部落民の眞劍な問題は今後にあるのだ　今日までの永き大少の悲劇と貧苦無比な惨状はたゞ一個の序幕と見る可きである　大正百二十年に於ける吾等特種部落の人口は全國を通じて實に壹億萬人を突破するほど驚くべき多數となるのである　見よ吾等には遠き時代より今日に到るまで從事すべき職業は三四種以外に出るを許されないのである　此の限定された職業が現在では日々盛者の爲めに掠奪されるではないか　然も吾等は他の職業に就くを許さぬほど吾等のために社會は不合理に組織されているのだ　則ち吾等日本全土に散在せる特殊部落民の前途には必然さるべき失業上の總不安と餓死に由る總全滅の日が迫りつゝあるのである　吾等は此の恐る可き最大の暗黒日を目前にして無關心に居るを許さないのである　則ち吾等特種部落民は部落民の手に自己の運命を根本的に開拓せんとして起ちし青年の強大な團結こそ則ち【水平社】である水平社は斯くして生れた　祖先以來二千有余年彼の恨みに報ゆるに正義人道を以つてする者こそ吾等の生命である　吾等は自己の力を信じ自己の偉大を奉ずる者である　全國を通じて虐げられ凡ての人々のために最も善き日の來るまで　吾等は前進せんとする者である

來れ！五月一日

福岡市全九州水平社大會へ來れ!!!

參加人員五萬人

全九州水平社創立委員

松本治一郎　中島鐵次郎

和田清太郎　松本吉之助

花山清　近藤光

全九州水平社創立大会呼びかけビラ（1923年）［大阪人権博物館提供］

福岡市東公園日蓮銅像向い側にあった博多座
明治43年建設［『博多・劇場五〇年のあゆみ』］

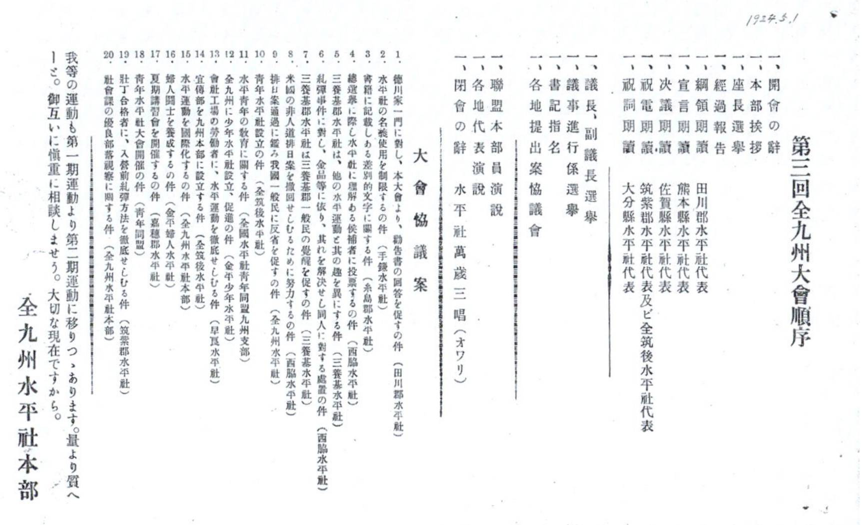

1924.3.1

第三回全九州大會順序

一、開會の辭

一、本部挨拶

一、座長選擧

一、經過報告

一、綱領朗讀　田川郡水平社代表

一、宣言朗讀　熊本縣水平社代表

一、決議朗讀　佐賀縣水平社代表

一、祝電朗讀　筑紫郡水平社代表及ビ全筑後水平社代表

一、祝詞朗讀　大分縣水平社代表

一、議長、副議長選擧

一、議事進行係選擧

一、書記指名

一、各地提出案協議會

一、聯盟本部員演說

一、各地代表演說

一、閉會の辭　水平社萬歳三唱（オワリ）

大會協議案

1. 德川家一門に對し、本大會より、勧告書の回答を促すの件（田川郡水平社）
2. 水平社の名義使用を制限するの件（手鎌水平社）
3. 齊籍に記載しある差別的文字に關する件（糸島郡水平社）
4. 總選擧に際し水平社に理解ある候補者に投票するの件（西脇水平社）
5. 三養基郡水平社は、他の水平運動と其の趣を異にする件（三養基水平社）
6. 糺彈事件に對し、金品等に依り、其れを解決せし同人に對する處置の件（西脇水平社）
7. 三養基郡水平社は三養基郡一般民の覺醒を促すの件（三養基水平社）
8. 米國の非人道排日案を撤回せしむるために努力するの件（西脇水平社）
9. 排日案通過に鑑み我國一般民に反省を促すの件（全九州水平社）
10. 青年水平社設立の件（全筑後水平社）
11. 水平青年の敎育に關する件（全國水平社青年同盟九州支部）
12. 全九州に少年水平社設立、促進の件（金平少年水平社）
13. 會社工場の勞働者に、水平運動を徹底せしむる件（早良水平社）
14. 宣傳部を九州本部に設立する件（全筑後水平社）
15. 水平運動を國際化するの件（全九州水平社本部）
16. 婦人闘士を養成するの件（金平婦人水平社）
17. 夏期講習會を開催するの件（嘉穗郡水平社）
18. 青年水平社大會開催の件（青年同盟）
19. 壯丁合格者に、入營前糺彈方法を徹底せしむる件（筑紫郡水平社）
20. 社會課の優良部落視察に關する件（全九州水平社本部）

我等の運動も第一期運動より第二期運動に移りつゝあります。量より質へ！と。御互いに愼重に相談しませう。大切な現在ですから。

全九州水平社本部

［法政大学大原社会問題研究所蔵］

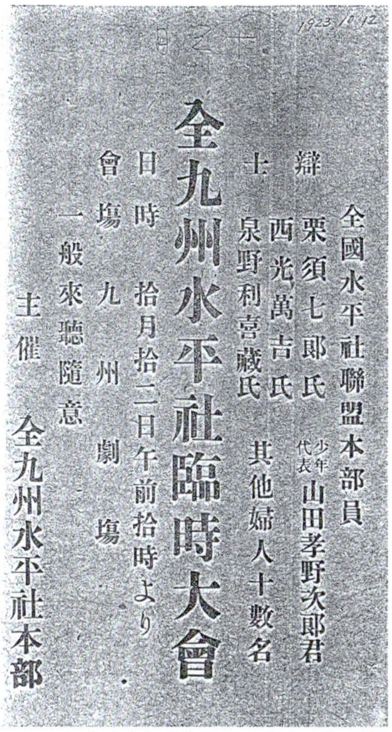

1923.10.12

全九州水平社臨時大會

全國水平社聯盟本部員

辯　栗須七郎氏　少年代表 山田孝野次郎君

西光萬吉氏

士　泉野利喜藏氏　其他婦人十數名

日時　拾月拾二日午前拾時より

會場　九州劇場

一般來聽隨意

主催　全九州水平社本部

［法政大学大原社会問題研究所蔵］

九州で最初に組織された水平社。1923（大正12）年５月１日、メーデーの日に福岡市東公園博多座で創立。参加者は「福岡県をはじめ全九州より２千名に達し…場内活気横溢した」という。結集の力と組織を中心に担ったのは福岡。「全九州」を名乗ったのは、文字通り九州全域への拡大意欲とその核たらんとした使命感に基づく。創立当時、松本治一郎は運動の発展を恐れる警察により投獄されていたため、獄中での全九州水平社委員長就任だった。機関誌『水平月報』。事務所は松本委員長宅。

創立当時は福岡を中心に糾弾闘争を展開。その過程で近藤光・田中松月・藤岡正右衛門らのオルグ活動により、佐賀県水平社（23年６月17日）、福岡県水平社（７月１日）、熊本県水平社（７月18日）、大分県水平社（24年３月30日）を設立、福岡連隊事件の公判闘争の渦中長崎県水平社（28年６月６日）を組織、九州での一定の定着を見た。

また、九州が全国水平社総体の中に占める位置は大きく、徳川家達辞爵勧告、福岡連隊、久留米連隊、熊本連隊などの軍隊内差別、水平運動の節目をなす重要な提起を行い、かつ全国水平社の構成員率でも40〜50％強を占めた。農民運動、労働運動にも積極的に参加した。

少年少女・婦人水平社の活動

壇上で発言する菊竹トリ（福岡）

教科書中の差別文章の撤廃について訴える
山田孝野次郎

山田孝野次郎（1923年頃）
演説を各地で行ない、1931年
福岡で没した。

『少年運動に就て』パンフ［井元麟之史料］

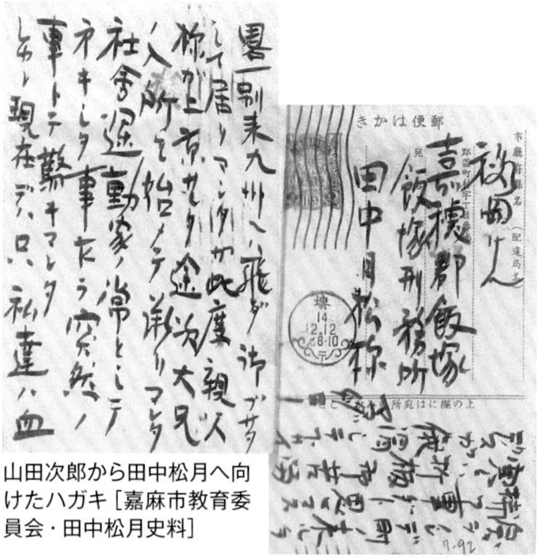

山田次郎から田中松月へ向
けたハガキ［嘉麻市教育委
員会・田中松月史料］

1923（大正12）年3月の全国水平社第2回大会において「婦人水平社設立の件」が可決された。さらに翌年の第3回大会で「婦人水平社発展を期するの件」が婦人代表より提出され、満場一致で可決を見た。これ以後、全国各地で婦人水平社の設立が取り組まれた。

創立当時の福岡の婦人水平社を指導し、ともに歩もうと力を入れたのが藤岡正右衛門であり、その活動の重要な役割を担ったのが藤岡の居住する金平地区の女性たちであった。第3回全国水平社大会に初めて参加し、この大会で全国の婦人水平社の組織化をめざして活躍した福岡県の高丘カネ、藤岡シズエ、西田ハル、菊竹トリなどは、いずれも金平婦人水平社のメンバーである。

1924年5月1日の全九州水平社大会においても、金平婦人水平社から「福岡県婦人水平社創立の件」が提案され、満場一致で可決された。

1925年、全九州水平社創立と同じメーデーの日、同じ場所で、松本治一郎、藤岡正右衛門らを迎えて福岡県婦人水平社創立大会が開かれた。菊竹トリは「二重三重の迫害をうけて来た部落婦人がぢっと眠っているのは大きな間違ひである…開会から協議会、その他役員に至るまで婦人ばかりでの手でやってのけたといふことは手柄話としてではなく、かくも多くの頼もしき姉妹があるのだ…といふ点にをいて日本の社会運動中の婦人の運動の中での一進歩」と『水平月報』に手記を寄せている。

福岡の婦人水平社運動の特色の一つは、労働運動や他の社会運動との結びつきをめざしながら展開されていた事である。

とりわけ福岡県の原田製綿所に対する労働争議は、九州婦人協会という組織を設立し、水平運動の指導者や福岡合同労組・松原青年団などの支援を得て闘い、勝利したことで知られる。

■少年少女水平社の活動

少年水平社

嘉穗に設立

福岡縣嘉穗郡内で豫て計畫中であつた少年水平社は組織の準備着々進捗し一昨九日飯塚町下三緒に於て發會式舉行先づ左の通り役員を決定した

▲執行委員長 松本茂治▲副委員長 松本義一、花元作七、松本徳和▲幹事 松本義敏、松本清

續いて各種協議及左の決議案等豫定通り議了したが本部は下三緒松本茂治氏宅に置く事となつた

決議

一、少年水平社圖書館設置の件

二、全國少年水平社との連絡の件

三、侮辱を加へたる學童に對しては一定期間停學を命ずるの制を設けらる樣々校長に要求し父兄に對しては責任ある謝罪の意を表せしむる事

尚田川、鞍手兩郡水平社では何れも近々第二回大會を開く筈

「九州日報」大正12年10月11日

少年水平社

鞍手郡《くらてぐん》に生る

本年《ほんねん》六月福岡縣鞍手郡中村《なかむら》に於《お》ける村長《そんちやう》の失言《しつげん》から村長對水平社間《たいすゐへいしやかん》に大紛擾《だいふんぜう》を起《おこ》した其《そ》の爲《た》め京都《きやうと》水平社本部《すゐへいしやほんぶ》の近藤《こんどう》氏始《はじ》め水平社同《すゐへいしやどう》人《じん》八名《めい》が投獄《とうごく》されるや同地方水平《ちはうすゐへい》社《しや》では之《こ》れを甚《はなは》だしい迫害《はくがい》なりとして益《ますます》覺醒《かくせい》する所《ところ》があつたが殊《こと》に可憐《かれん》なる小學兒童《せうがくじどう》の間《あひだ》にも波及《はきふ》して遂《つひ》に今回《こんくわい》鞍手郡少年水平社《くらてぐんせうねんすゐへいしや》を設立《せつりつ》し本部《ほんぶ》を若宮村《わかみやむら》鞍手郡水平社《くらてぐんすゐへいしや》本部《ほんぶ》に置《お》く事《こと》になつたが右少年水平社《うせうねんすゐへいしや》では左《さ》の通《とほ》り決議《けつぎ》をした

一我等に對し侮辱の意味を含む言行を爲したる學童に對して責任ある謝罪及び一定期間停學處分を校長に斷行せしむる事

一全國少年水平社に對し常に連絡をとる事

一少年水平社圖書館を設立する事

尚右決議《なほうけつぎ》のうち第三次《だいじ》の圖書館設《としよくわんせつ》立《りつ》に就《つい》ては各方面《かくはうめん》から書籍《しよせき》の寄附《きふ》購入費《こうにふひ》の寄附等續々《きふとうぞくぞく》として集《あつ》まり既《すで》に開館《かいくわん》の運《はこ》びに至《いた》つた

「九州日報」大正12年9月11日

近藤光は柴田啓蔵との「松山会談」を終えた後、別府的が浜の焼き討ち事件を調査し、嘉穂の地に住み着いた。近藤はこの地で、青年団処女会や少年少女たちに毎週土曜日の晩、指導を行った。指導を受けたある少年は「塗板にチョークで横にまっすぐ線を引かれ、はるかかなたの水平線。この水平線にはでこぼこがない。」を覚え、嘉穂郡少年少女水平社創立の時「今のさ、不合理極まる世の中を我々の力で改革しないかん。」と訴えた。すると臨席していた警官から「不合理ちゃなんか！子どものながら生意気な、弁士中止！」と警告を受けたという。（1990年３月９日高校生との解放学習会録音から）

■婦人水平社の活動

全國の私達の姉妹よ―

『善き日』への進軍のラッパは鳴り響く

どうして、私達婦人のみが、默して居られませうか―

部落婦人でも、女性に變りない、私達として

金平婦人水平社創立大會

歩まねばならぬ道へ、手を取り合つて、進みませう。

期日 十一月一日午前拾時より

會場 福岡市外金平大光寺

事務所 福岡市外金平高岡ヵ子方

金平婦人水平社（福岡県）創立大会の案内状（1924年11月）［水平社博物館蔵］

フジンノページ

女性の解放

有史以前の女性の地位

大昔《おほむかし》の女性《ぢよせい》は一家《か》の家長《かてう》とし、又《また》は一族《ぞく》の族長《ぞくてう》として男性《だんせい》よりも上《うへ》に居《を》つて權力《けんりよく》をふるひ、その家《いへ》その一族《ぞく》の中心《ちうしん》をなして居《を》つたといふことは多《おほ》くの學者《がくしや》によつて説《と》かれてゐる。

所《ところ》が僅《わづ》か數千年前《すうせんねんぜん》から女性中心《ぢよせいちうしん》から男性中心《だんせいちうしん》へとかはつてきて現在《げんざい》の如《ごと》く男性萬能《だんせいばんのう》、何《なに》も彼《か》も男《をとこ》でなければならぬといふ樣《やう》になつてきた。

女性《ぢよせい》が中心《ちうしん》であつた時代《じだい》は衣食《いしよく》住《ぢう》といふ人間生活《にんげんせいくわつ》に最《もつと》も必要《ひつえう》なものが自然《しぜん》から惠《めぐ》まれてゐた事《こと》が一つと男女《だんぢよ》の關係《くわんけい》が明《あきら》かでなかつたといふことが原因《げんいん》をなして子供《こども》を育《そだ》てることは女性《ぢよせい》が是非《ぜひ》ともやらねばならぬ立場《たちば》にあつた、そうして遂《つひ》に母系制《ぼけいせい》といつて母《はゝ》を主《しゆ》としての系統《けいとう》が起《おこ》り、ひいては女性《ぢよせい》が一家《か》一家《か》の中心《ちうしん》となつてゐた、

女性中心から男性中心へ

しかし時代《じだい》が移《うつ》るにつれて人口《じんこう》はこんで來《く》るし、資本主義的經濟《しほんしゆぎてきけいざい》組織《そしき》といつて何《なに》をするにも資本《しほん》がなければやれない仕組《しくみ》が芽《め》を出《だ》してくるし、今《いま》まではつきりせなかつた男女《だんぢよ》の關係《くわんけい》が特定《とくてい》するとともに衣食住《いしよくぢう》の問題《もんだい》は男性《だんせい》が負擔《ふたん》する樣《やう》になつたために一家《か》の中心《ちうしん》が女《ぢよ》性《せい》から男性《だんせい》へと移《うつ》つてきたのである、今《いま》は女性中心《ぢよせいちうしん》から男性中心《だんせいちうしん》への道筋《みちすぢ》を簡單《かんたん》にのべただけであるが、此《こ》の簡單《かんたん》な道筋《みちすぢ》の中に女性《ぢよせい》が家庭奴隷《かていどれい》から解放《かいはう》される最《さい》善の方《はう》法《はふ》が見出《みいだ》されるのである。

衣食住《いしよくぢう》が自然《しぜん》に惠《めぐ》まれ、子供《こども》を育《そだ》てることが女性《ぢよせい》の負擔《ふたん》であつた時《とき》は女性《ぢよせい》が中心《ちうしん》であり、衣食住《しよくぢう》の生《せい》活負擔《ぶたん》が男性《だんせい》へうつつた時《とき》、中《ちう》心《しん》は男性《だんせい》へきた。

そこで權利《けんり》、勢力等《せいりよくとう》の中心《ちうしん》の移《い》動《どう》は經濟的移動《けいざいてきいどう》によつて左右《さいう》するものであるといふことが明《あきら》かになつて來《く》る、故《ゆゑ》に女性《ぢよせい》が家庭的《かていてき》奴隷《どれい》から解放《かいはう》されやうとするには先《ま》づ經濟的《けいざいてき》に解放《かいはう》されなくてはならぬ

近來社會《きんらいしやくわい》の進化《しんくわ》につれて女性《ぢよせい》の職《しよく》業《げふ》は可《か》なり擴大《くわくだい》されてきた、此《こ》の機《き》を逸《いつ》せず女性《ぢよせい》の人權奪還《じんけんだつくわん》のために奮闘《ふんとう》せねばならぬ。

特殊な婦人勞働者について

しかし以上述《いじやうの》べ來《きた》つた所《ところ》は一般《ぱん》女性《ぢよせい》としての立場《たちば》であるが一歩《ぽ》勞《らう》働《どう》の社會《しやくわい》にふみこんで見《み》るにそこには貪《どん》婪飽《あく》なき搾取階級《しゆかいきふ》のために汗《あせ》と血《ち》と肉《にく》と、そして遂《つひ》には生命《せいめい》までも吸《す》ひつくさうとされてゐる特殊《とくしゆ》な女性《ぢよせい》がある、紡績女工《ばうせきぢよこう》の勞《らう》働賃金《どうちんぎん》のやすいこと、人《ひと》もいやがる肺病患者《はいびやうくわんじや》の統計《とうけい》にあらはれた慘《さん》状《じやう》、そして可憐《かれん》な乙女達《をとめたち》が一度病《どびやう》氣《き》にかゝれば直《すぐ》に放《はう》り出してしま

「水平月報」（全九州水平社機関紙）大正14年9月1日 第13号

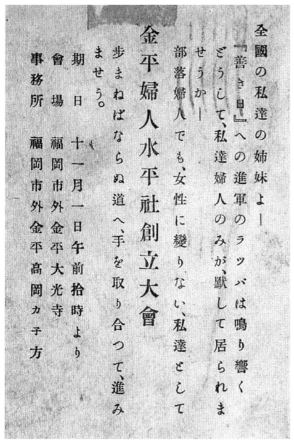

福岡県婦人水平社の人々

〔二〕 第三種郵便物認可 大正十五年一月一日 水平月報 毎月一回十日發行 【第十七號】

フジンノページ

勞働婦人協會の活動 健氣な女工達の奮戰 原田製綿所爭議

恐ろしい飢えに又一つ、寒さといふ大敵に襲はれて泣く貧乏人が全國にはどれ程澤山あることであらうか、飢えと寒さにやせ衰へた兄妹が十數時間の勞働に綿の如くに疲れ果て、または働きたくても仕事のない人達が爐の下にふるへてゐることであらう、こうした中から勇ましくも人道のために鬪ふ兄弟が全國に一日毎に殖えて行くことは何といふ喜びであらうか、

九州勞働婦人會 解放戰への進軍

福岡市外金平を中心として附近の婦人勞働者は九州勞働婦人協會を創立し、兼てより各種の研究を續けてゐたが昨年十二月三日、總會を開き、いろ〳〵協議の上に隣多隣區にある原田製綿會社の女工が非常に苦しんでゐることを知り福岡勞働組合、松原青年團の聲援をうけて會社に交涉を開始することを決議した。

原田製綿所にをける女工の苦痛

全國に於ける紡績會社や製綿所に於ける女工がなめると同じき苦痛を原田製綿所の女工達も永い間なめて來たのであつたが、今ここに一女工の語る所を聞けば何よりの證據であらう。

…………

…………

私は義務教育もろく〳〵にうけずにここの會社の女工として通つてゐます、ここには私と同じ年頃の女工が二百名餘りも通つてゐます、その中には人の子の母もあります、一家の生計をたてるためとは云ひ乍ら朝は七時から夜は八時まで働き、その上に機械の掃除は時間の外にやらせられるので家に着く頃は早くも九時を過ぎます、疲れ果てた身には工場の塵や埃をあびて歸つてくると今度は晩の食事の用意をせねばなりません、工場の内は綿屑のためにまるで眞白です、此の中で働く私達は一日中お日様を拜むことも出來ません、お晝の辨當もこのほこりだらけの中で食べます、そして箸をおく間もなくまたしても合圖の仕事始めのベルがけたたましく鳴りわたります、

私はある時母に『お辨當は少しにして下さい、私はそれを皆食べてしまふ時間がありませんから』と云ひますと、兩親は弱い力なささうなため息をつかれたことがありました、

晝の様に降る綿屑の中で働く年頃の女達はだん〳〵色も青ざめてしまひます、過激な十三時間に餘る勞働の代償は僅かに五十錢たらずです、馬鹿々々しい、止めてしまへと思ふことも度々ですが家の生計を思へばそれもならずにぢつと我慢をしてをります、

何とか云ふ階級の人達が口癖に云ふ『人間の價値』『家庭の幸福』『勞働神聖』の言葉は一體どこに使ふ言葉でありませうか？

弱少な私達までが賃銀勞働者としてこんなにまで泣く働かねばならぬのは何故であらうか、

過度の勞役に落ちくぼんだ眼、青ざめたやつれ顏、粗食のための榮養不足、そして極度の睡眠不足のために遂に不治の病患におかされる、いかに生計のためとは云へ人間らしい樂しみも知らずに苦痛と悲慨の怨嗟の中に無慘にも短い一生を終る皆様はよく知つてゐられるであらう、自らの生計に對する呪咀、無言の諦め、これより外には仕方がないのです、

…………

…………

こうした痛ましいどん底から、平和のよき日への第一歩の踏み出しとして九州勞働婦人協會は活動を始めたのである。

先づ女工の父兄を說く

勞働婦人協會の各員は先づ原田製綿所に通ふ女工の父兄達を說いて廻り、遂に數名の父兄有志をして他の父兄一同に檄文を飛ばして輿論を喚び起すことになつた、即ち左の如き檄文を起草する、

原田製綿所女工の父兄に訴ふ

人の親として子の可愛いくない者はありますまい、私達は私達の娘を働かせてゐる原田製綿所のことに就て同じ様に働かせてゐられる皆様に相談したいと思ひます、

近頃、家の娘は寒い冬の朝を六時から出て行き、晩は九時頃しか歸つて來ません、九時と云へばもう町内はたいてい戸を閉めてゐます、そしていた〳〵しい娘を十三時間も働かせて僅か給料は五十錢か六十錢位であります、

娘から話を聞けば朝は七時に一分をくれても工場に入れずに歸らせられるそうです、又おひるの飯を食べるのに食事の時間もなく、きたない綿のほこりが雪のように降る中でわづかのひまでこそ〳〵と食べてゐます、一分の休みもあたへられずに又すぐ仕事にかゝるのです、その上歸りには仕事が終つたなら時間の外で機械の掃除や汚い便所の掃除までさせられます

毎日〳〵朝は五時から起きて、晩は十一時頃やすむのですから可愛い娘達はもう體が疲れてそれに綿のほこりを吸うのとでよく病氣にかゝります、それであつても三日續けて休めば工場を止めさせられるのであります、

家の娘も近所の娘も綿會社に行つてゐる者は皆一日〳〵と顏色が青ざめて行きます、けれどもお互私達親はたとへどんなに娘が可愛くともやはり會社に出さねば家の生計がどうしてもたつて行かないのであります。

會社へ働かせればだん〳〵娘の體が惡くなつて行く！

働かせねば家の暮しがたつて行かない！

可愛い弱い娘達のために何とかいい考へはありませんでせうか、何とか今の境遇をよくするためにお互私達子を持つ親は考へねばなりません、そのために原田製綿所に娘をやつてゐるお互が相談しようではありませんか

可愛いあなたの娘のために、十二月八日晩七時から松源寺にお集まり下さい

…………

…………

かくて當夜、父兄會の結果十三ケ條の歎願書を作り、明けて九日之を會社に提出し、十日の正午までにその回答を約して別れた。

戰勝てり矣!!

即ち約束の十日正午、交涉委員は會社に出頭したが會社では二三の條件を附して殆ど全部を承認することになつた。

歎願に對する會社側の回答報告

原田製綿所争議を報じる「水平月報」(1926年1月1日付)

九州各地水平社結成・水平運動の動き

■佐賀県水平社の結成

拝啓初夏ノ候ニ御座候折柄同人諸兄益々御奮闘ノ事同慶ノ至ニ御座候陳者本縣水平社創立大會ヲ左記ノ通リ擧行仕候間當日御聲援ノ意味ニ於イテ多數同人御同伴御來會被下度御案内申上候

一期日　六月十七日午前十時
一場所　佐賀市公會堂

追テ御來會ナキトキハ通信ヲ以テ御聲援願上候

佐賀市上多布施町
佐賀縣水平社本部
藤本嘉一方

佐賀県水平社創立大会案内（1923年）
［水平社博物館蔵］

佐賀市公会堂［『佐賀県史』より］

抑壓のドン底から
水平線上に出てしめよ
荊冠旗の下に馳せ參じた
佐賀縣水平社發會式

佐賀縣水平社創立並に第一回大會は豫報の通り昨十七日午前十一時佐賀市公會堂で開催した此日其の光榮ある荊冠旗の下に馳參するもの縣下各地より約七百名京都聯盟本部を初め福岡、熊本、鹿兒島各地よりの聽援者約三十名参加し之に一般民衆の來會するもの約二百を數へ場内既に緊張振を呈した黒地に荊冠を赤抜きにした武雄、川久保、小城、東田代などの標徴たる荊冠旗が先づ如何にも深刻なる革命的氣分を唆る定刻瀧本太一郎氏登壇茲に佐賀縣に於て水平運動を開始すべく荊冠旗を掲げて今日水平社の創立を見るは最も祝福すべき再生の記念で是れ諸氏の後援であり團結の賚である

さて靜粛裡に本會の終了を見ん事を希望して開會辭とし且つ藤本嘉一氏を議長とする旨を諮り次で藤本嘉一氏登壇全國水平社同人の綱領(既報)朗讀の後瀧本氏再び壇に上り、一言一句熱血を絞つて宣言(既報)發表をなし引續き青野作松氏によりて

一、吾等に對し穢多及び其の他の言行を以て侮辱の意志を表示したる時は徹底的糺彈をなす
一、吾等の祖先傳來の職業は社會構成上重要なるものと認め飽迄之を尊重す
一、政府其他一切の社會政策及び教育の改革を促す

大正十二年六月十七日
第一回佐賀縣水平社大會

の決議文が朗讀されるや滿場一致之を可決し小川松枝氏は東京市水平社其他各府縣同人よりの祝電祝辭を披露し委員選擧に入り議長一任なつて、藤本嘉一、谷口松太郎、瀧本太一郎、石田儀四郎

本嘉一氏を議長とする旨を諮り次で藤本嘉一氏登壇全國水平社同人の綱領(既報)朗讀の後瀧本氏再び壇に上り、一言一句熱血を絞つて宣言(既報)發表をなし引續き青野作松氏によりて
一、吾等に對し穢多及び其の他の言行を以て侮辱の意志を表示したる時は徹底的糺彈をなす
一、吾等の祖先傳來の職業は社會構成上重要なるものと認め飽迄之を尊重す
一、政府其他一切の社會政策及び教育の改革を促す
大正十二年六月十七日
第一回佐賀縣水平社大會
の決議文が朗讀されるや滿場一致之を可決し小川松枝氏は東京市水平社其他各府縣同人よりの祝電祝辭を披露し委員選擧に入り議長一任なつて、藤本嘉一、谷口松太郎、瀧本太一郎、石田儀四郎

の四氏指名當選し暫くて十一時十五分少憩引續き演說會に移り佐賀縣代表吉山丑太郎氏、

特殊部落民は數千年以來現時迄特殊部落民又は穢多の名の下に壓迫を受けて居るか撫て我々は何處から來たかさいへは何處からでも來ない天皇陛下の赤子であり國民として三大義務も負擔するに係らず人格的無視を受くるは不條理である

職業に貴賤は無い職に忠なる者は國家の良民であると斷し次で同じく代表井手口幸太郎氏登壇

明治大帝は大御心から明治四年既に差別撤廢を仰出されたるに拘らず五十年後の今日は猶差別的待遇を見るは畏くも大帝の恩召を裏切る者である一般社會は吾々の製造した帽子靴下馱々穿ち闊歩するではないか

さて其恩惠的さ職業に貴賤の別なきを論斷し十の力で壓迫されろさ跳返す力は十五の力でなくてはならぬさて團結の要を說き全國婦人代表京都本部特派髙丘かの子女は

冬の雪に埋れた草も木も春が來れが花か咲く私共は荊冠旗の下に集まつて自ら解放を叫ふ春が來たのでおります

との冒頭を置き其叫びは飽くまで正道であり決して何等危險なる運動では無いと斷し穢多非人に選擧權を與へてごうするさ失言した島田代議士を難し先づ婦人會員たるよりも人が人を尊重する暁き日を迎へる爲めに婦人水平社員となり光輝ある活動をするさ述ぶ次で福岡縣同人髙田善太郎氏

人間の價値に變りかない事を自覺ぜよ無限の迫害無限の壓迫は遂に發狂者を出し自殺者を生んだ之誰の罪か直接間接に社會が殺したのだ

さ述べ九州婦人代表福岡靜江女は

私等は一般に危險思想を有するもののやうに誤解されて居るが決して左樣ではなく差別的待遇をなす者か却つて危險思想ではありますまいか

さて肋骨三枚足りない等言ふか醫學上決してそんな實例はないと氣鋭になり福岡縣同人髙田武夫氏は水平運動の因を說き青年會員たるよりも先づ吾々は差別撤廢の爲めに水平社同人さなつて努力するさ叫び佐賀縣婦人代表早田ゆき子女登壇

今日は私共部落民の喜ばしい日であります恰かも饑ゑた赤ん坊が慈母の乳房を與へられた樣なものであります

さやる先づその美貌に魅せられた聽衆は更に鮮しやかな情景に囚はれる氏は二十餘年の苦痛を回顧して其至情を訴へ次て現在のお母さんや姉樣方の子供の躾け方は間違つて居るすべて卑下的に出るのは絕對に致し度くないから皆さん御歸りの後お傳へ下さいさ諭旨を感服させ次て金平代表高岡松雄、福岡市代表深川房吉諸氏何れも熱辯を揮ひ京都聯盟本部特派米田富氏

先づ場内の物々しき警戒振を難じ穢多の起源を說くに原始時代に於ける自由平等に冒頭し家柄や身分を以て直に人間價値の標準となす風習を唾棄し文明朝に於ける宗教の爭鬪から飲食時代、日蓮、親鸞の奴隷開放に關する法難事績を述べ我々は今日此の輪際にたをか跳ね返すか石を負はさつて居る併し此運動は止まぬ迫害はれる試練だ反抗する外はないの高唱し戰時代から德川時代て減壓制史を列擧し大地が出來てから何千萬年一年間に唯一度で生れる人間だ唯我獨尊だと喝破した謹適の金言を提示して部落民を釋迦させむの中に大砲や軍艦を所藏して居る間は永遠の平和は來ないと同胞に人は互に尊敬せない限り平和の日はおらない畢竟同情的恩惠的の言辭は取らぬ水平社の運動は日本の將來に對する警鐘である

この意味で一時間餘に亘り雄辯を振ひ次で全國婦人代表京都本部特派髙丘かね子女

一般民衆は昏醉に陷つて居るこれを覺醒させるのは私共部落民より外はない

次で福岡縣同人和田勝助、全九州代表和田喬吉郎、松本吉之助、鹿兒島縣同人岩崎吉次郎諸氏の白熱的言論あり拍手送迎裡に十有餘名熱辯を揮ひ最後に鞍手部に於ける騷擾の際犧牲となつた三名に對し

佐賀縣大會は盛會裡に閉會す

さの弔慰を決議發電し萬歳を三唱し午後四時盛況裡に散會したが正午頃福岡縣同人百二十名荊冠旗を押立て應援の爲め繰込んだのは異彩を放ち晝食抜きでぶつ通したのは如何に惠まれた日を惜んだかも偲はれた

『佐賀新聞』大正12年6月18日

■福岡県水平社の結成

自由のために
福岡縣水平社
物々しい警戒裡に
創立大會を開く

福岡県水平社1923年7月1日創立　「福岡日日新聞」1923年7月3日（一部欠損）

公会堂①　大正11年9月5日　落成記念写真より（許斐源蔵氏）［『飯塚市史』］

福岡縣水平社大會
昨日飯塚に於て
最も盛大に擧行さる

「九州日報」1923年7月2日

■熊本県水平社の結成

熊本県水平社。熊本県繁根木《はねぎ》八幡宮前（1934年または1935年）［松本治一郎史料］

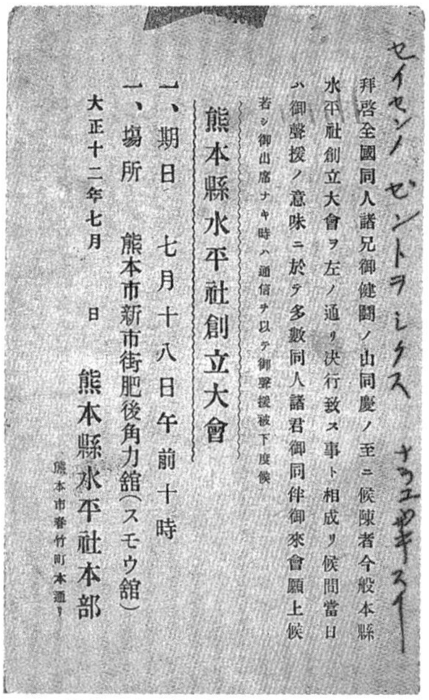

拝啓全國同人諸兄御健闘ノ由同慶ノ至ニ候陳者今般本縣水平社創立大會ヲ左ノ通リ決行致ス事ト相成リ候間當日ハ御聲援ノ意味ニ於テ多數同人諸君御同伴御來會願上候

若シ御出席ナキ時ハ通信ヲ以テ御聲援被下度候

熊本縣水平社創立大會

一、期日　七月十八日午前十時

一、場所　熊本市新市街肥後角力舘（スモウ舘）

大正十二年七月　日

熊本縣水平社本部

熊本市春竹町本通リ

熊本県水平社創立大会案内（1923 年）

［水平社博物館蔵］

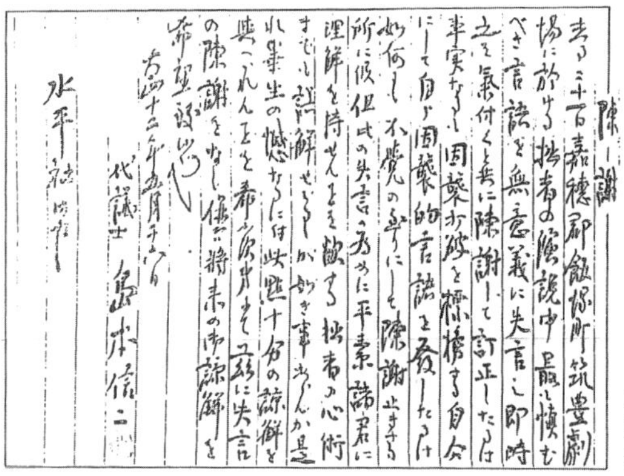

陳謝

去る二十日嘉穂郡飯塚町筑豊劇場に於ける拙者の演説中最も慎むべき言論を無意義に失言し即時之を氣付くと共に陳謝して訂正したれ共事実なりし因襲打破を標榜する自分にして自ら因襲的言論を發したるは如何にも不覚の至りにして陳謝止まざる所に候但此の失言の為めに平素諸君に理解を持せんことを欲する拙者の心術まで誤解せらるゝが如き事ありしか是れ出生の憾なるに付此點十分の諒解を與へられんことを希ひ茲に失言の陳謝をなし併せ将来の御諒解を希望致候也

大正十二年五月二十六日

代議士　島本信二

水平社御中

全九州水平社結成直後、福岡・熊本両県に及ぶ島本代議士差別糾弾闘争

熊本縣水平社大會

熊本縣水平社

交々熖の叫び

うら若い婦人も加りて

辯ずる人も聞く人も緊張し切つた相

氣勢

解放

「九州日報」1923年7月19日

■大分県水平社の結成

1924年3月30日、大分県水平社の創立大会が行われた豊玉館
[大分県水平社創立70周年]

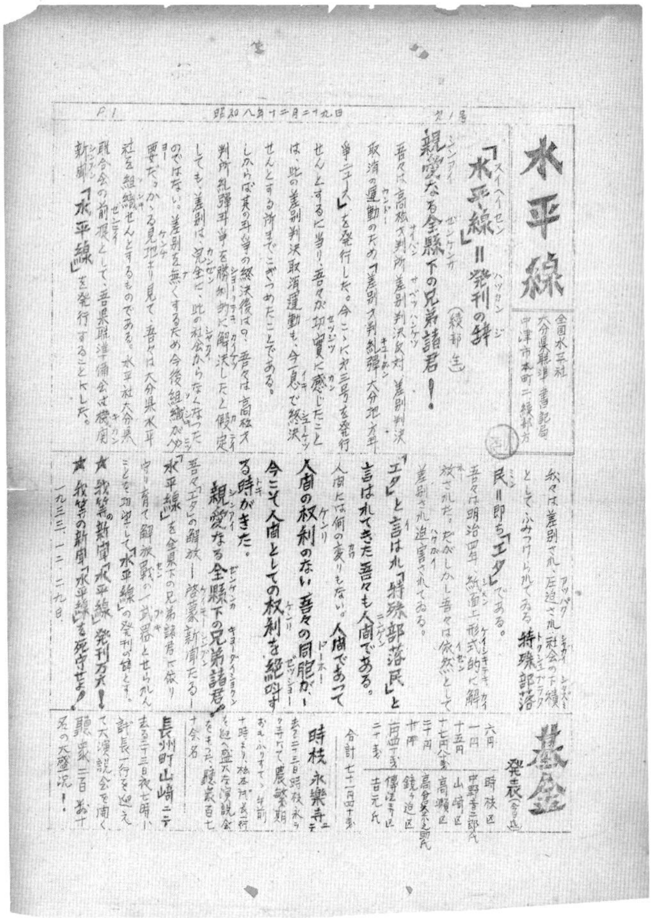

P.1　昭和八年十二月二十九日　第1号

水平線

全国水平社
大分県聯準書記局
中津市本町二 綾部方

「水平線《スイヘイセン》」＝発刊《ハッカン》の辞《ジ》（綾部生）

親愛《シンアイ》なる全縣《ゼンケン》下の兄弟諸君！

吾々は高松大判所差別判決《サベツハンケツ》反対、差別判決取消の運動《ウンドー》のため「差別大判糾弾《キューダン》大分地方斗争ニュース」を発行した。今こゝに第三号を発行せんとするに当り、吾々が切實《セツジツ》に感《カン》じたことは、此の差別判決取消運動も、今一息《イキ》で終決《シューケツ》せんとする所までこぎつめたことである。しからば其の斗争の終決後は？ 吾々は高松大判所糾弾斗争を勝利的《ショーリテキ》に解決《カイケツ》したと假定《カテイ》しても、差別は、完全《カンゼン》に、此の社会《シャカイ》からなくなったのではない。差別を無《ナ》くするため今後組織《ソシキ》が必要《ヒツヨー》だ。かゝる見地より見て、吾々は大分県水平社を組織せんとするものである。水平社大分県聯合会の前提《ゼンテイ》として、吾県聯準備会は機関《キカン》新聞《シンブン》「水平線」を発行することにした。

我々は差別され、圧迫《アッパク》され、社会《シャカイ》の下積《シタヅミ》としてふみつけられてゐる特殊部落《トクシュブラク》民《ミン》＝即ち「エタ」である。

吾々は明治四年、紙面《シメン》上形式的《ケイシキテキ》に解《カイ》放《ホー》された。だがしかし吾々は依然《イゼン》として差別され迫害《ハクガイ》されてゐる。

「エタ」と言《イ》はれ「特殊部落民《ミン》」と言はれてきた吾々も人間《ニンゲン》である。

人間であって人間には何の変《カワ》りもない。人間の権利《ケンリ》のない吾々の同胞《ドーホー》が、今こそ人間としての権利《ケンリ》を絶叫《ゼッキョー》する時《トキ》がきた。

親愛《シンアイ》なる全縣下《ゼンケンカ》の兄弟諸君《キョーダイショクン》！

吾々「エタ」の解放—啓蒙《ケイモー》新聞《シンブン》たる—「水平線」を全《ゼン》県下の兄弟諸君に依り守り育て解放戦の一武器《ブキ》とせられんことを切望して「水平線」の発刊の辞とす。

★我等の新聞「水平線」発刊万才！

★我等の新聞「水平線」を死守せよ！

一九三三、一二、二九日。

基金発表（今日迄）

六円	時枝区
一円	中野吉三郎氏
十五円	山崎区
十七円八十銭	高瀬区
二十円	高倉久之助氏
廿円	鏡ヶ迫区
一円四十銭	傳法寺区
二十銭	吉元氏

合計七十一円四十銭

時枝 永楽寺にて
去る二十三日時枝永楽寺にて農繁期おしよりすて、午前十時より、松本氏長一行を迎へ盛大な演説会をもった。聴衆百七十余名

長州町山崎にて
去る二十三日夜七時から許長一行を迎えて大演説会を開く 聴衆二百余十名の大盛況！

[井元麟之史料]

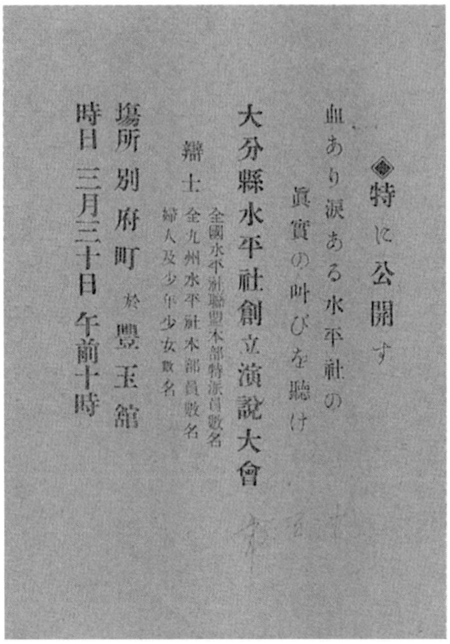

◈特に公開す

血あり淚ある水平社の
眞實の叫びを聽け

大分縣水平社創立演說大會

辯士 全國水平社聯盟本部特派員數名
全九州水平社本部員數名
婦人及少年少女數名

場所 別府町 於 豐玉館
時日 三月三十日 午前十時

大分県水平社創立大会呼びかけビラ（1924年）
[法政大学大原社会問題研究所蔵]

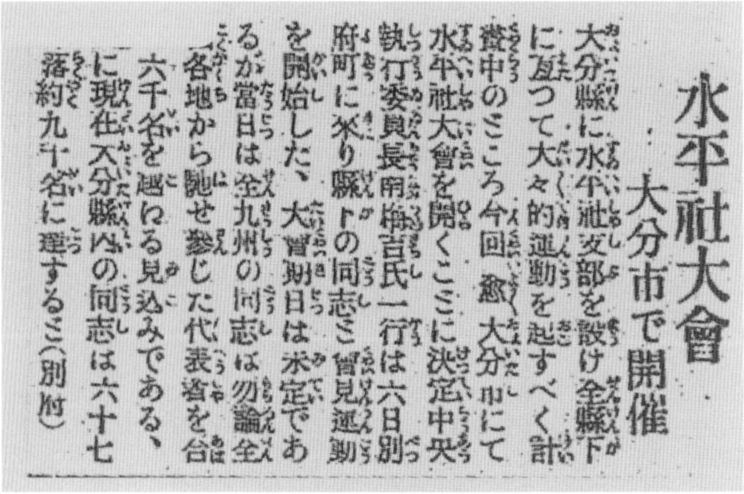

水平社大會
大分市で開催

大分縣に水平社支部を設け全縣下に亘つて大々的運動を起すべく計畫中のところ今回愈大分市にて水平社大會を開くことに決定中央執行委員長南梅吉氏一行は六日別府町に來り縣下の同志と會見運動を開始《かいし》した、大會期日は未定であるが當日は全九州の同志は勿論全各地から馳せ參じた代表者を合せ六千名を超ゆる見込みである、尚現在大分縣内の同志は六十七部落約九千名に達するこ(別府)

「大阪朝日新聞」九州版　1924年3月9日（一部欠損）

全九州水平社の創立後、九州各地で近藤光・田中松月・藤岡正右衛門らのオルグ活動により、佐賀県水平社、福岡県水平社、熊本県水平社、大分県水平社及び長崎県水平社が創立され、九州での一定の定着が果たされた。しかし、融和事業団体の結成もあり、組織的な運動に苦慮している。その中でも、糾弾闘争は果敢に闘われた。

■長崎県水平社の結成

水平社創立

けふ大會を開く

長崎市《ながさきし》浦上町《うらかみちやう》青年會館《せいねんくわいくわん》で五日《か》午後《ごご》六時《じ》より長崎縣《ながさきけん》水平社《すいへいしや》創立大會《さうりつたいくわい》を催《もよほ》し松本《まつもと》委員長《いいんちやう》以下《いか》本部員《ほんぶいん》の應援《おうゑん》があるこ

「長崎日日新聞」1928年6月6日

一切の賤視差別を無くしろ

長イ間ノ虐ゲト壓迫!!
忍従ヨリ醒メタル吾々ハ!!
良キ日建設ノ爲ニ!!
水平社會建設ノ爲ニ!!
後レ乍モ長崎ノ地ヘ强キ產聲ヲ擧ゲ!!

長崎縣水平社 創立大會

日時 六月六日 午後六時ヨリ
場所 長崎市浦上町青年會館
應援辯士 松本委員長外九州本部員

主催 長崎水平社本部

「大衆事報」1928年6月1日

真宗青年会館［論集 長崎県の部落史］

『水平リーフレット』一九二八年五月十三日発行

〔長崎に荊冠旗ひるがえる〕

長崎には今まで水平社が一つも創立されてゐなかったが、福岡事件の控訴公判のため長崎市に来た松本委員長等に宣伝されて、今まで押しつけられていた要求が一時に噴出し、文字通りに老も若きも幼きも「水平社を作れ！」と絶叫し四月八日の宣伝演説会には浦上青年会館には入りきれない程集まった。

同地方では県庁から金を貰って改善屋が巾をきかせてチョロマカシをやったり、又差別事件が起っても水平社が無いためにウヤムヤに葬むられていたのである。

それに「改善屋はツマランもんノー、ドーデモこうでも水平社を作らニャ孫子の代まで差別がやまんタイ」とばかり創立の機運が漲っているときも時とて長崎署の巡査の差別事件が起ったので兄弟の熱心さと来たらすさまじいものになった。四月十八日は再び判決のため来崎した松本委員長を迎えて専制判決の批判演説会を開いた。

改善屋への絶縁、巡査の差別事件、専制裁判の憤激等の闘争の間に長崎水平社は根強く固ったのである。近く盛なる華々しい創立大会が挙げられる筈だ。

長崎の兄弟の行途に熱あれ！光あれ！
且てはキリシタンの反抗の歴史を持つ長崎に、見よ！
我等の旗、新しき荊冠旗は翻る！
我等の戦線拡大万歳！
全国の特殊部落民団結せよ！

発行印刷人　井元麟之

■鹿児島県の水平運動と農民運動

第五章　戦前における部落解放運動と融和事業

第二節　全国水平社の成立と農民運動の展開

（一）全国水平社の成立と鹿児島県の動向

鹿児島では、水平社の支部はおろか、被差別部落の人々による独自な組織的運動が、まとまったかたちで成立したことはなかった。それでは、被差別部落の人々が自らの要求を掲げ、差別からの解放を求める動きを全く見せなかったのかというと、そうではない。以下に述べるように、決してはなばなしいものではなかったが、困難な状況のなかで、自らの要求を主張する声は存在したのである。（中略）

福岡市で開かれた第5回全国水平社大会（1926年）ポスター（法政大学大原社研所蔵）

以上の川内町の動きは、全九州水平社（水平社九州連合会の前身）創立の中心メンバーの一人であった福岡県の松本吉之助の回想によっても、確認することができる。松本によれば、川内（松本は出水と書いているが誤り）の福山夫婦は熱心な水平運動の活動家で、松本らは福山氏と連絡をとって水平社結成を積極的に進めたが、ついに鹿児島には水平社を結成することができなかったという。（中略）

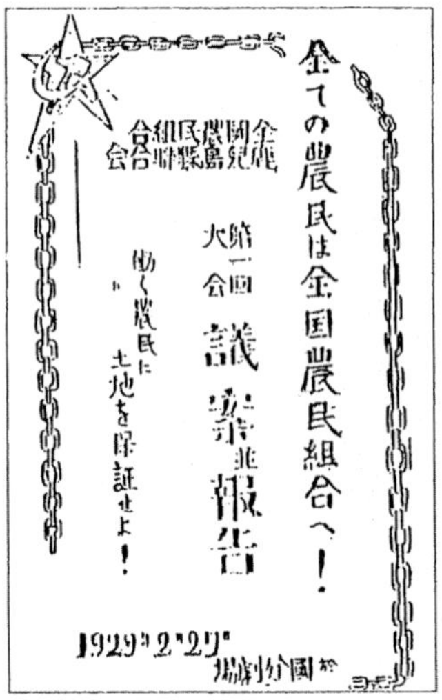

全農鹿児島県連第1回大会（1929年）議案書（法政大学大原社研所蔵）

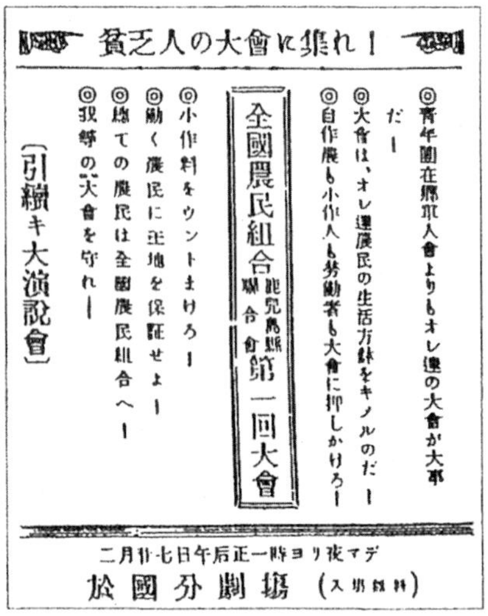

全農鹿児島県連第1回大会（1929年）ビラ（法政大学大原社研所蔵）

『鹿児島県の部落史』

1923年５月１日全九州水平社創立大会の役員名簿に執行委員の一員として福山（鹿児島）とあり、1926年５月２～３日に開催された全国水平社第五回大会の代議員に鹿児島県福山とあることから鹿児島県にも水平運動があった。そして、農民運動とも連携していた。

■宮崎県の水平運動と農民運動

2　宮崎県における小作争議

宮崎県下における小作争議は、一九三〇年以前には発生していないが、大正デモクラシーの波と生活不安は純朴な農民をかりたて、大正九年以来県下いたるところに小作争議が発生した。大正九年、宮崎県東臼杵郡岡富町（現在延岡市）に起きたのをきっかけに次第に県下に広まりをみせ、大正一四年には六六件を数えた。初期の争議は、自然発生的、散発的なもので、そのほとんどのものが小作人の要求が受け入れられ解決を見ている。（県経済史・宮崎県八〇年史）本県における農民運動は、一九二一年（大正一〇年）県下七ヶ所に系統的農民組合が設立されて急に活発になった。（中略）日本農民組合飯野支部を結成し農民組合旗をひるがえして気勢を上げるに至った。日本農民組合は一九二一年十月賀川豊彦と杉山元治郎の協議を出発点に結成がはかられ、一九二二年九月神戸市のキリスト教青年会館において山元治郎を組合長に結成されたもので、日本農民組合創立宣言、同綱領および主張は別紙（資料二）のとおりである。まず、小作人側は農民組合規約（資料三）を定め役員を選出し中央より応援を求めんとして、富吉栄二（鹿児島県出身、のち片山内閣逓信大臣）の尽力により当時農民運動の盛んな熊本県八代郡築村の情況を視察するとともに、福岡の本部より高崎正戸、亀戸亀雄を指導者として招き五九〇名の署名をとり地主側と折衝した。（中略）

宮崎県においては、水平社運動としての具体的な運動はみられないが、その思想は宮崎県内にもはいってきていたものと思われる。第七回全九州研究集会の中で福岡部落史研究会の原口頴雄氏は、水平社の結成がなくても農民運動はすなはち水平社運動であったと述べられている。

被差別部落の歴史は長く、部落の人々の生きる道はけわしかった。Kの被差別部落の人々は、明治から大正にかけて青年団活動を中心にして部落改善運動に取り組み、小作争議がおこると地域の農民と共に闘う中で、自からの意識を変革しきびしい解放への道を歩んできたのである。

『部落解放史宮崎』創刊号

宮崎県における大正後期小作争議

年次	件数	参加人員		
		地主	小作人	合計
大正9	2	41	140	181
10	3	89	262	351
11	22	743	2,700	3,443
12	13	398	1,934	2,332
13	8	395	1,360	1,755
14	66	132	512	644
15	20	342	1,068	1,410

注　県高等警察課所管文書による。

（赤地に鎌と鍬を染めこんだ組合旗）

四、宮崎県における被差別部落数について

九州大学の松下志朗教授は、「部落解放史ふくおか」の第七五・七六号に宮崎県の部落数について次のように発表されている。

表を見て頂きますと、そこには明治四〇年と昭和一〇年の部落数を挙げております。それを比較してみますと、昭和一〇年の数字はだいぶ端折っておるようです。その間の事情を検討するために次の資料を取り上げておきます。

宮崎県の被差別部落数

群　名	明40年	昭10年
宮崎郡	10	2
南那珂郡	6	1
北諸県郡	4	2
西諸県郡	10	1
東諸県郡	2	1
児湯郡	8	0
東臼杵郡	9	2
西臼杵郡	4	0
計	53	9

※郡は、旧行政区である。

「明治四〇年宮崎県地方係の答申書」

世俗新平民ト称スル部落ニ関スル件、御申越／趣了承、本県ニ於テハ戸数四百九十三ニ及ヒ、五十五部落ニ散在スルモ、一・二戸ツツ点在セルモノ多ク、二〇戸以上集合セルハ八部落ニ過キス……中略……。

『部落解放史宮崎』第5号

宮崎県の水平運動は、九州内でも部落数、戸数、人口が少なく少数点在、農民運動と連携していたと考えられる。戦前期には地方改善事業も融和事業もほとんど取り組まれていなかった。しかし、昭和十三年七月一日『融和時報』第百四十号に「内部の若き同志に訴える　宮崎県都城市松本」が投稿している。松本は「少数同胞は過去千年来この国の社会の下積とされ、子孫今日に到る迄故なき虐げを受けて来た。今日お互いが日本に於けるこの誤謬を正すためになしつゝある運動は、たゞ単なる恨みをもって糾弾をしようとするものではない。」と訴えている。

朝鮮衡平社との連帯

朝鮮王朝時代からもっとも過酷な差別を受けてきた被差別民衆（白丁：ペクチョン）を代表する人々が中心になって、1923（大正12）年４月25日、日本の軍国主義支配下にあった朝鮮の慶尚南道晋州（チンジュ）で、人権確立と衡（はかり）ではかったような正確な人間平等を訴えて創立された人権団体である。

衡平社運動と水平社運動の交流は、他の社会運動には見られないもので、差別された民衆同士が厚い壁を乗り越え、衡平社は大阪・香川・京都の水平社を訪問して交流を重ねている。24年７月、大分県水平社同人がソウルの衡平社革新同盟本部で解放運動と交流している。また、27年３月、衡平社中央委員会で「水平社に謝意を表す件」を決議している。

全朝鮮衡平社第8回大会のポスター（1930年）
［法政大学大原社会問題研究所蔵］

京都東七条北部水平社を訪れた衡平社の李東煥（右から2人目）（1927年）
［部落解放・人権研究所蔵］

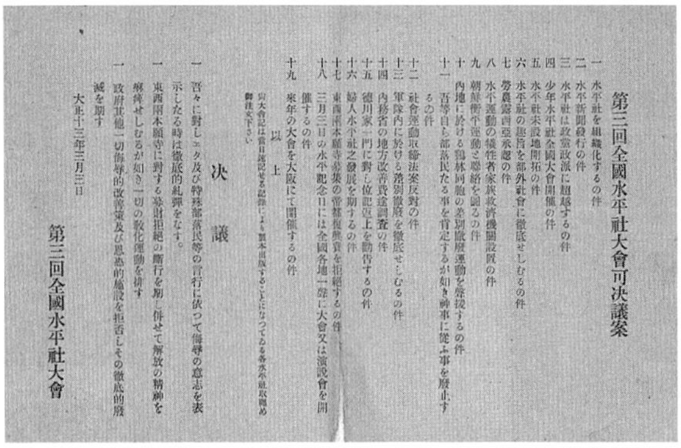

第三回全國水平社大會可決議案

一　水平社を組織化するの件
二　水平新聞發行の件
三　水平社は政黨政派に超越するの件
四　少年水平社全國大會開催の件
五　水平社未設地開拓の件
六　水平社の趣旨を部外社會に徹底せしむるの件
七　勞農露西亞承認の件
八　水平運動の犠牲者家族救濟機關設置の件
九　朝鮮衡平運動と聯絡を圖るの件
十　内地に於ける鷄林同胞の差別撤廢運動を聲援するの件
十一　吾等自ら部落民たる事を肯定するが如き神事に從ふ事を廢止するの件
十二　社會運動取締法案反對の件
十三　軍隊内に於ける差別撤廢を徹底せしむるの件
十四　内務省の地方改善費途調査の件
十五　徳川家一門に對し位記返上を勸告するの件
十六　婦人水平社之發展を期するの件
十七　東西兩本願寺募集の帝都復興費を拒絶するの件
十八　三月三日の水平記念日には全國各地一齊に大會又は演説會を開催するの件
十九　來年の大會を大阪にて開催するの件

以上

（尚大會記は當日速記せる記錄により單本出版することになつてゐる各水平社取纏め御注文下さい）

決議

一　吾々に對しエタ及び特殊部落民等の言行に依つて侮辱の意志を表示したる時は徹底的糺彈をなす。
一　東西兩本願寺に對する募財拒絶の斷行を期し併せて解放の精神を麻痺せしむるが如き一切の教化運動を排す
一　政府其他一切侮辱的改善策及び恩恵的施設を拒否しその徹底的廢滅を期す

大正十三年三月三日

第三回全國水平社大會

全国水平社第3回大会の可決議案（1924年3月。「九　朝鮮衡平運動と連絡を図る件」がある）［大阪人権博物館提供］

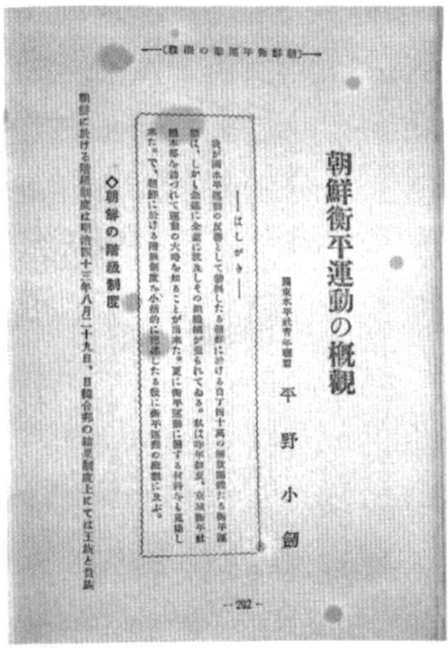

平野小剣「朝鮮衡平運動の概観」

『朝鮮衡平運動』（関東水平社青年連盟、1927年）［松本治一郎記念会館蔵］

徳川一門へ辞爵勧告

徳川邸で申し入れる南梅吉（左）と松本治一郎（右）［部落解放・人権研究所蔵］

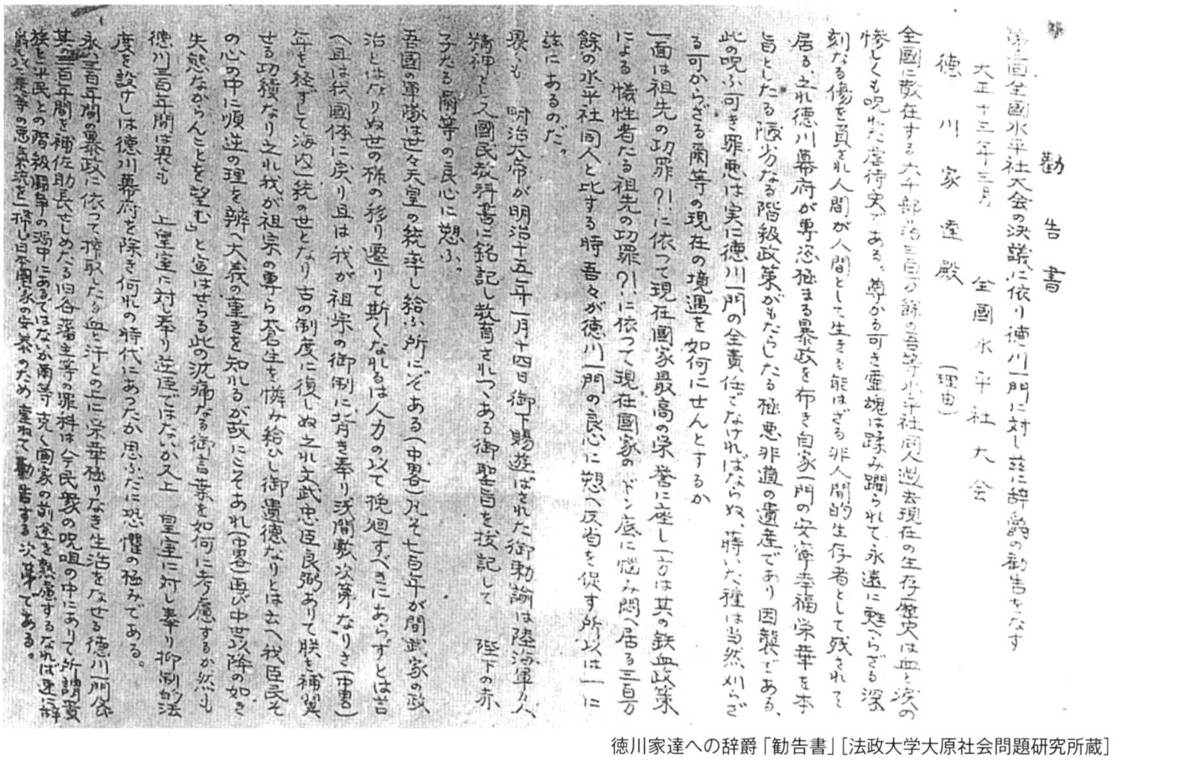

勧　告　書

第二回全國水平社大会の決議に依り徳川一門に対し茲に辞爵の勧告をなす

大正十三年三月　全國水平社大会

徳川家達殿

（理由）

全國に散在する六千部落三百万餘の吾等水平社同人過去現在の生存歴史は血と涙の惨しくも呪れた虐待史である。尊かる可き霊魂は踏み躙られて永遠に甦へらざる深刻なる傷を負され人間が人間として生きる能はざる非人間的生存者として残されて居る。之れ徳川幕府が専恣極まる暴政を布き自家一門の安寧幸福栄華を本旨としたる陰劣なる階級政策がもたらしたる極悪非道の遺産であり因襲である、此の呪ふ可き罪悪は実に徳川一門の全責任でなければならぬ、蒔いた種は当然刈らざる可からざる爾等の現在の境遇を如何にせんとするか

一面は祖先の功罪?!に依って現在國家最高の栄誉に座し一方は其の鉄血政策による犠牲者たる祖先の功罪?!に依って現在國家のドン底に悩み悶へ居る三百万餘の水平社同人と比する時吾々が徳川一門の良心に愬へ反省を促す所以は一に茲にあるのだ。

畏くも　明治大帝が明治十五年一月十四日御下賜遊ばされた御勅諭は陸海軍々人精神として國民教科書に銘記し教育されつゝある御聖旨を抜記して　陛下の赤子たる爾等の良心に愬ふ。

吾國の軍隊は世々天皇の統率し給ふ所にぞある（中略）凡そ七百年が間武家の政治とはなりぬ世の様の移り遷りて斯くなれるは人力の以て挽廻すべきにあらずとは言へ且は我國体に戻り且は我が祖宗の御制に背き奉り浅間敷次第なりき（中略）年を経ずして海内一統の世となり古の制度に復しぬ之れ文武忠臣良弼ありて朕を補翼せる功績なり之れ我が祖宗の專ら蒼生を憐み給ひし御遺徳なりとは云へ我臣民其の心の中に順逆の理を辨へ大義の重きを知れるが故にこそあれ（中略）再び中世以降の如き失態なからんことを望む」と宣はせらる此の沈痛なる御言葉を如何に考慮するか然も徳川三百年間は畏くも　皇室に対し奉り逆臣ではないか又上　皇室に対し奉り抑制的法度を設けしは徳川幕府を除き何れの時代にあったか思ふだに恐懼の極みである。

永い三百年間の暴政に依って搾取したる血と汗との上に栄華極りなき生活をなせる徳川一門並其の三百年間を補佐助長せしめたる旧各藩主等の罪科は今民衆の呪咀の中にありて所謂貴族と平民との階級闘争の渦中にあるではないか爾等克く國家の前途を熟慮するなれば速に辞爵して是等の悪系統を一掃し日本國家の安泰のため重ねて勧告する次第である。

徳川家達への辞爵「勧告書」［法政大学大原社会問題研究所蔵］

徳川家をはじめ旧幕藩大名は、明治維新によりその地位を失ったものの、華族制度（1869年）によって華族とされ、さらに華族令の公布（1884年）など数度にわたる拡充整備政策によって、特権貴族化した。

全国水平社は、これを旧封建支配層の近代社会での再生として、1923（大正12）年及び24年の両大会で徳川一門への抗議を決定、24年の大会では徳川家達（侯爵、貴族院議長）への辞爵勧告を具体化した。

徳川への辞爵勧告は、提案組織である全九州水平社があたることになり、24年３月26日、松本治一郎は、南梅吉（全水執行委員長）とともに徳川邸を訪問、４月２日には勧告書を手渡した。

しかし家達はこの勧告を無視、これをみた佐藤三太郎は徳川の不誠実に憤慨する松本に報いようと、暗殺を計画した。これは事前に発覚し、佐藤は殺人予備罪で逮捕され、次いで松本治一郎・松本源太郎も連座した。９月24日、源太郎は拘留先の市ヶ谷刑務所で獄死したが、病気に何の手当も講じられなかったことが分かり、大衆的憤激をよんだ。

この治一郎による辞爵勧告運動及び地元福岡での旧藩主黒田長政三百年祭募財拒否運動（1921年）は、「貴族あれば賤族あり」とする松本思想の萌芽ということができ、「カニの横ばい事件」（1948年）にみられるごとく、反権力・反天皇制の先駆けであった。

松本源太郎氏の靈に捧げて

森下五月

また逢はぬ別れと知らば別れにし日には千度も逢ふべかりしに

捨小舟寄る邊なき身に朝な夕君を楫ともたのみしものを

思はじと思へばいよゝ思はれてまなかい去りし兄の面影

ありし日のその面影のしのばれて語ふ君のなきぞ悲しき

とこしへに眠れる兄をしのびては花咲く春も待つ心なき

取り出し見るうつしゑも今日よりはかたみと思へば悲しかりけり

［「水平月報」大正13年12月1日 第6号］

1924年10月11日、福岡・箱崎馬場で行われた松本源太郎水平葬の記念写真。写真中央よりやや左に泉野利喜蔵、松本治一郎、山田孝野次郎、栗須七郎らの顔が見える。［松本龍提供］

去る七月以來德川事件の嫌疑者として東京市市ケ谷刑務所に收容された故松本源太郎氏は同人諸君の深甚なる御同情に預て居ましたが不幸にして九月二十四日午後九時十分獄死いたしました之には吾々一同深く慨嘆の至りであります「善き日」の爲めへの鬪士の靈を吊ふ爲め水平葬を執行いたしますから御通知致します

期日　大正十三年十月十一日午後二時

式場　福岡市外堅粕町金平大光寺（九州本線吉塚驛下車）

御參列の際必ず荊冠旗持參の事

大正十三年十月四日　福岡縣福岡市外金平公會堂

水平社葬儀事務所

松本源太郎水平葬の1924年10月4日付け案内葉書。市ヶ谷刑務所に収監されていた松本源太郎は1924年9月24日、獄死した。［水平社博物館蔵］

松本君水平葬　香華料控

松本君水平葬香華料控

松本源太郎の水平葬には、兵庫県、大阪府、京都府、岡山県、山口県、佐賀県、長崎県、熊本県など全国各地から花輪、香典等たくさんの香華があった。その他日本農民組合の高崎正戸・花田重郎から吊旗、福岡労働組合から金五円等の香華もあった。

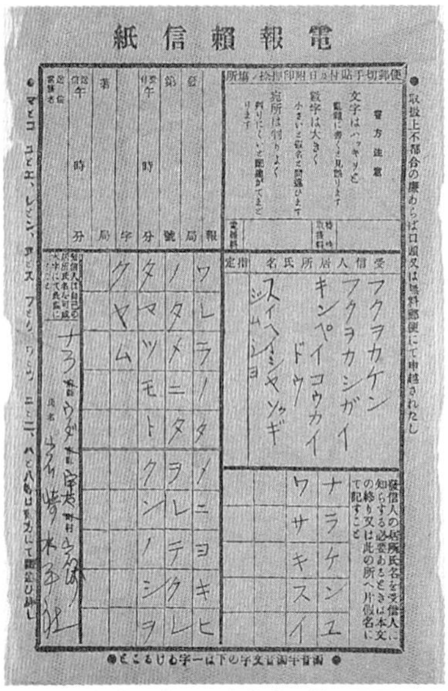

松本源太郎水平葬への岩崎水平社の弔電。［大阪人権博物館提供］

松本源太郎水平葬の祭壇と荊冠旗。右端に筑前叫革団の旗が見える。［松本龍提供］

全国水平社第５回大会（福岡市開催）

【第二十號】（大正十四年七月廿八日第三種郵便物認可）大正十五年六月一日　水平月報　毎月一回一日發行〔一〕

水平月報

綱領（改正）

我等は人類最高の完成を期して左の諸項を遂行す。

一、特殊部落民は部落民自身の行動に依つて絶對の解放を期す。

一、我等特殊部落民は絶對に經濟の自由と職業の自由を社會に要求し以て獲得を期す

一、我等は賤視觀念の存在理由を識るが故に、明確なる階級意識の上にその運動を進展せしむ。

第五回 全國水平社大會記

時者　大正十五年五月二、三兩日

於而　福岡市東町（大博劇場）

第五回全國水平社大會は若葉かはる五月上旬、福岡市に於て花々しく開かれた、そして二十餘の議案は全國の代議員によつて審議された、數千の傍聴者は熱心に傍聴した、我等はこの意義ある大會に於て可決された決議を活かさねばならぬ、こゝに大會の顛末を略記する

大會の日が近づくにつれて全國の同人は漸次に緊張してくる、特に主催地の九州聯合會では宿舎、兵糧、會場の用意、大ポスターや宣傳ビラの發送、小型荊冠旗の配布等に忙殺され大會事務所にあてられた松原の公會堂には夜晝ともにつめきりでプリンター、役員章、通信、其の他の用意にかゝり、愈々その日となるや全國の兄弟は會場へ會場へとなだれ來る

會場附近には小荊冠旗がはりまはされ墨太々に揭げられた全國大會の文字には一様に同人は胸をどらせる、會場正面には數十流の荊冠旗をたてつらねられた、特に今までになかつたことは婦人代議員のふへたこと婦人傍聽者の多數押し寄せたことであつた。

◇第五回大會々場内正面◇

第一日

○着席（午前十一時半）

○水平歌合唱

○開會の辭　上田音市君

（拍手）多數先覺者の犧牲の血で赤く染められたる水平運動の五ケ年の過去を顧み、我等は階級鬪爭によつて初めて部落民の完全なる解決の日の來ることを知りました（拍手）本大會は水

福岡縣嘉穗郡二瀬村濱田五七番地
發行所　水平月報社
振替福岡二〇四三七番
發行兼編輯印刷人　花山清
熊本市京町本丁六九
印刷所　稲本報效舍
定價一部　金五錢
廣告料
六號活字一行十五字詰
普通　金七十錢
特別　金一圓

全国水平社第5回大会記事（「水平月報」1926年6月1日付）

九州で初めての全国大会であった全国水平社第５回大会は、1926（大正15）年５月２～３日の２日間にわたって福岡市大博劇場で開催された。その前年の第４回大会で松本治一郎は委員長に選出されていたので、地元での初の開催となった。

全国水平社は創立当初より、差別を封建的な遅れた意識（観念）ととらえたから糾弾闘争を徹底的に行った。それに対して、日本共産党（当時）に指導された水平社青年同盟は、糾弾闘争を社会科学に基づいた闘争ととらえたことで社会的根拠が位置付けられ、大きな役割をはたした。反面、党の指導により幹部批判に乗り出し、第４回大会前までに、遠島哲男スパイ事件の発覚により南梅吉委員長をはじめ水平社幹部数人の退陣を実現していた。

第５回大会は、綱領改正をめぐって激烈な議論がたたかわれた。しかし運動の拠点は、松本治一郎ひきいる九州連合会に移り、松本が無産者同盟を支持することで全国水平社本部派はその勢力を維持することができた。

九州からは、婦人水平社の全国的連絡を図る件（金平婦人水平社・西田ハル、可決）、水平社青年団体統一の件（花山清、緊急動議・成立）、メーデー参加の件（水平社青年同盟・和田一新、可決）、軍事教育反対の件（福岡県青年同盟・山本作馬、可決）の提起、といったように本大会における活躍はめざましいものであった。

全国水平社第5回大会記念写真（1926年5月2・3日）［松本治一郎史料］

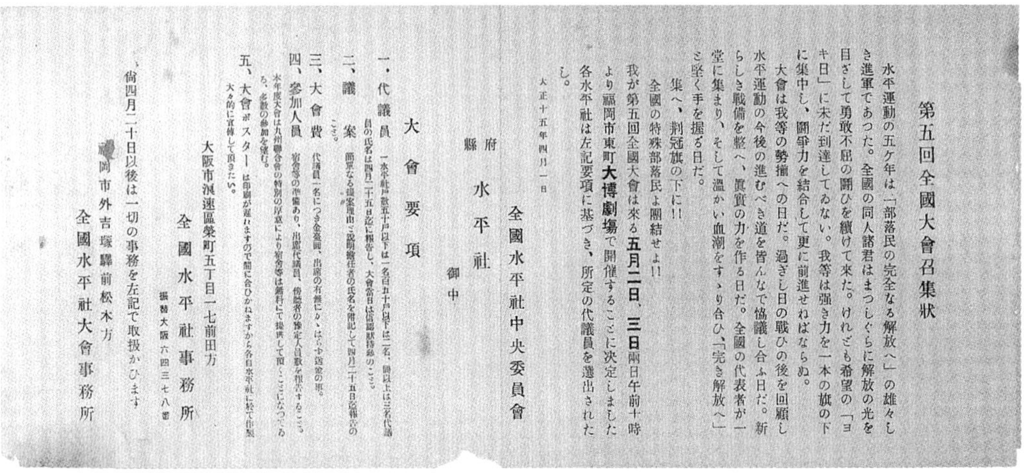

第五回全國大會召集狀

水平運動の五ケ年は「部落民の完全なる解放へ」の雄々しき進軍であつた。全國の同人諸君はまつしぐらに解放の光を目ざして勇敢不屈の鬪ひを續けて來た。けれども希望の「ヨキ日」に未だ到達してゐない。我等は强き力を一本の旗の下に集中し、鬪爭力を結合して更に前進せねばならぬ。

大會は我等の勢揃への日だ。過ぎし日の戰ひの後を回顧し水平運動の今後の進むべき道を皆んなで協議し合ふ日だ。新らしき戰備を整へ、眞實の力を作る日だ。全國の代表者が一堂に集まり、そして溫かい血潮をすゝり合ひ、「完き解放へ」一と堅く手を握る日だ。

集へ、荆冠旗の下に!!

全國の特殊部落民よ團結せよ!!

我が第五回全國大會は來る**五月二日、三日**兩日午前十時より福岡市東町**大博劇場**で開催することに決定しました各水平社は左記要項に基づき、所定の代議員を選出されたし。

大正十五年四月一日

全國水平社中央委員會

府縣 水平社 御中

大會要項

一・代議員 一水平社戸數五十戸以下は一名百五十戸以下は二名、同以上は三名代議員の氏名は四月二十五日迄に報告し、大會當日は信認狀持參のこと。

二、議案 簡潔なる提案理由ご説明擔任者の氏名を附記して四月二十五日迄報告のこと。

三、大會費 代議員一名につき金壹圓、出席の有無にかゝはらず送金の事。

四、參加人員 宿舎等の準備あり、出席代議員、傍聽者の豫定人員數を報告すること。本年度大會は九州聯合會の特別の厚意により宿舎等は無料にて提供して頂くことになつてゐる、多數の參加を望む。

五、大會ポスター は印刷が遅れますので間に合ひかねますから各自水平社に於て作製大々的に宣傳して頂きたい。

大阪市浪速區榮町五丁目一七前田方
全國水平社事務所
振替大阪六四三七八番

、尙四月二十日以後は一切の事務を左記で取扱かひます
福岡市外吉塚驛前松木方
全國水平社大會事務所

1926年4月1日付けで
府県水平社に送られた
第5回大会の召集状
［水平社博物館蔵］

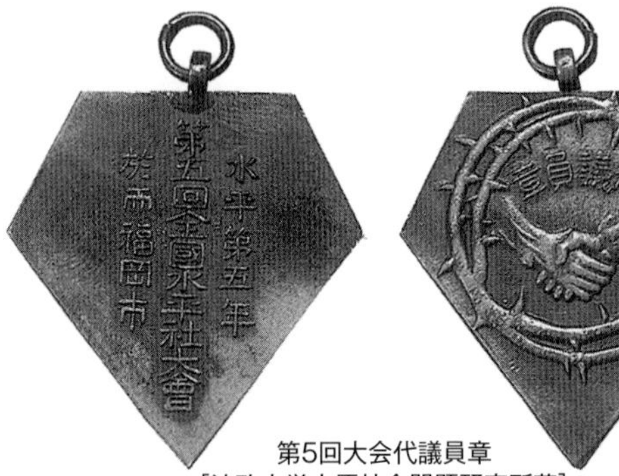

第5回大会代議員章
［法政大学大原社会問題研究所蔵］

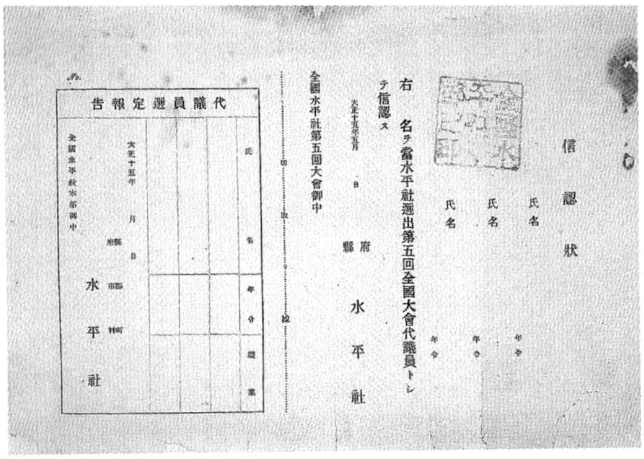

信認狀

氏名 年令
氏名 年令
氏名 年令

右 名ヲ當水平社選出第五回全國大會代議員トシテ信認ス

大正十五年 月 日

府縣 水平社

全國水平社第五回大會御中

切取線

No.

代議員選定報告

氏名	年令	職業

大正十五年 月 日

府縣 市郡 町村 水平社

全國水平社本部御中

府県水平社から大会に向けた3名分の信任状［水平社博物館蔵］

Ⅳ. 水平社運動と闘争

福岡連隊差別糾弾闘争

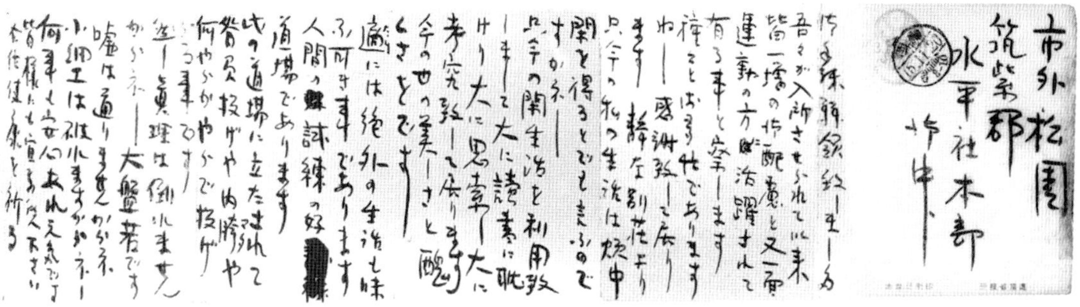

1926年11月19日、福岡市土手町拘置所から筑紫郡水平社宛に出した松本治一郎の手紙。「真理は倒れませんからネ」と、権力への闘志を燃やしている。[松本治一郎史料]

1926年1月に福岡歩兵第24連隊に入隊した井元麟之は、部落出身兵士の連絡網・兵卒同盟を組織し、連隊内の差別を摘発した。2列目左から2人目井元。写真は1927年11月撮影で、兵卒同盟の人びとを写したものとされる。[井元麟之史料]

誇張、誤報、虚偽、捏造に包まれたる
福岡聯隊爆破事件の正体
果してどちらの陰謀か？
仰々しきブル新聞の逆宣傳
支配階級の弾壓と抗爭せよ!!
我等の糾弾運動
福岡聯隊事件の眞相
果してどちらの陰謀か？
示威運動は陰謀ではない
爆弾には全然關係がない

「福岡連隊爆破陰謀事件」について水平運動暴圧反対関西水平社協議会・同全国準備会が発行したビラ。新聞各紙が報道した6日後の1927年2月18日の発行。「ブルジョア新聞」の報道が「官憲より提供されたウソ八百」であるとして、事件が捏造であることを訴えた。[法政大学大原社会問題研究所蔵]

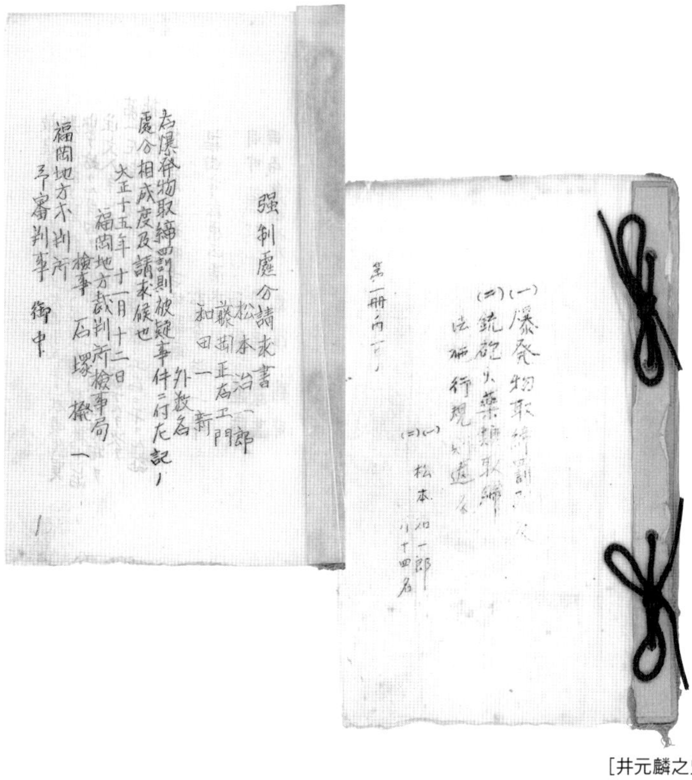

[井元麟之史料]

◆今度は福岡聯隊當局自身が差別した◆

糸島郡長糸村での檢閲射撃に
我々の部落にのみ宿舍を取らなかつた。

此の聯隊當局の差別に對して
演習期間中宿舍を拒絶せよ!!
我等の部落に一人も兵隊を泊めるな!!

聯隊當局が差別者だつた!!!

福岡聯隊當局は、同隊に起つた幾多の差別問題に對して何等の誠意を示さないのみか、口先きでは『隊内の差別撤廢に努めます』と高言してゐ乍ら、同問題の片づかないうちに三件餘の差別事件をひき起しても之に對して何等の方法をもとらなかつた。我等は聯隊當局の反省を促す爲に、交渉、演説會、請願運動等の行動を進めて來た。處が我等は玆に意外の事實を發見しかゝる聯隊當局だからこそ我等の要求を容れないのも當然だと云ふことが判つた。それは、彼等聯隊當局者自身が此の憎むべき差別觀念の所有者であり、その差別の支持者であることが判明したからである。

夫は次の事實に依て證明される

去る十月七日より十四日迄の間、田中聯隊長指揮の下に糸島郡雷山を中心として福岡歩兵第二十四聯隊の檢閲射撃演習が行はれた。その時同聯隊は、大正十五年十月二日附『敎第一七三號』及び、同十月六日附『敎第一七九號』軍隊宿泊の件通牒によつて長糸村々長並びに同村役場宛に宿舍賄の依頼を通達してゐる。その宿舍割當は同村の大ていの小字を指定すると共に宿泊する兵員及び馬匹等迄詳細に記載してゐる。卽ち長野別處、飯原、八反田、本區、蛇の石、目明等に各戸平均六名程の兵員を割當てゝある。

處がこの割當ての中には雷山より遠く離れた蛇の石本區等をも指定されてゐるにかゝはらず程近き我々の兄弟部落たる　丈けが指定されてゐない。

此の事實は何を物語るか

兵の運用操縱を云爲する演習とはちがつて長糸村より佐賀縣に通ずる所謂長野峠で行はれた檢閲射撃演習であるのに、長糸村の中心地點に位し交通の便利な、戸數の割合(附近の部落と較べて)に多い　部落に一名の兵士の宿泊も指命せなかつたのは奇怪である。しかのみならず、當日　部落の東隣の、　區には多數の兵員を收容し切れずして　部落を越えて西方遙か十數町を隔てゝ、峠を越した瀨戸部落に一戸六人宛も引卒分宿せしめた。併も　部落に一名の兵員も宿泊せしめなかつた此の事實は何を物語るか?

此の演習に參加した全將卒の頭に『特殊部落のみは宿舍をとらなかつた』と云ふ考へを持たせ又同村の一般民衆に對して『　へは兵隊が一人も泊らなかつた』と口走らしめ、共に我々に對する賤視、差別の觀念を深く植ゑつけたことは、こはそも何を證明するものであるか?

之明らかに聯隊當局自身が我々部落民を差別し又此の差別を公々然と兵卒及び一般民衆に敎へてゐるものでなくて何であらう? 聯隊當局は此の事實を前にして『部落民を差別してゐない』又『自分等の責任ではない』とは云はれまい。之でも『兵卒間の差別撤廢の爲に努力してゐます』とは高言出來まい。聯隊當局それ自身がかうした差別觀念を抱き、又その差別が當然だと考へてゐるのだから、兵卒間に起る差別問題に對して誠意を見せないと共に、その差別の撤廢に努めないのも當然である。

彼等の正體をハツキリと見よ?

現在の支配階級が一般民衆の持つ差別觀念排除の爲に何等の努力を拂はず、却つて我々の水平運動を暴壓するやうに、此の支配階級の最も忠實な番人である聯隊當局が、之又軍隊内の差別撤廢に無關心であるのも當然であるかも知れない。彼等は自己の優越的地位を誇り、自己の奉仕する支配階級の地位を護る爲に此の差別を支持すると共に、敵對關係にある無產階級間に差別、反目、抗爭を續けしめやうとする爲に軍隊内に於ても兵卒間(その多くは無產者出身)の差別問題を見てもそれを見ぬ振りをしてゐるのかも知れぬ。このことは福岡聯隊差別問題の全經過を通じても判斷出來るし又今度の長糸村稻原部落の差別事實が雄辯に物語つてゐる。かくして彼等は我々部落民を永遠に差別と迫害の下に苦しめようとしてゐるのである?

我等は如何にすべきか?

我等は以上の事實によつて聯隊當局の正體を見、又彼等の眞意がどこにあるかをもハツキリと知ることが出來た。そして之迄のやうな交渉や示談によつては斷じて福岡聯隊差別問題が解決せないことを知つた。

我等は玆に聯隊當局の眞意を知ると共に同聯隊當局に對し最後の反省を促す爲、本年度の機動演習及び特別大演習の期間中、我が水平社は同演習參加の全將卒に對し宿舍の提供を拒絶せんとするものである。

然し乍ら、我等は敢て奇を好み又軍隊對民衆の反感を煽る爲に此の決意をなすものではない。我等は演習に疲れた將卒諸君に對しては歡待したく思つてゐる。けれども福岡聯隊當局のガンメイなる態度及び糸島郡長糸村に於ける憎むべき部落排斥差別の行爲に對して併も彼等が忌み嫌つた我々部落の宿舍をば、我等の方より進んで拒絶し聯隊當局及陸軍當局の猛省を促さんとするものである。之我水平社の採るべき正義の行動であり。當然の責務であると信ずる。之なくして彼等は永遠にそのガンコ頭から覺醒せないであらう!

演習區域の各地水平社同人諸君、諸君の家には一人の兵隊も泊めるな。

各水平社は宿舍の割當を前以て役場へ斷つておけ!!

福岡市外金平　水平社九州聯合會

福岡連隊宿舎拒否への抗議ビラ（1926年10月）［法政大学大原社会問題研究所蔵］（一部伏字）

1926（大正15）年～28（昭和３）年にかけて福岡で展開された水平社の軍隊内糾弾闘争。全国水平社は、第２回・第３回大会で軍隊内の差別問題を討議し、軍隊差別糾弾を主要課題の一つとした。

26年１月、福岡第24連隊内には、井元麟之によって、部落出身兵士からなる「兵卒同盟」がつくられ、軍隊内の差別を摘発、水平社による福岡連隊差別糾弾闘争への道を開いた。

以後約半年の間、全国水平社九州連合会を中心に連隊への闘争を進め、連隊との交渉に臨んだが、６月30日交渉が決裂。この時点で、全水総本部は、全国各地水平社に「一斉に起って応援せよ」との指令を発し、福岡連隊闘争は全国水平社運動あげての総力戦化した。

一方、連隊は九州連合会に会見を申し入れ、講演会の開催等５項目を条件に合意解決したかに見えた。しかし、連隊は７月18日、一方的に合意を破棄した。

水平社は、在郷軍人会・青年団・処女会・青年訓練所からの脱会、連隊入営拒否を決議し、闘争は尖鋭化し、さらに10月連隊自らの福岡県糸島郡下宿舎忌避差別事件により、新たに日農県連・労農党県連・日本労働組合評議会九州連合会・北九州無産青年団体同盟等の積極的支援も加わり、幅広い大衆闘争へと発展した。

福岡連隊爆破陰謀事件

大阪毎日新聞
號外
二月十二日
千餘の水平社同人を集め
福岡聯隊の爆破を企つ
昨年の陸軍大演習を機とし
將卒の不在を襲ふ計畫
執行委員會議長等十一名公判へ
治安妨害の目的で
爆藥使用を謀議す
被告十一名の犯罪嫌疑
三名は證據不充分となる
大々手分けして
爆彈入手に努む
八方に飛ぶ判檢事の一行
疾風迅雷の家宅捜索
ぞく〳〵收容す
爆彈取集め方の
手紙から足がつく
確證を握る
押收品に就て
爆發試験を行ふ
何れも起訴
阪神に及ぶ
伏字澤山の
密書を手に入る
大阪の活動
聯隊側の
斷乎たる決心

1926年11月12日、福岡連隊爆破を企てたとして松本治一郎、木村京太郎ら十数人が検挙された。事件は福岡連隊差別糾弾闘争の高揚のなかで当局が捏造（ねつぞう）したもの。事件の報道は翌年2月に解禁され、新聞各紙は大々的に報道した。1927年2月12日付け「大阪毎日新聞」号外。

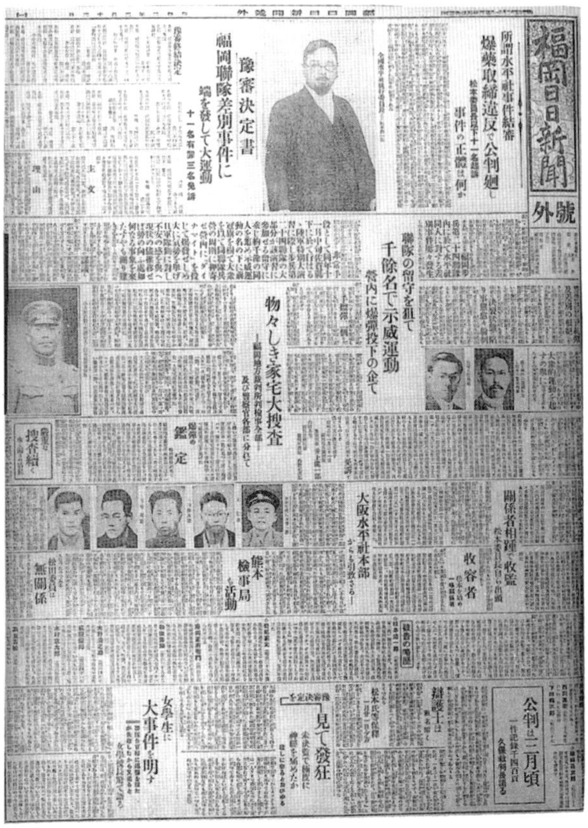
福岡日日新聞
號外
所謂水平社事件結審
爆藥取締違反で公判廻し
事件の正體は何か
豫審決定書
福岡聯隊差別事件に
端を發して大運動
聯隊の留守を狙て
千餘名で示威運動
營内に爆彈投下の企て
物々しき家宅大捜査
大阪水平社本部
關係者相踵で收監
收容者
熊本
檢事局
も活動
見て發狂
大事件を明す

松本治一郎の逮捕を報じる「福岡日日新聞」号外（1927年2月12日付）

水平月報
自分の影に驚く月夜のカニ物語
所謂陰謀事件の正體
何事もない水平社が
何故そんなに恐いのか
正義に破滅の來る筈がない
水平社の聯隊當局糺弾は
決して行き詰つてはゐないぞ
札彈が行詰つたとは
何のたわごとなるか
今後の大方針を見て
キモをつぶさぬ用心をせよ
片腹痛い世迷言だ

陰謀事件を報じる「水平月報」（1927年3月1日付）

松本治一郎が下獄時の写真［井元麟之史料］

軍隊内糾弾闘争に対し、1926（大正15）年11月支配権力は、爆弾のない「福岡連隊爆破陰謀事件」を捏造し、松本治一郎ら17名を検挙するにいたった。裁判で有罪判決を受け、下獄に際して松本治一郎は、「単にこの糾弾闘争は、営内に身を切る思いで差別に泣いている水平社同人の兵士を奮い起こしたのみでなく、一切の自由を束縛され殆ど人間扱いを受けていない兵卒をも自覚せしめた警鐘であった」と、全国の兄弟へ訴えた。この中に弾圧事件のもつ意味が見事に明らかにされている。

福連事件被告の激励会（1928年、松原公会堂にて）［松本龍提供］

福連事件犠牲者歓迎記念写真。中央ヘルメット帽子が松本治一郎（1932年5月20日、長崎市）［松本龍提供］

水平運動の犠牲者松本源太郎と藤岡正右衛門の墓（福岡市大光寺）

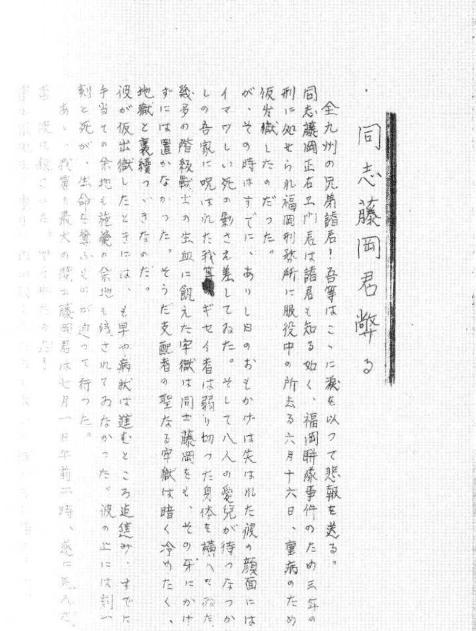

同志藤岡君斃る

全九州の兄弟諸君！吾等はこゝに涙を以って悲報を送る。
同志藤岡正右エ門君は諸君も知る如く、福岡聯隊事件のため三年の刑に処せられ福岡刑務所に服役中の所去る六月十六日、重病のため仮出獄したのだった。
が、その時はすでに、ありし日のおもかげは失はれた彼の顔面にはイマワしい死の影さえ差してゐた。そして八人の愛児が待つなつかしの吾家に呪はれた我等ギセイ者は弱り切った身体を横へてゐた。
幾多の階級戦士の生血に飢えた牢獄は同志藤岡をも、その牙にかけずには置かなかった。そうだ支配者の聖なる牢獄は暗く冷めたく、地獄と裏續つゞきなのだ。
彼が仮出獄したときには、もはや病状は進むところ迄進み、すでに手当ての余地も施療の余地も残されてゐなかった。彼の上には刻一刻と死が、生命を奪ふものが迫って行った。
あゝ、我等の最大の闘士藤岡君は七月一日午前二時、遂に死んだ。

［井元麟之史料］

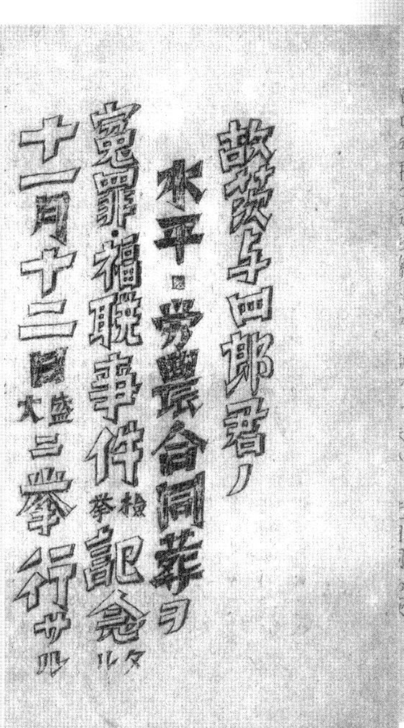

故茨与四郎君ノ
水平・労農合同葬ヲ
冤罪・福聯事件犠牲記念タル
十一月十二日大盛ニ挙行サル

［井元麟之史料］

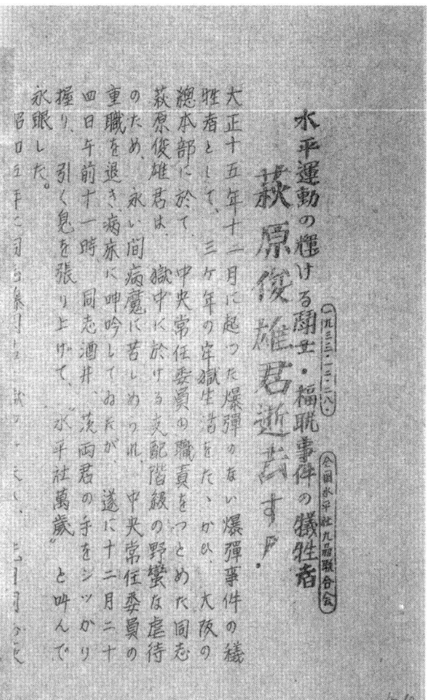

水平運動の輝ける闘士・福聯事件の犠牲者
（一九三三・一二・二八）
全国水平社九州聯合会

萩原俊雄君逝去す！

大正十五年十二月に起った爆弾のない爆弾事件の犠牲者として、三ヶ年の牢獄生活をした、かの大阪の総本部に於て中央常任委員の職責をつとめた同志萩原俊雄君は獄中に於ける支配階級の野蛮な虐待のため、永い間病魔に苦しめられ中央常任委員の重職を退き病床に呻吟してゐたが遂に十二月二十四日午前十一時同志酒井茂両君の手をシッかり握り、引く息を張り上げて、"水平社万歳"と叫んで永眠した。

［井元麟之史料］

■ 福連事件の犠牲者

氏　名	出身地域	内　容
和　田　藤　助	福岡・堅粕	福岡連隊事件の犠牲者
茨　　与四郎	福岡・堅粕	福岡連隊事件の犠牲者
大　野　清之助	福岡・堅粕	福岡連隊事件の犠牲者
萩　原　俊　雄	福岡・堅粕	福岡連隊事件の犠牲者
藤岡　正右衛門	福岡・馬出	全国水平社福岡県委員長福岡連隊事件で先頭に立って闘う 投獄される 懲役３年の刑をうけて獄死する

『全九州水平社60周年記念誌』

（二）　昭和五年八月五日發行　水平新聞　第[illegible]號

福聯事件の犧牲者
同志！藤岡正右衛門
永き恨みをのこして斃る

福岡聯隊事件のため三年の刑に處せられ福岡刑務所に入獄中であつた藤岡正右衛門君は去る六月十六日「病氣重態」の故を以て假出所したが遂に七月二日午前二時、福岡市金平の自宅で逝去した。九州聯合會は直ちに全九州に飛檄し水平葬を以て同志藤岡を弔つた。

閲歴

藤岡正右衛門君はかの徳川公暗殺事件で獄死した松本源太郎君と同郷の福岡市金平の人であつた、彼の家は米屋で大正十二年九州に水平運動の火の手が上がつたとき以來、第一線に起つ[illegible]に私宅に我等の運動の手の及ぶ所全九州津々浦々に散在する兄弟に叫びかくる君の勇姿を見ないことは無い位だつた。水平運動の初期當時、宣傳座談會等に折角出かけて行つても兄弟いまだ目ざめず集會を拒絶され、或は妨害のため、空しく家路に歸る深夜の闘士のおもかげは淋しかつた。しかし絶ね間なき同志の奮闘は遂にユルギなき今日の九州聯合會を築きあげたのである。若し我等の運動に功勞と言ふ言葉が許されるならば藤岡君こそは九州の水平運動の上に大きな足跡をのこした偉大なる功勞者の一人であつた。同志藤岡の存在は我等のためにも[illegible]階級のためにも確かに大きな存在だつた、だからこそ、全九州の兄弟からは大きな信頼と希望を以つて迎へられ、支配階級からは蛇蝎のやうな氣味悪い憎悪の眼をもつて見られてゐたのだ。

大正十五年十一月十二日未明を期して打ち下ろされた大彈壓、福岡聯隊事件によつて逮捕された十數名の前衛分子、藤岡君も亦[illegible]しい其のなかの一人だつた。燃え上る全國的抗議を無視した×裁判は長崎控訴院検事をして「斷定する證據は無いが犯罪は妥當である」大聯隊検事をして「犯罪の可能性があつた」と×認せしめて遂に松本委員長を始め藤岡君、總本部の木村京太郎君等を三年以上三年半の刑に處し、[illegible]く他の九名の闘士は今も尚太陽の光もなき本家地主の牢獄の鉄鎖につながれてゐる。藤岡君は又福聯事件で保釋中、堅粕町會議員に見事當選し勞働者農民のため奮闘した。彼の三十九年の生涯は[illegible]に階級的闘爭によつて終始してゐたのである。

彼は×されたのだ！

同志藤岡の死は餘りにも急であり悲報一度つたはるや全九州の兄弟は直感的に「藤岡は×された」と異口同音に叫んだ。彼れの死の表面的な理由は死亡診斷書にもある如く「病死－肺結核」には間ちがひはないだらう。しかし病氣に到らしめ死に到らしめて彼の生命を奪つたのは一體なんであらう。我々は全九州の兄弟が異口同音に絶叫したと同じく「藤岡は×された！」と信じる。そして我々はその證據を擁つてゐる。今我々は同志藤岡の死に關する證據を全國の親愛なる兄弟に真赤なカタマリとして投げつけるであらう。

同志藤岡は前述の如く福聯事件の爲三年の懲役に處せられ昨年四月一日下獄した、入獄當時の彼は非常に元氣で體重も十八貫を越ねてゐたと言ふ事によつても如何に彼が壯健であつたかといふ事が判るであらう。

[illegible]入獄後、[illegible]時にゆく度毎にだん／＼彼の身體に元氣がなくなり、ヤセ細るのが目に見へた、が別にそれがため病苦にかゝつてゐると言ふ様なことは無かつた。假出獄する十二日前の六月四日に面會の妻が面會に行つた[illegible]は特に衰弱と病苦は甚だしく見ねてゐたが、またそれでも醫者にもかけられずに居たのだ。――あゝ、あの獄衣を着て、よぼ／＼と面會所迄看守に連れられて來た彼の姿が思ひ出される。既にその頃彼の生命を奪ふ死の歩みが迫つてゐたのだ――

それから十二日目の六月十六日病氣重態－病名は肺結核－で我等の闘士藤岡は病臥のまゝ、なつかしの我が家へ引きとられた。彼は八人の子女があつた、が彼を家に待つて居たものは八人の子女の外には黒い死の影でしかなかつた。數人の醫者のシン斷をうけたが、醫者の見立では、すこぶる悪選で手當の余地さへも殘されてゐないとのことで施す術もなかつた。彼の肺臓はムシバマれて大きなッ

藤岡正右衛門の死を報じる「水平新聞」（1930年8月5日）

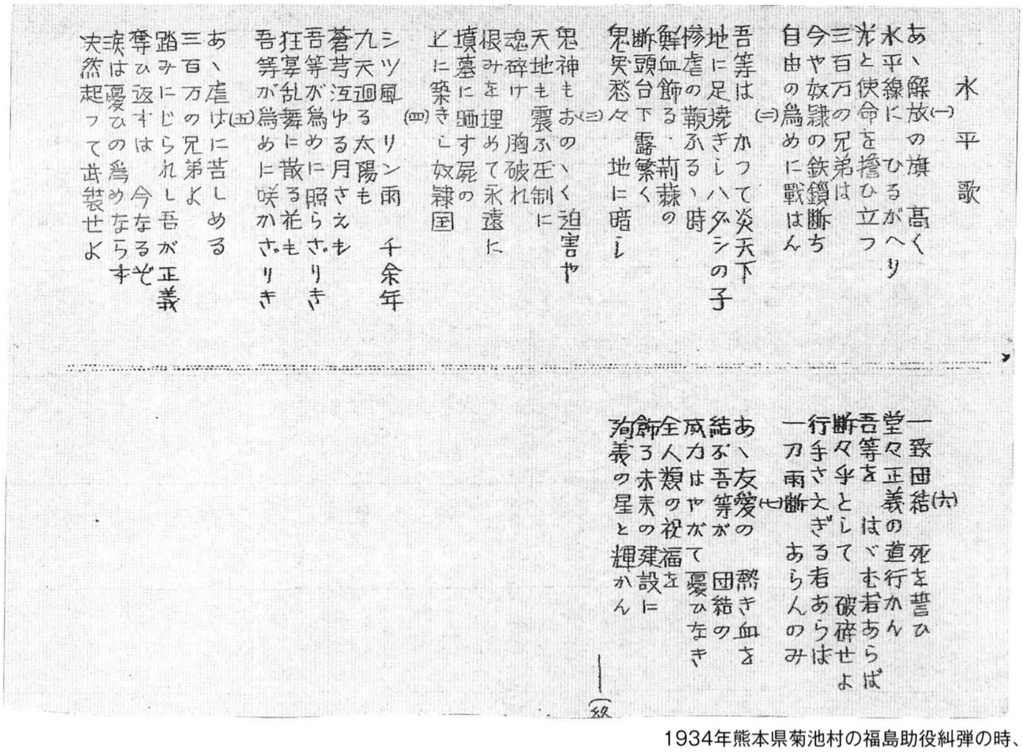

水平歌

（一）
あゝ解放の旗高く
水平線にひるがへり
光と使命を擔ひ立つ
三百万の兄弟は
今や奴隷の鉄鎖断ち
自由の為めに戦はん

（二）
吾等はかつて炎天下
地に足焼きしハダシの子
惨虐の鞭ふるゝ時
鮮血飾る荊棘の
断頭台下露繁く
鬼哭愁々地に暗し

（三）
鬼神もおのゝく迫害や
天地も震ふ圧制に
魂砕け胸破れ
恨みを埋めて永遠に
墳墓に眠す屍の
上に築きし奴隷国

（四）
シツ風リン雨千余年
九天廻る太陽も
蒼穹沍ゆる月さえも
吾等が為めに照らさざりき
狂宴乱舞に散る花も
吾等が為めに咲かざりき

（五）
あゝ虐げに苦しめる
三百万の兄弟よ
踏みにじられし吾が正義
奪ひ返すは今なるぞ
涙は憂ひの為めならず
決然起って武装せよ

（六）
一致団結死を誓ひ
堂々正義の道行かん
吾等をはゞむ者あらば
断々乎として破砕せよ
行手さえぎる者あらば
一刀両断あらんのみ

（七）
あゝ友愛の熱き血を
結ぶ吾等が団結の
威力はやがて憂ひなき
全人類の祝福を
飾る未来の建設に
殉義の星と輝かん

（終）

1934年熊本県菊池村の福島助役糾弾の時、
全水熊本県連合会作成の水平歌ビラ

生活権奪還の闘い

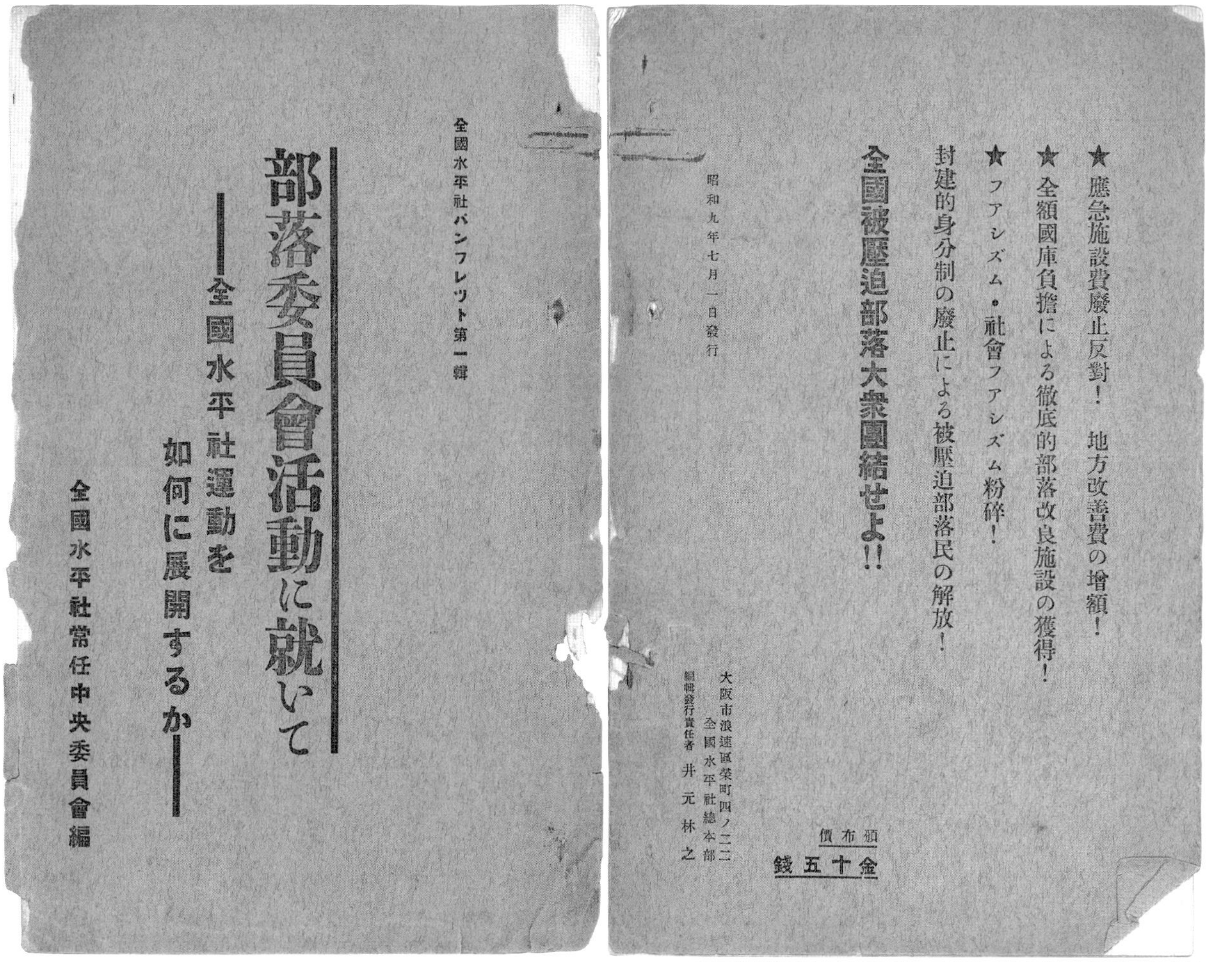

パンフ『部落委員会活動に就いて』[井元麟之史料]（1934年7月）

全国水平社の第７回大会から第10回大会（1928 ～ 31年）に至る時期は、引き続き軍隊や警察に対する糾弾闘争が展開される一方、各地で部落改善費の不正使用の追及や差別行政の刷新といった生活擁護闘争、部落大衆が主体となった小作争議、労働争議が数多くたたかわれた時代だった。

福岡県朝倉郡夜須村（当時）では、入会権、区有財産などにかかわる経済的権利、区政からの排除などの点で大きな不利益と差別を強いられていた。これらの差別解消と生活権の奪還を求めて、1926（大正15）年から、全国水平社九州連合会の指導のもとにねばり強い交渉を重ねていったが、とくに1931年３月には、500人を結集して朝倉郡部落民大会を開催し、11項目の要求を決議した。その後警察官の導入や、多数の検束などの弾圧がなされたが、井元麟之らの指導のもとに徹底的な闘いを展開、ついに11月一定の権利回復、区有財産の払い下げなどを勝ち取った。この闘いは、差別糾弾が、具体的な生活権の保障として闘われた初めての闘いであり、以後全国各地へと波及していく。

こうして、差別糾弾闘争とあわせて、生活に根ざした日常要求闘争が各地で展開されるようになった。

四・部落委員会活動の意義と任務

(1) 部落委員会活動とは如何なるものか

部落委員会活動とは一口に云へば、社会生活の凡ゆる領域に亘つて今日猶、被圧迫部落大衆を束縛しておるところの封建的身分関係を、決定的に粉砕しやうとする部落民の大衆的斗争形態のことである。従ってそれは、身分干係の根據であるブルジョア地主的××制支配に対する斗争であって、非常に重要な政治的意義を持っておる。

被圧迫部落大衆を真の解放のための政治的斗争――政治的斗争と所謂〃政党運動〃と混同してはいけない――に発展せしむる為には身分関係によって極めて低い水準に陥れられ抑へつけられておる部落大衆の殖民地的生活状態を高めるための諸斗争こそが、その身分斗争の主要な、基本的な斗争である。何故なら部落大衆に対する身分干係は生活状態の上に、差別迫害の最悪の悲惨なる條件を押しつけて現出して居り、身分関係によって條件づけられた部落大衆の惨めな低い生活水準を引上げるための斗争は、部落大衆の日常生活上に直接の利害関係を持って居り、その切実な要求であるからである。即ち、一切の文化的経済的部落施設、身分的偏見による就職・賃銀その他の差別待遇撤廃、職業・居住・婚姻等一切の市民的自由等々、殊に部落民に対する差別観念を助長する一つの要因となっておる処の、惨めな低い生活水準を引上げるための文化的・経済的部落諸施設を獲得する要求斗争を組織し激成することに依って広汎なる部落大衆を階級斗争に動員することが出来る

―十九―

［井元麟之史料］

部落委員会活動に就て

一．日本の勤労階級は現在どんな状態にあるか？

昭和五年九月満洲事変が勃発した当時、人々は〃第二の世界大戦が始った〃と云って騒いだが、此頃では此の危機が一時的にもせよ遠ざかった様に考へておるやうだ。然しそれは大きな間違ひである。国際間の危機は遠退いたどころか反対に非常に切迫しておる。

一昨年の夏、英国のロンドンで世界中から六十七ヶ国の代表者が集って〃国際経済会議〃と云ふのを開き、日本からも政府を代表して石井子爵が出席した。この国際経済会議は何のために開かれたかと云へば――資本主義世界の国々が例外なしに経済恐慌に悩まされて、工場は閉鎖され機械は休み生産は着しく減って居るのに、商品は売捌けず資本家の倉庫に山積し、失業者は現在世界中に四千万人から居り益々増へる一方だ。各国とも国家の収入は半分に減り財政は破綻しそうだ。国民の生活は非常に困窮して、この上税金を搾ることが出来ないどころか何時不平が爆発せんとも限らない、この儘では国家が滅亡するより外にない――と云ふ程に逼迫した之の資本主義世界の共通の危機を、何とか切抜けようとして開かれた会議である。

日本の石井全権はこの会議で〃吾々は背後の橋を焼き、背水の陣を布いてこの会議を開いたのだ。若し失敗したら、それこそ前代未

―一―

全国水平社運動を如何に展開するか

［全国水平社パンフレット第一輯より］1934年7月1日発行

［井元麟之史料］

水平新聞　昭和五年十一月二十五日發行

又もや下る大彈壓！

計畫的な逆襲に

全九州の兄弟大衆行動で闘ふ!!

……ウソブク者は見るがいゝ、全國水平社の力を疑ふ者は活眼せよ！そして今、西日本九州の地に發生した全國部落大衆の憤激を煽る支配者の意識的差別と、いたいけな小學兒童をしてさへ「死ぬまで戰へ！」と叫ばしめて、ノサバリ返る權力者に身を以て抗爭する兄弟の英雄的行動を知るがいゝ。

眞相は斯うだ

突如！警官二十名

一、小學校兒童の同盟休校

一、在鄕軍人、消防隊、青年團、處女會の脱退

一、一切の税金不納

暴力行爲取締法違

降りしきる雨を侵して

檢擧を合理化する

糺彈の自由を奪はんとする

全國水平社總本部は

一、不當なる彈壓を大衆的壓力で吹飛ばせ！

一、奪はれたる同志を奪還せよ！

三重縣曾原に再建の旗翻る

甘木事件を報じる「水平新聞」（1930年11月25日付）

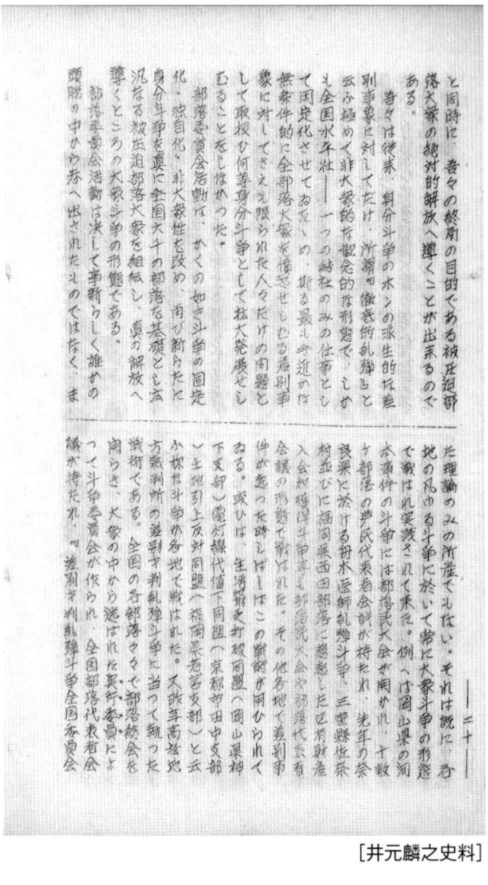

と同時に、吾々の終局の目的である被圧迫部落大衆の絶対的解放へ導くことが出来るのである。

吾々は従来、身分斗争のホンの派生的な差別事象に対してだけ、所謂〃徹底的糺弾〃と云ふ極めて非大衆的な觀念的な形態で、しかも全国水平社――一つの結社のみの仕事として固定化させてをたゝめ、斯る最も身近かな差別事象に対してさえ限られた人々だけの問題として取扱ひ何等身分斗争として拡大発展せしむることをしなかった。

部落委員会活動は、かくの如き斗争の固定化・独自化・非大衆性を改め、再び新らたに身分斗争を真に全国六千の部落を基礎とした広汎なる被圧迫部落大衆を組織し、真の解放へ導くところの大衆斗争の形態である。

部落委員会活動は決して事新らしく誰かの頭脳の中から考へ出されたものではなく、まだ理論のみの所産でもない。それは既に、各地の凡ゆる斗争に於いて常に大衆斗争の形態で戦はれ実践されて来た。例へば岡山県の河本事件の斗争には部落民大会が開かれ、十数ヶ部落の農民代表者会議が持たれ、先年の奈良県に於ける舟木医師糺弾斗争、三重縣佐奈村並びに福岡県西田部落に惹起した区有財産入会権獲得斗争等も部落民大会や部落代表者会議の形態で戦はれた。その他各地で差別事件が起った時しばしばこの戦術が用ひられておる。或ひは、生活擁護打破同盟（岡山県神下支部）電灯線代値下同盟（京都市田中支部）土地引上反対同盟（福岡県若宮支部）と云ふ様な斗争が各地で戦はれた。又昨年高松地方裁判所の差別的判決糺弾斗争に当って執った戦術である。全国の各部落々々で部落総会を開らき、大衆の中から選ばれた実行委員によって斗争委員会が作られ、全国部落代表者会議が持たれ、〃差別的判決糺弾斗争全国委員会

―二十―

［井元麟之史料］

昭和六年一月二十六日發行　水平新聞　第九號　(三)

奪はれた生活權奪還の鬪爭
區有財産の入會權を認めろ!
九州聯合會□支部

……部落大衆を憤激せしめた甘木事件に引續いて、又々言語に絶した差別事件が朝倉郡夜須村字吹田區にもちあがつた。

吹田區は戸數約七十戸の字で、その中に西田といふ戸數二十戸の兄弟部落がある。吹田區民は以前から常に西田の兄弟に對して無慙極まる差別を續けて來た。一例をあぐれば『西田部落民は鷄を飼つてはならぬ』と云ふ樣な勝手な規約を設け、文字の讀めない西田部落の老人をして『今後如何なることがあつても一羽も鷄を飼ひません』といふ證文に捺印させやうと謀らむだこともあるのだ。

現に西田の兄弟諸君が起ち上つて戰ひつゝある差別の事實は、次の如き九項目に亘る部落兄弟の生活權を剝奪し、その生存を脅かす經濟的、政治的問題である。

一、吹田區有の厩草場の草を西田の部落民には刈り取らせない。

一、區有宅地に住む部落民から使用料を取り、部落民にはその利益金の配當をしない。

一、西田の部落民に限つて墓地使用料を取り立てる。

一、部落民をペテンにかけて賣りつけた宅地賦上金約二千円を部落民には分配しない。

一、吹田區内にある堤の放魚權の入札によつて得た利益金の分配に部落民を除外した。

一、區有堤防の茅（家根を葺く材料）を入札して得た利益金を西田部落の兄弟に分配しない。

一、區長の選擧、被選擧權を與へない。

一、吹田區教育婦人會に部落民の加入を拒むでゐる。

一、區の委員を西田部落から一名も選出させない。

全國の戰鬪的部落大衆諸君! この暴戾極まる差別を何と見る! 封建制度下にだけあるが如き事實が今日猶は公然と而もロコツに行はれ、部落民の生活を踏み躪つてゐるのだ。

大正十五年四月九州聯合會は區有厩草山の入會權を確認しろ! 教育婦人會入會の差別を撤り除け! の要求を提て戰つた。夜須村長は西田部落の厩草山入會權を否認し土地臺帳に個人名義となつてゐることを口實として、部落民を除外しやうとした。役場の土地臺帳に既草山の所有者が個人名義となつてゐるのは、徵税の便宜上さうした手續を取つたものであるが、實際は區有財産であることを區民の誰もが認めてゐるところである。また教育婦人會の問題については村長は、差別の事實を否定せんがために會則、會員名簿役員等が存在するにも拘らず、さうした團體は組織されてゐないとぬかしてゴマ化さうとしたのであつた。然しながら、九州聯合會の執拗な鬪爭は遂に頑迷なる村長をして部落民の要求を容れることを誓約せしめたのであつた。

然るに同年七月、村長は誓約を反古同樣に破棄し、西田部落を除外して吹田區民に厩草山を坪割して分配したのである。部落の兄弟は火の如く憤激して村役場に押しかけ、村長の詐欺的行爲を責め立てたので彼は登記の手續を延期するの餘儀なきに到つたのであつた。然るに二三年後、村長は死に際に大忙ぎで區有産たる厩草山分配の手續を正式に終了してしまつたのである。當時、九州聯合會は福聯事件の彈壓を受けて多數の同志を牢獄に奪れてゐた爲め、彼等の火事ドロ的な行爲を見す／＼その爲すが儘に任せざるを得なかつたのである。

だが勿論西田部落の兄弟は生活權奪還の鬪爭を斷じて忽せにはしなかつた。執拗に鬪ひ拔かれたのだ。『區費を一切納めるな!!』の叫びが叫び續けられたのである。縣社會課からは課長や役人が幾度もさばり出て融和だの平和だのと欺瞞政策を以て西田部落の兄弟をゴマ化さうとした　だが兄弟達は奴等の正體を知つてゐた、狸共にダマされはしなかつた。

過般惹起した甘木事件は、西田の兄弟達の鬪爭心を強く刺戟せずには置かなかつた。全水西田支部は再組織され、十二月二十四日總會を開いて左の決議をした。

一、小學兒童の同盟休校斷行

二、一切の稅金の不納

三、小作米の不納

四、吹田區費の不納

五、一切の官僚團體からの同盟脫退

(イ)青年團の脫退

(ロ)處女會の脫退

(ハ)消防組の脫退

(ニ)在郷軍人會の脫退

西田部落の兄弟達は、公會堂に集合して、元氣よく俺達の同志によつて階級的敎育を受けた。（寫眞參照）

寫眞說明

ピオニールを組織して鬪爭せる甘木事件(福岡縣)盟休團の各支部

1 鬪□　2 野□　3 天□
4 一□　5 東□　6 神□
7 小□　8 上□　9 石□

甘木事件 公判は一月二十七日だ

既報—福岡縣朝倉郡甘木町の差別事件に端を發した。支配階級の最も××な『札彈に對する彈壓』に抗して同郡下の兄弟達に福岡縣下の部落大衆は九州聯合會統制の下に一糸亂れぬ整然たる反抗運動を展開した。同事件に依つて我々は支配階級自らが、我々に對する賤視差別を支持容認するものであることの確信を一層強めたのである。左記は同事件の鬪爭を數字的に表示したものである

座談會　六十九回
同動員數　約五千名
盟休兒童　三百八十五名
同日數　二十二日
同部落數　二十三ケ村
消防組在郷軍人會、官製青年團處女會等の脫退は全二十三ケ村に亘り完全に行はれた、その數約十名。

尚今回の事件で起訴された同志井元林之（九聯常任）元山勇一（甘木支部長）兩君の公判は一月二十七日午前十時、福岡市同區裁判所で開かれる（辯護士布施辰治氏）當日は、必ず公判廷に押かけて、同志の勇氣づけねばならない。

愛知縣聯の組織化進む

未組織部落獲得と全縣下再組織を進めつゝある愛知縣聯合會では十一月三日縣聯合會にて縣聯支部代表會を開き

一、聯合會の確立
一、新委員の決定報告
一、再組強化と未組織部落宣傳
一、青年部の組織等を可決した。

十二月十八日　縣聯擴大委員會開催と愛知縣社會課長の欺瞞暴露の縣聯ニュース發行
十二月二十五日　中央委員選出に關する指示を發す
一月一日　一九三一年を迎ふるに際しての檄を發す
一月一日　名古屋支部委員會
一月八日　組織鬪爭について縣聯指令第一號を發す

猶一月十一日夜名古屋支部主催にて中村町公會堂にて第九回全水大會報告不景氣打開鬪爭演說會を開催生駒文造、淺田一郎、鈴木信、生駒長一（以上水平社）第九回大會報告と部落民の階級的結成を強調し又勞農黨山崎大衆山本社民長瀨君等の不景氣鬪爭の熱弁があつた

病床から
沖田留吉

同志諸君からの懇篤な見舞狀竝に光輝ある第九回大會からの贈物を衷心から感謝します。

わざ／＼病床まで見舞に來て下すつた諸兄には言葉なき歡びを感ずるものあります。

その後の病狀經過は順調です多分此處二、三ケ月後には再び諸兄と緒に戰列に伍すことが出來るであらうと考へてゐます。

短くなかつた体驗の[illegible]を鬪ひによつて決算する覺悟で居ります

未だに醫師から筆執ることを嚴禁されてゐますので、一々お返事さへ書けずにゐます、どうか御諒承下さい

來るべき春こそ、春までには乾度健康を取戻します。

では（L、L、Lデーの日）

西田事件を報じる「水平新聞」（1931年1月26日付）（一部伏字）

全国水平社第11回大会、再び福岡の地で開催

全国水平社第11回大会 福岡での記念写真（1933年3月3日）［松本治一郎記念館］

1930（昭和５）年前後の被差別部落は、昭和恐慌により貧困をきわめていた。このような中、全国水平社第11回大会は1933年３月、前年出獄した松本治一郎委員長を迎えて、再び福岡で開催された。度重なる弾圧をはねかえし、全国から結集した水平社同人は福岡市東公園に集結した後、デモ行進で大会会場である中洲の九州劇場にのりこんだ。この大会はきわめて活気溢れる大会となった。

この大会で提起された「部落委員会活動」は、糾弾闘争や生活擁護闘争を、水平社同人だけでなく未組織の部落大衆を含めて組織し、さらに共通の利害をもつ労働者・農民とともに闘うことを通して、連帯の輪を広げていこうとする画期的な方針だった。

福岡では、この大会に引き続き、福岡市、糟屋郡、早良郡、宗像郡などで全国大会記念演説会が開催された。

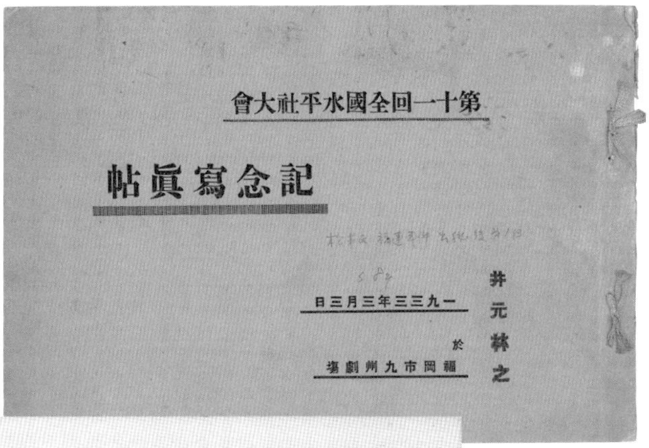

［井元麟之史料］

議長席と祝辭を述べる布施辰治氏

［井元麟之史料］

九聯ニュース　（一）

全國水平社九州聯合會ニュース

三月三日水平デーを期して
全國水平社第十一回大會は
福岡で開催に決つた!!!
差別と壓制と飢餓反對の全勢力を大會へ！

差別は無くなつたか？

米と土地と自由の爲に

親愛なる全九州の兄弟諸君！
光輝ある全國大會を
戦ひ守れ！
差別と壓制と饑餓反對の
全勢力を全國大會へ！
米と土地と自由のための

「全国水平社九州連合会ニュース」（1933年2月20日付）

第11回大会は、31年12月に出獄した松本治一郎を迎えて、久々の活気に満ちた大会となった。［井元麟之史料］

あいつぐ差別事件(戦前)

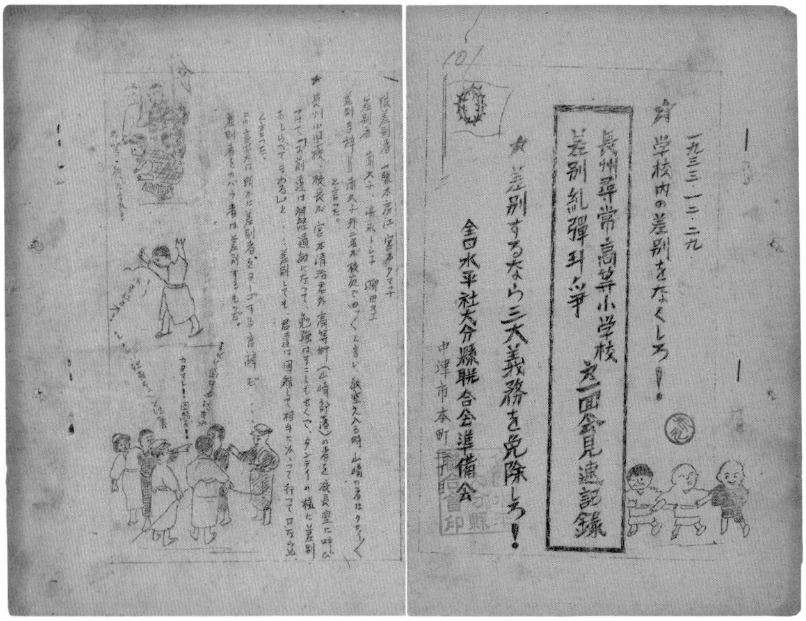

一九三三・一二・二九
★学校内の差別をなくしろ!
長州尋常高等小学校
差別糺弾斗争
第一回会見速記録
★差別するなら三大義務を免除しろ!
全国水平社大分縣聯合会準備会
中津市本町

大分県長州尋常高等小学校糾弾闘争会見速記録(1933年12月29日)[井元麟之史料]

藤本巡査差別糺弾斗争
・1号・
ニュース
又もや警察官の差別事件起る!
★駐在巡査が面にも憎むべき挑戦的差別!
★我が玉名郡伊倉町北方の兄弟を見殺しにするか!
・事件の発端・
★差別者藤本巡査を即時処分せよ!
★差別のヨーゴ者をも粉砕せよ!
差別のヨーゴ者をも糺弾せよ!
昂まる糺弾斗争!
北方の兄弟を見殺しにするな!

熊本県玉名郡伊倉町　藤本巡査差別糾弾闘争ニュース
(1934年11月22日)[松本治一郎史料]

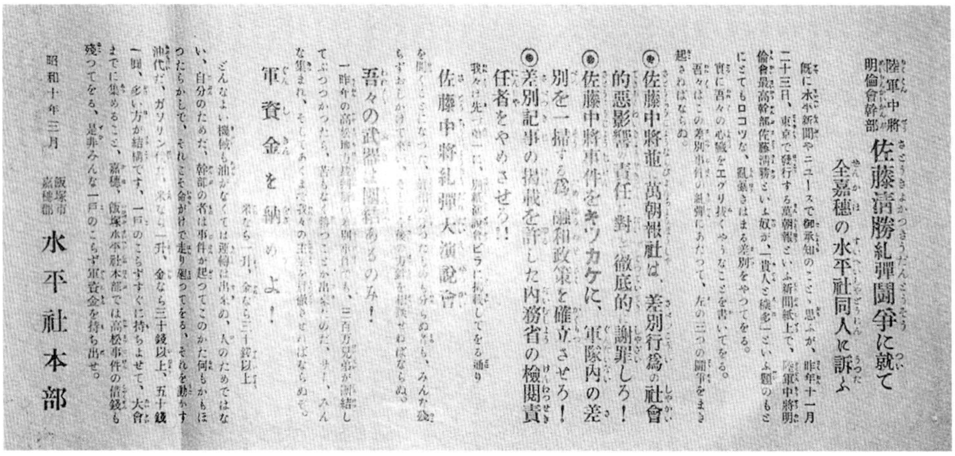

陸軍中將 明倫會幹部 佐藤清勝糺弾闘争に就て
全嘉穂の水平社同人に訴ふ

既に水平新聞やニユースで御承知のこと、思ふが、昨年十一月二十三日、東京で發行する萬朝報といふ新聞紙上で、陸軍中將明倫會最高幹部佐藤清勝といふ奴が、「貴人と穢多」といふ題のもとにとてもロコツな、亂暴きはまる差別をやつてをる。

實に吾々の心臓をエグリ拔くやうなことを書いてをる。

吾々はこの差別事件の糺弾にあたつて、左の三つの闘爭をまき起さねばならぬ。

◉佐藤中將並に萬朝報社は、差別行爲の社會的惡影響の責任に對し徹底的に謝罪しろ!

◉佐藤中將事件をキツカケに、軍隊内の差別を一掃する爲、融和政策を確立させろ!

◉差別記事の掲載を許した内務省の檢閲責任者をやめさせろ!!

我々は先づ第一に、別紙演説會ビラに掲載してをる通り

佐藤中將糺弾大演説會

を開くことになつた、[illegible]のうちだれでも分らぬ者も、みんな必らずおしかけて來い、[illegible]後の方針を相談せねばならぬ。

吾々の武器は團結あるのみ!

一昨年の高松地方裁判所差別事件でも、三百万兄弟が團結してぶつつかつたら、苦もなく勝つことが出來たのだ、サア、みんな集まれ、そしてあくまで我々の主張を貫徹させねばならぬぞ。

軍資金を納めよ!

米なら一升、金なら三十錢以上

どんなよい機械も油がなくては運轉は出來ぬ、人のためではない、自分のためだ、幹部の者は事件が起つてこのかた何もかもほつたらかしで、それこそ命がけで走り廻つてをる、それを動かす油代だ、ガソリン代だ、米なら一升、金なら三十錢以上、五十錢一圓、多い方が結構です、一戸のこらずすぐに持ちよせて、大會までに集めること、嘉穂、飯塚水平社本部では高松事件の借錢も殘つてをる、是非みんな一戸のこらず軍資金を持ち出せ。

昭和十年三月

飯塚市 嘉穂郡 水平社本部

佐藤中将差別事件ビラ(1935年3月)

全国水平社は差別事件に対して、創立当初「徹底糾弾」として闘った。差別事件の多くは、学校や日常生活における差別発言であった。当初の糾弾闘争は激しく展開され、全国水平社第２回大会までに316件、第３回大会までに1,182件。その闘いぶりはまさしく虐げられたてきた者の怒りの爆発であった。差別者に謝罪状を書かせ印刷・配布させるか、新聞に謝罪広告を掲載することで解決した。1923（大正12）年以降は謝罪講演会を開いて解決することが各地に広がった。

このような差別糾弾闘争の展開に対して、融和団体による国民の啓蒙と融和教育が取り組まれた。しかし差別事件は後を絶たず、23年福岡の中村村長差別事件、同年大分での警官による差別暴行事件（大分県宇佐）、35年西本願寺熊本教区差別事件、同年福岡高島（町会議員）差別事件、同年久留米第12師団差別事件など次々に起こった。

中でも佐藤中将差別糾弾闘争は、水平社による全国闘争として３年間闘われた。予備役陸軍中将であった佐藤清勝は、1934（昭和９）年『万朝報』に「貴人と穢多」と題する記事を発表、この差別的な記事に対して、全国水平社は佐藤に面会して糾弾を開始し、謝罪記事を『万朝報』と在郷軍人会機関誌『戦友』に掲載することで決着をみた。この事件を契機として、軍隊内差別撤廃・融和政策の確立を要求する闘いが展開され、全国で集会がもたれた。

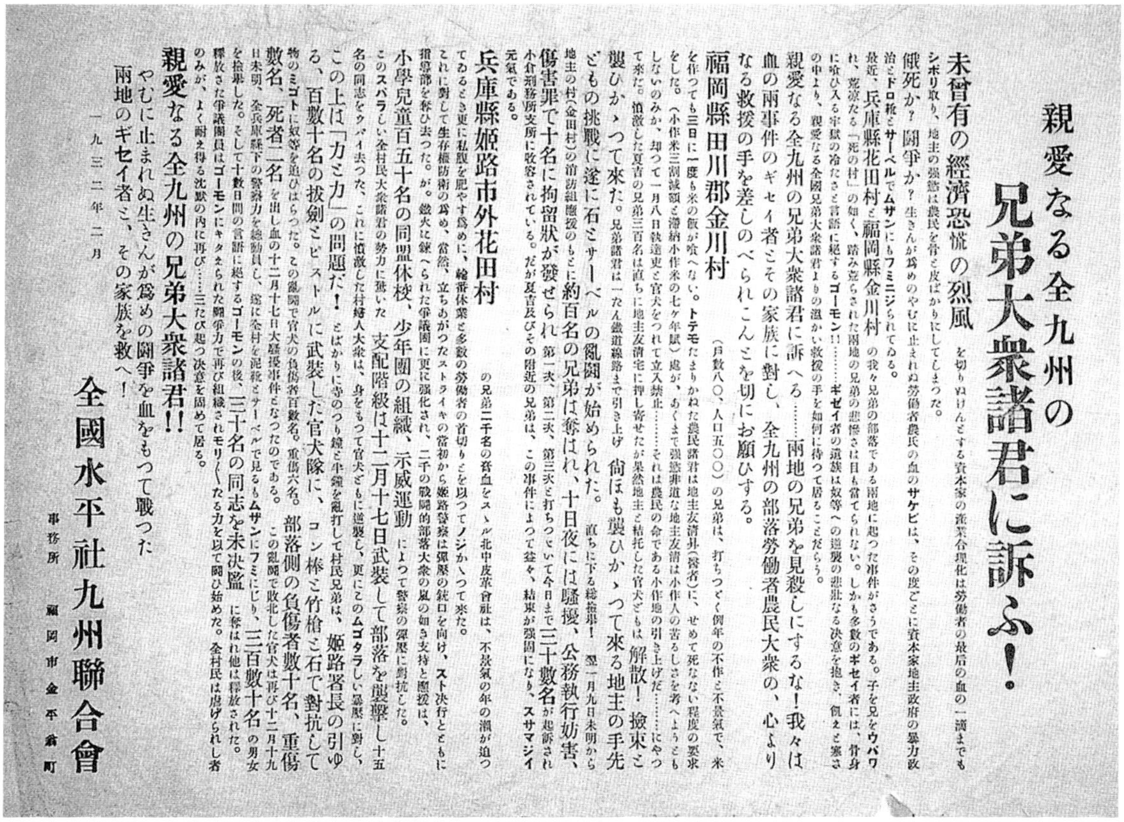

親愛なる全九州の
兄弟大衆諸君に訴ふ！

未曾有の經濟恐慌の烈風を切りぬけんとする資本家の產業合理化は勞働者の最后の血の一滴までもシボリ取り、地主の強慾は農民を骨と皮ばかりにしてしまつた。

餓死か？ 鬪爭か？ 生きんが爲めのやむに止まれぬ勞働者農民の血のサケビは、その度ごとに資本家地主政府の暴力政治とドロ靴とサーベルでムザンにもフミニジられてゐる。

最近、兵庫縣花田村と福岡縣金川村の我々兄弟の部落である兩地に起つた事件がさうである。子を兄をウバワれ、荒涼たる「死の村」の如く、踏み荒らされた兩地の兄弟の悲慘さは目も當てられない。しかも多數のギセイ者には、骨身に喰ひ入る牢獄の冷たさと言語に絶するゴーモン!!……ギセイ者の遺族は奴等への逆襲の悲壯なる決意を抱き、飢えと寒さの中より、親愛なる全國兄弟大衆諸君よりの温かい救援の手を如何に待つて居ることだらう。

親愛なる全九州の兄弟大衆諸君に訴へる……兩地の兄弟を見殺しにするな！我々は血の兩事件のギセイ者とその家族に對し、全九州の部落勞働者農民大衆の、心よりなる救援の手を差しのべられんことを切にお願ひする。

福岡縣田川郡金川村

（戸數八〇、人口五〇〇）の兄弟は、打ちつゞく例年の不作と不景氣で、米を作つても三日に一度も米の飯が喰へない。トテモたまりかねた農民諸君は地主友清弁（眷者）に、せめて死なない程度の要求をした。（小作米三割減額と滯納小作米の七ケ年賦）處が、あくまで強慾非道な地主友清は小作人の苦るしさを考へようともしないのみか、却つて一月八日執達吏と官犬をつれて立入禁止……それは農民の命である小作地の引き上げだ……にやつて來た。憤激した夏吉の兄弟三百名は直ちに地主友清宅に押し寄せたが果然地主と結托した官犬どもは解散！撿束と襲ひかゝつて來た。兄弟諸君は一たん鐵道線路まで引き上げ尙ほも襲ひかゝつて來る地主の手先どもの挑戰に遂に石とサーベルの亂鬪が始められた。直ちに下る總檢擧！ 翌一月九日未明から地主の村（金田村）の消防組應援のもとに約百名の兄弟は奪はれ、十日夜には騷擾、公務執行妨害、傷害罪で十名に拘留狀が發せられ第一次、第二次、第三次と打ちつゞいて今日まで三十數名が起訴され小倉刑務所支所に收容されている。だが夏吉及びその附近の兄弟は、この事件によつて益々、結束が強固になり、スサマジイ元氣である。

兵庫縣姫路市外花田村

の兄弟二千名の膏血をスヽル北中皮革會社は、不景氣の年の瀬が迫つてゐるとき更に私腹を肥やす爲めに、輪番休業と多數の勞働者の首切りとを以つてノジかゝつて來た。これに對して生存權防衛の爲め、當然、立ちあがつたストライキの當初から姫路警察は彈壓の銃口を向け、スト決行とともに指導部を奪ひ去つた。が。鐵火に鍛へられた爭議團に更に強化され、二千の戰鬪的部落大衆の嵐の如き支持と應援は、小學兒童百五十名の同盟休校、少年團の組織、示威運動によつて警察の彈壓に對抗した。このスバラしい全村民大衆諸君の勢力に狼いた支配階級は十二月十七日武裝して部落を襲擊し十五名の同志をウバイ去つた、これに憤激した村婦人大衆は、身をもつて官犬どもに逆襲し、更にこのムゴタラしい暴壓に對し、この上は「力と力」の問題だ！とばかりに寺のつり鐘と半鐘を亂打して村民兄弟は、姫路署長の引ゆる、百數十名の拔劍とピストルに武裝した官犬隊に、コン棒と竹槍と石で對抗して物のミゴトに奴等を追ひはらつた。この亂鬪で官犬の負傷者百數名。重傷六名。部落側の負傷者數十名、重傷數名、死者二名を出し血の十二月十七日大騷擾事件となつたのである。この亂鬪で敗北した官犬は再び十二月十九日未明、全兵庫縣下の警察力を總動員し、端に全村を泥靴とサーベルで見るもムザンにフミにじり、三百數十名の男女を檢擧した。そして十數日間の言語に絶するゴーモンの後、三十名の同志を未決監に奪はれ他は釋放された。釋放された爭議團員はゴーモンにキタえられた鬪爭力で再び組織されモリモリたる力を以て鬪ひ始めた。全村民は虐げられし者のみが、よく耐え得る沈默の内に再び……三たび起つ決意を固めて居る。

親愛なる全九州の兄弟大衆諸君!!

やむに止まれぬ生きんが爲めの鬪爭を血をもつて戰つた兩地のギセイ者と、その家族を救へ！

一九三二年二月

全國水平社九州聯合會

事務所 福岡市金平新町

「親愛なる全九州の兄弟大衆諸君に訴ふ!」（1932年2月）［井元麟之史料］（一部伏字）

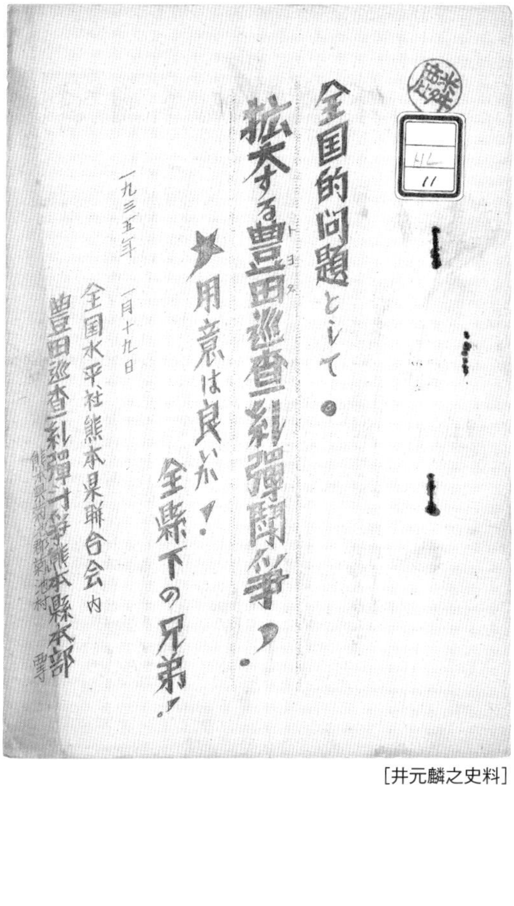

全国的問題として

拡大する豊田《トヨタ》巡査糺弾闘争！

★用意は良いか！

全縣下の兄弟！

一九三五年 一月十九日

全国水平社熊本県聯合会内

豊田巡査糺弾闘争熊本縣本部

熊本県菊池郡菊池村

［井元麟之史料］

水平新聞　昭和五年八月五日發行

水平新聞

發行所 水平新聞社

行兼編輯印刷人 沖田留吉

印刷所 明正社

水平新聞に關する一切の用務は左記で取扱ひます

全國水平社總本部 機關紙部

「エタ狩り」を煽動した
日田朝日新聞の差別事件
―九州聯合會執拗に闘ひ拔く―

問題の原因は六月五日發行の日刊大分朝日と日田朝日の「水郷日田に遊ぶ」と題する紀行遊戯文中に書かれた次の記事である。（同新聞は兩方共同一內容で題字だけ變へて發行してゐる）

（前略）去年の夏も宮病は津山點したのだが、播向ふに不德義漢の一團があつて夜更けて人が寢靜まつた頃やつて來ては片つ端からブチこはし（略）小生意氣な青年の（略）大生意氣にもそれ氣取りのトピアガリモノがエタブタての題戯か、特殊部落民の癖子根生からの故意の不德義か何れにしても困つた連中が居るものだ。青年團あたりで夜襲でもしてそんな奴はコクピドクやつつけてやるがいゝ。（以上原文より）

（今まで幾度も新聞記事の差別事件はあつたがこんな酷いのは始めてだ）

右事件に就いて全國水平社九州聯合會は直ちに現地調査のため井元麟之君を派遣した、所が記事にあるような亂暴を働く事實が無根であることがわかつた。で問題は「播向ふの不德義漢の一團は明らかに我々の兄弟の部落である、日田郡高瀨村今市（戸數五十戸）を指してゐるのである。

同部落は其地方で一番景色のよい地點にあるので遊びに來るブルヤノラクラ共には殘念で堪らなかつたのだ、しかも最後の「青年團あたりでコツピドクやつつける云々」の文句に到つては正に「エタ狩り」を煽動してゐるものでなくて何だ。我々が記憶する總ての的ケ濱焼打事件、切串事件、世良田村事件を生むだのも斯うした意識が因になつてゐたことを忘れてはならないだから前記の新聞記事は當然今市部落民の生存權を直接に脅威するものに他ならぬ。この露骨な差別事件も聯合會の活潑な働きによつて我々の勝利に歸した

解決條件

一、大分朝日、日田朝日兩新聞紙上に兩新聞社及び筆者重廣英木連名で謝罪廣告及取消文を三日間掲載すること

二、今市部落の各戸に謝罪狀を出すこと等である

「日田朝日新聞」差別事件を報じる「水平新聞」（1930年8月5日付）

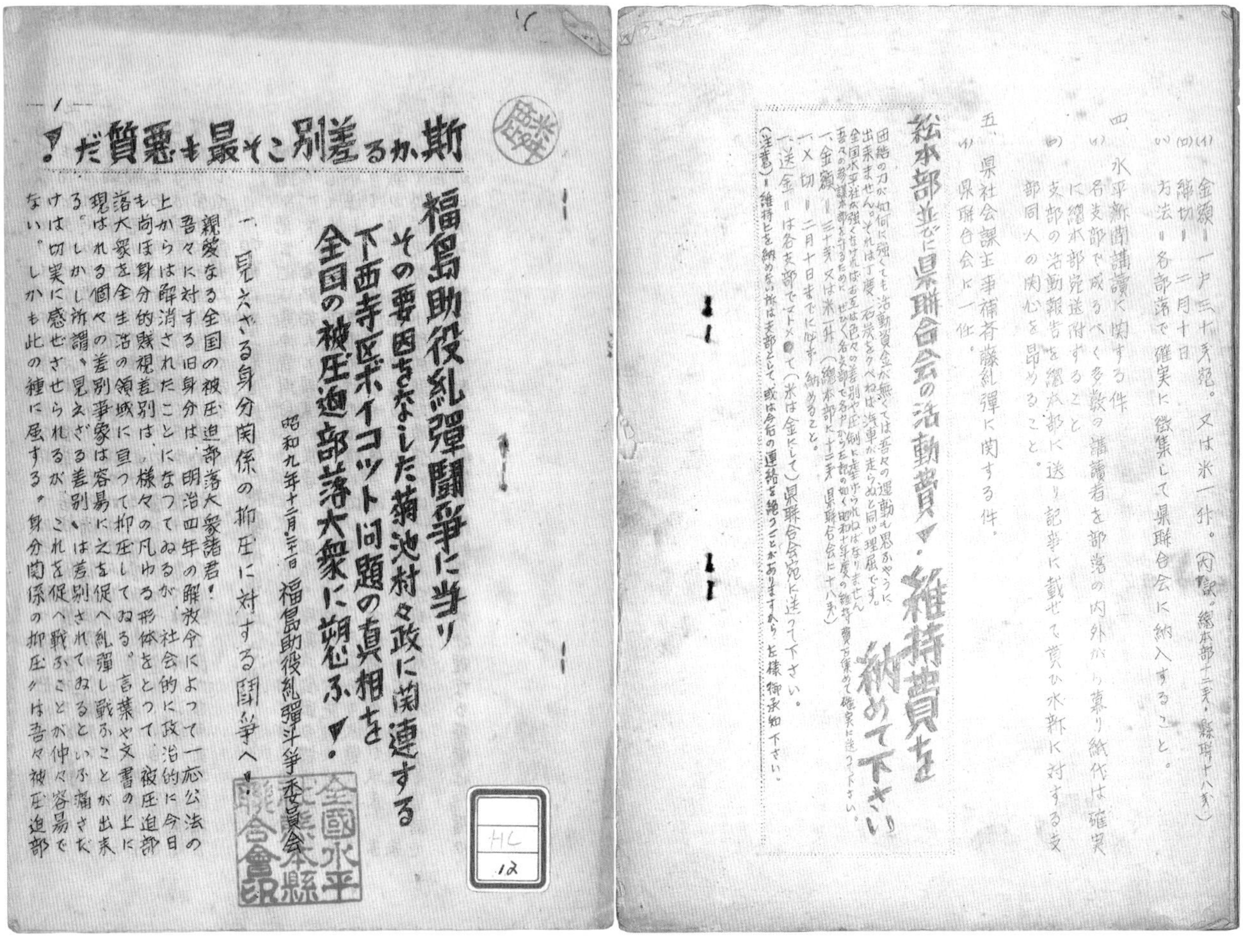
—1—

斯かる差別こそ最も悪質だ！

福島助役糺弾闘争に当り
その要因をなした菊池村々政に関連する
下西寺区ボイコット問題の真相を
全国の被圧迫部落大衆に愬ふ！

昭和九年十二月二十日 福島助役糺弾斗争委員会

一、見えざる身分関係の抑圧に対する闘争へ！

親愛なる全国の被圧迫部落大衆諸君！
吾々に対する旧身分は、明治四年の解放令によつて一応公法の上からは解消されたことになつてゐるが、社会的に政治的に今日も尚ほ身分的賤視差別は、様々の凡ゆる形体をとつて被圧迫部落大衆を全生活の領域に亘つて抑圧してゐる。言葉や文書の上に現はれる個々の差別事象は容易に之を促へ糺弾し戦ふことが出来る。しかし所謂"見えざる差別"は差別されてゐるといふ痛さだけは切実に感ぜさせられるが、これを促へ戦ふことが仲々容易でない。しかも此の種に属する"身分関係の抑圧"は吾々被圧迫部

全國水平社熊本縣聯合會印

(イ)金額＝一戸三十銭宛。又は米一升。（内訳。総本部十二銭・県聯十八銭）
(ロ)締切＝二月十日
(ハ)方法＝各部落で確実に徴集して県聯合会に納入すること。

四、水平新聞講読に関する件
(イ)各支部で成るべく多数の講読者を部落の内外から募り紙代は確実に総本部に発送附すること
(ロ)支部の活動報告を総本部に送り記事に載せて貰ひ水新に対する支部同人の関心を昂めること。

五、県社会課主事補斉藤糺弾に関する件。
(イ)県聯合会に一任。

総本部並に県聯合会の活動費！・維持費を納めて下さい

団結の力が如何に強くても活動資金が無くては吾々の運動も思ふやうに出来ません。それは丁度、石炭をくべねば汽車が走らぬと同じ理屈です。全国水平社が強くなければ吾々は色々の差別や圧制に泣かねばなりません。吾々の総本部を守るために、ぜひ各支部で各戸から左記の如く昭和十年度の維持費を集めて確実に送つて下さい。
一、金額＝三十銭又は米一升（総本部に十二銭 県聯合会に十八銭）
一、〆切＝二月十日までに必ず納めること。
一、送金＝は各支部でマトメて（米は金にして）県聯合会宛に送つて下さい。
（注意）＝維持費を納めない所は支部として、或は今后の連絡を絶つこともありますから、左様御承知下さい。

［井元麟之史料］

■ 差別事件数（大正12年～昭和17年）

（件）

大正			昭和																
12	13	14	1	2	3	4	5	6	7	9	10	11	12	13	14	15	16	17
854	1,052	1,025	825	567	620	484	557	736	652	824	715	650	474	499	417	373	348	294

昭和8は、数字の記載がない

■ 府県別糾弾事件数（昭和2～13年）

（件）

	昭和											
	2（昭和1.11～2.10）	3	4	5	6	7（昭和7.1～7.12）	8	9	10	11	12	13
福岡	79	47	47	40	34	28		52	67	57	44	28
大分	-	6	3	6	8	10			8	5	11	6
佐賀	7	7	3	14	17	3		8	9	6	3	6
熊本	6	22	8	5	5	3		14	32	34	18	7
宮崎			2	2	-			1		1		1
長崎	1	2	4	2	5	2		5	4		1	2
鹿児島				1				1				2
計	567	620	484	557	736 (615)	652		824	715	650	474	499

注）昭和6. 1月1日～12月末日の場合の数字は615件である。
昭和14以降は、各府県別統計はない。
（「社会運動の状況」各年次版による）

［部落問題・水平運動資料集成　第三巻より］

高松差別裁判糾弾闘争

全国部落代表者会議出席の際のひとコマ（1933年8月28日）［松本龍提供］

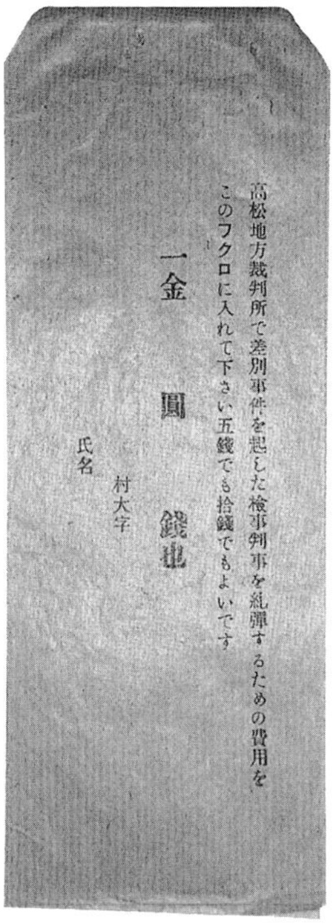
高松地方裁判所で差別事件を起した検事判事を糺弾するための費用を
このフクロに入れて下さい五銭でも拾銭でもよいです
一金　圓　銭也
村大字
氏名

高松差別裁判闘争カンパ袋

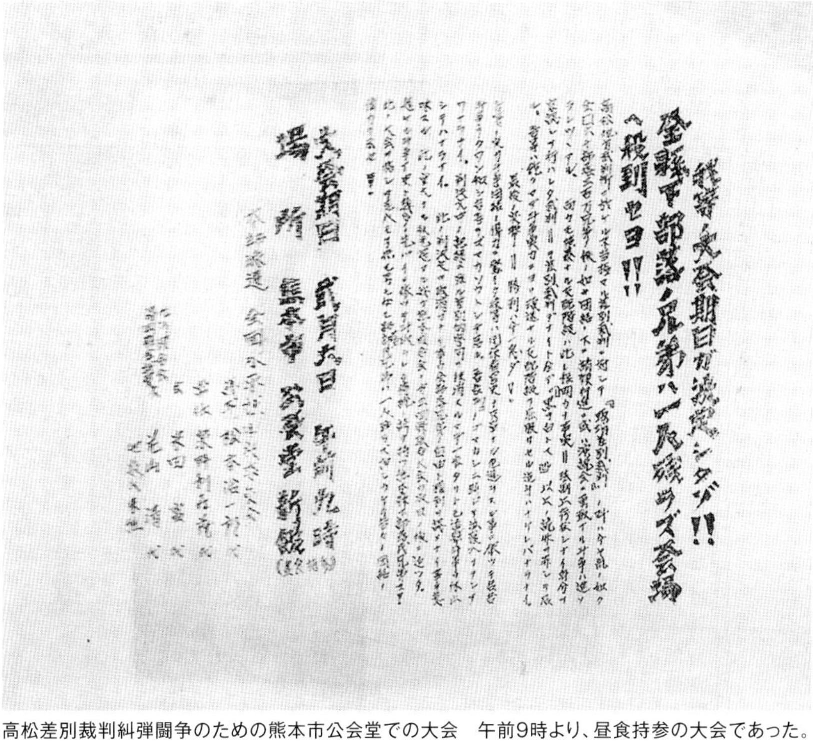
我等ノ大会期日ガ決定シタゾ!!
全縣下部落ノ兄弟ハ一人残ラズ会場ヘ殺到セヨ!!
大会期日　貳月六日
場所　熊本市　公会堂　新館

高松差別裁判糾弾闘争のための熊本市公会堂での大会　午前9時より、昼食持参の大会であった。（1933年2月6日）［松本治一郎史料］

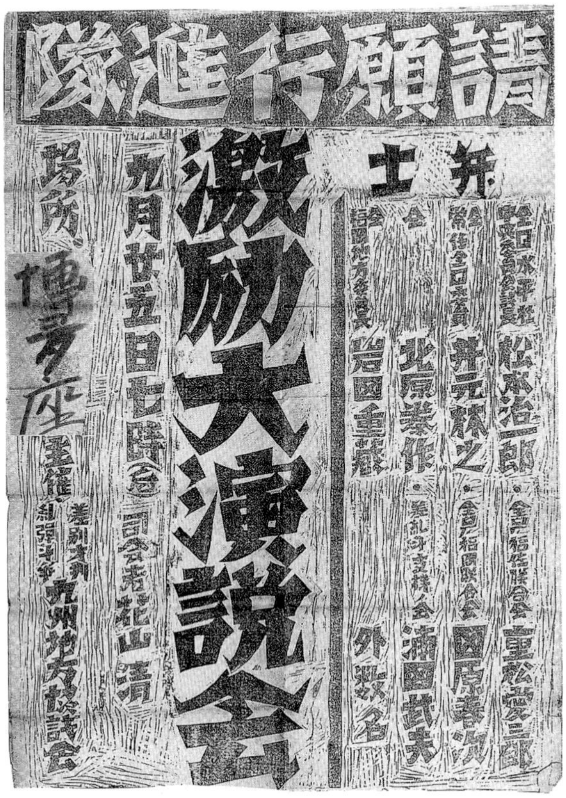

高松差別裁判の請願行進隊出発前の激励演説会ポスター
［松本治一郎史料］

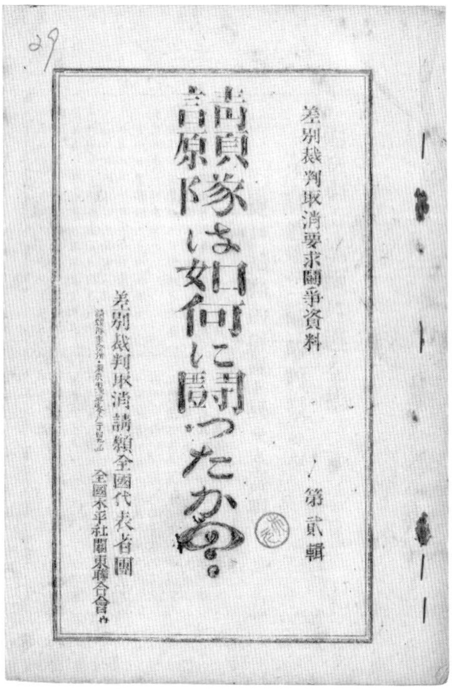

［井元麟之史料］

全国部落代表者会議（1933年8月28日）　8月28日は明治4年（1871）の解放令施行から62年目にあたる。［松本龍提供］

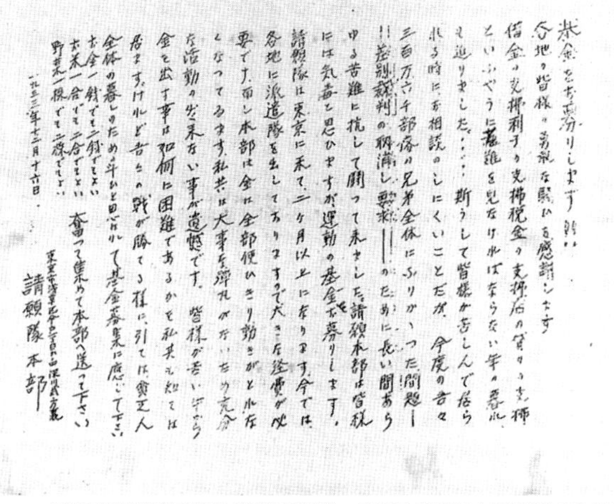
募金をお募りします 皆!!
各地の皆様の勇敢な戦ひを感謝します
借金の支拂刑する支拂税金の支拂店の貸りの支拂
といふやうに義務を見なければならない筆の暮しを
も送りました……斯うして皆様が苦しんで居ら
れる時に、お相談のしにくいことだが、今度の吾々
三百万六千部落の兄弟全体にふりかかった問題ー
‼差別裁判の撤消し要求ーーのために長い間あら
ゆる苦難に抗して闘って来ました請願本部は皆様
には気毒と思ひますが運動の基金をお募りします。
請願隊は東京に来て二ヶ月以上になります今では
各地に派遣隊を出しておりますので大きな経費が必
要です、而し本部は金は全部使ひきり動きがとれな
くなってゐます私共は大事な弾丸がないため充分
な活動の出来ない事が遺憾です。皆様が苦しい中から
金を出す事は如何に困難であるかを私共も知ってゐ
居ますけれど吾々の戦が勝てる様に、引ては貧乏人
全体の暮しのための斗ひと思はれて基金募集に応じて下さい
お金一銭でも二銭でもよい
お米一合でも二合でもよい
野菜一株でも二株でもよい
奮って集めて本部へ送って下さい
一九三三年十二月十六日
請願隊本部

高松差別裁判の判決取消請願隊への募金を募る（1933年12月16日）

請願隊ニュース
請願隊本部
遂に高松の裁判所長退職にし
久本・山本の両君共假釈放す
◎◎◎
差別判決を取消せ!!
差別裁判の関係司法官を即時懲戒免職せよ!!
要求貫徹のため最后迄中央政府に肉迫せよ!!
吾等の闘争第二段の構へ!
請願隊の中間報告綱!!
全土に張られた奮斗の足跡!!!
全国の部落大衆諸君!!
中国四国班
東海近畿班
関東班

闘争の成果を伝える『請願隊ニュース』

香川県の山本・久本兄弟は、仕事帰りの船中で石原と知り合い、久本は結婚の約束をした。久本は自分が部落民であることが分かり、石原の気持ちが変わることを恐れ、部落外で生活を始めた。石原の父は警察に捜索願を出し、1932（昭和７）年12月、山本・久本兄弟は誘拐罪で連行された。1933年１月二人は送検され、４月予審終結、５月高松地方裁判所において初公判が開かれた。論告にあたった白水検事は「特殊部落民でありながら自己の身分を秘し」云々と数回にわたって「特殊部落」を繰り返し、二人に懲役１年６ヶ月を求刑した。全国水平社馬場支部および香川県連は抗議を開始したが、６月３日の一審判決は、予審判決から「特殊部落」の字句を削っただけで、それぞれ懲役１年および10ヶ月を言い渡した。

香川では糾弾演説会が開かれ、全国水平社総本部へも事件が報告された。そして同年７月３日中央常任委員会を開き、判決の取り消し、二人の釈放、検事・判事の罷免などの闘争方針を決めた。真相報告のビラが発せられ、水平運動は息を吹き返し、各地で糾弾闘争委員会が組織化された。

８月28日、大阪の天王寺公会堂で全国部落代表者会議が開かれ、九州より東京に向けて差別裁判取消請願行進を敢行することを決定。しかし、行進隊は街頭行進を禁止されたので、鉄道に切り替えた。10月１日博多を出発し、水平社組織がなかった小倉や門司で多くの部落民が結集した。各地で演説会を開催しながら東上、19日東京に着いた。翌日から、関係官庁に要求を続けた。しかし、司法・検察は「用語上の不適切さ」は認めたが、判決文に差別的文字がないことを理由に要求を拒否。全国水平社は闘争を拡大、請願隊を分割、地方演説に入った。

こうした出発地や到着地の請願隊ニュースが発行されるなどの闘争の結果、山本・久本は、それぞれ刑期より14日、47日早く釈放され、白水検事は転任させられた。

香川県鷺田村と思われる。松本治一郎・田中松月・藤原権太郎、また前列中央に田原春次がみえる（1933年）［松本龍提供］

（一）　差別撤廢リーフレット

差別撤廢リーフレット

曲つたものは眞直に直さなければならない。惡い腐つたものは取除かれ
ねばならない。一切の間違ひは訂正されねばならない。
全國六千の被壓迫部落三百萬大衆に對する謂れなき身分的賤視觀念は、
さに歪曲と惡德と間違ひの最大のものである。
正義を愛し不合理と矛盾を憎む全人民大衆に此のリーフレットを贈り、
別觀念の打破を訴へる次第であります。

★★★

昭和九年三月一日發行
京都市東山區
編輯發行人　吉岡田

★ 身分的賤視差別打破のため

全人民大衆に訴ふ！ ★

社會の矛盾と不合理！

差別撤廢リーフレット　（二）

正當なる全國水平社の運動！

謂れなき差別の理由！

全國水平社

★被壓迫部落解放運動中興のノロシ！

★第十二回全國大會!!!

時　四月十三・十四兩日

所　京都市岡崎公會堂

一般民衆に訴えた『差別撤廃リーフレット』（1934年3月1日）裏面の3段目で「糾弾」の意義を丁寧に説明している。

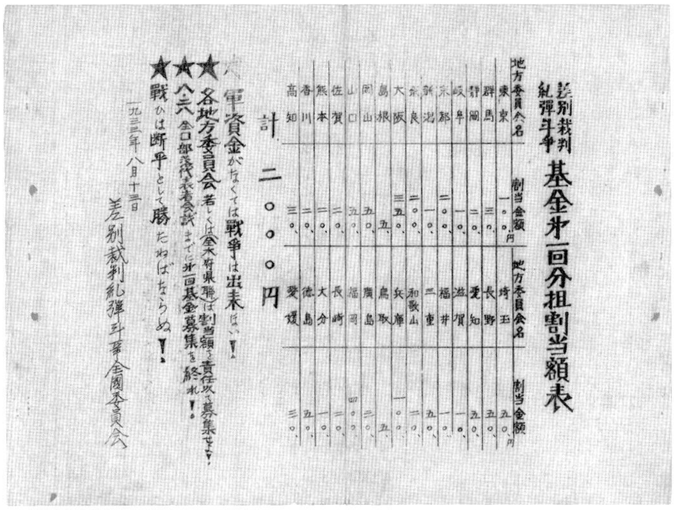

差別裁判糺彈斗爭 基金第一回分担割当額表

地方委員会名	割当金額	地方委員会名	割当金額
東京	一〇〇、円	埼玉	五〇、円
群馬	三〇、	長野	五〇、
静岡	二〇、	愛知	五〇、
岐阜	一〇、	滋賀	一〇、
京都	二〇〇、	福井	一〇、
新潟	一〇、	三重	五〇、
奈良	二〇〇、	和歌山	二〇、
大阪	三五〇、	兵庫	一〇〇、
島根	五、	鳥取	五、
岡山	五〇、	廣島	三〇、
山口	五〇、	福岡	四〇〇、
佐賀	二〇、	長崎	二〇、
熊本	二〇、	大分	一〇、
香川	二〇、	徳島	五〇、
高知	三〇、	愛媛	三〇、

計 二〇〇〇円

★軍資金がなくては戰争は出来ない!
★各地方委員会若しくは(全大府県聯)は割当額を責任以て募集せよ!
★八・二六全國部落代表者会議までに第一回基金募集を終れ!
★戰ひは断乎として勝たねばならぬ!

一九三三年八月十三日
差別裁判糺彈斗爭全國委員会

各地への基金第一回分担割当額表[井元麟之史料]

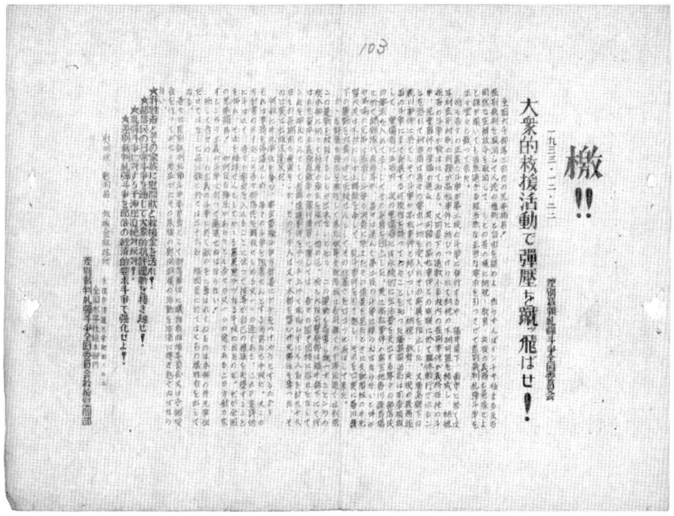

103

檄!!

大衆的救援活動で弾壓を蹴ッ飛ばせ!

一九三三・一二・二二

差別裁判糺彈斗爭全國委員会

大衆的救援活動で弾壓を蹴ッ飛ばせ!(1933年12月22日)[井元麟之史料]

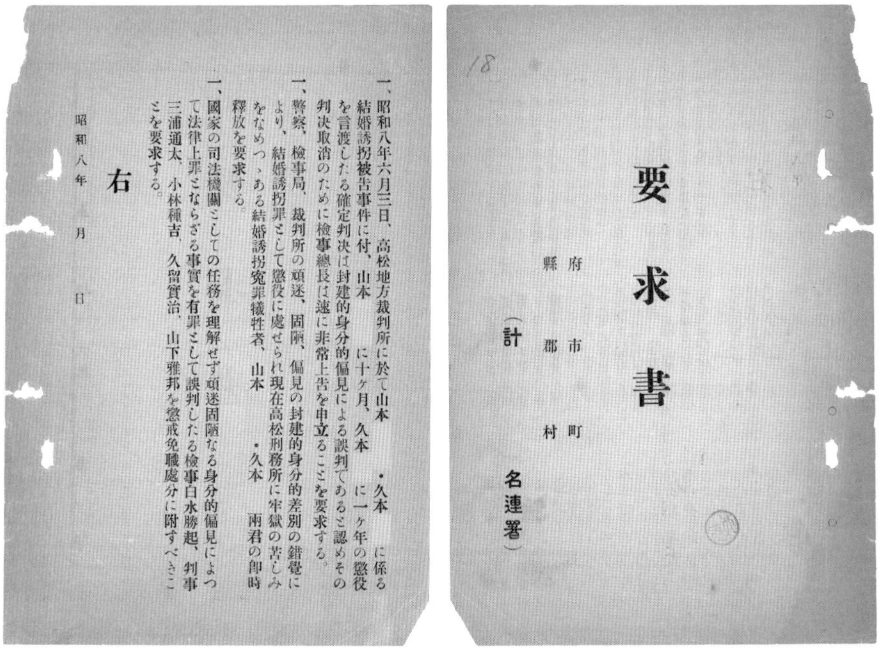

18

要求書

府 市 町
縣 郡 村

(計 名連署)

一、昭和八年六月三日、高松地方裁判所に於て山本　　・久本　　に係る結婚誘拐被告事件に付、山本　　に十ケ月、久本　　に一ケ年の懲役を言渡したる確定判決は封建的身分的偏見による誤判であると認めその判決取消のために檢事總長は速に非常上告を申立ることを要求する。

一、警察、檢事局、裁判所の頑迷、固陋、偏見の封建的身分的差別の錯覺により、結婚誘拐罪として懲役に處せられ現在高松刑務所に牢獄の苦しみをなめつゝある結婚誘拐寃罪犧牲者、山本　　・久本　　兩君の即時釋放を要求する。

一、國家の司法機關としての任務を理解せず頑迷固陋なる身分的偏見によつて法律上罪とならざる事實を有罪として誤判したる檢事白水勝起、判事三浦通太、小林種吉、久留賓治、山下雅邦を懲戒免職處分に附すべきことを要求する。

右

昭和八年　月　日

司法当局への要求書原本[井元麟之史料](一部伏字)

全国水平社福岡県連合会大会

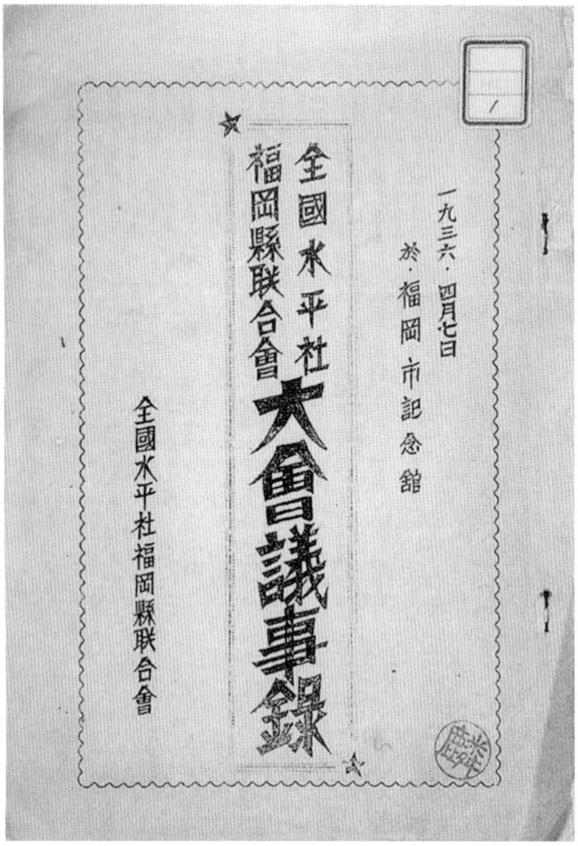

全水福岡県連合会『大会議事録』(1936年)［井元麟之史料］

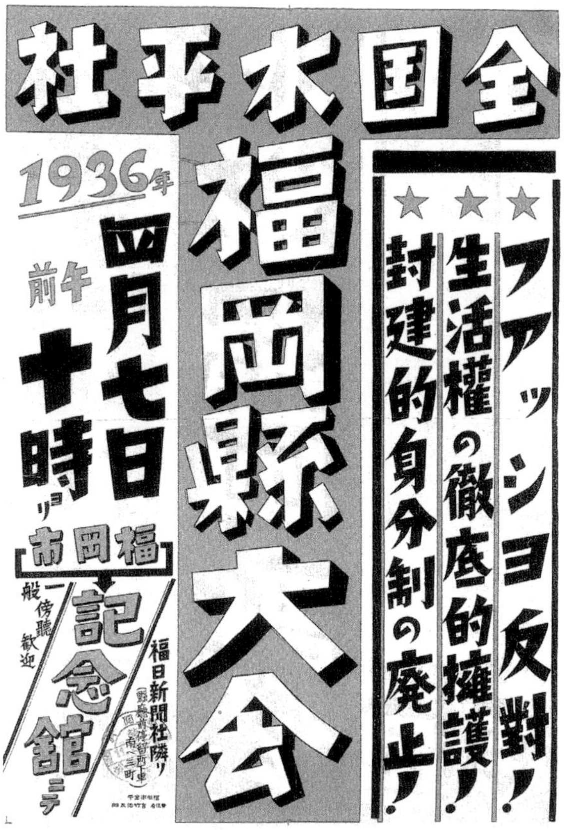

全国水平社福岡県大会ポスター（1936年）
［嘉麻市教育委員会蔵・田中松月史料］

福岡県水平社は、全九州水平社創立の２ヶ月後の1923（大正12）年７月１日創立大会を嘉穂郡飯塚町公会堂で開き、委員長に梅津高次郎を選出した。

福岡の全九州水平社における位置は大きく、松本治一郎を先頭にした組織は、数においても常に８割前後をしめ、福岡連隊差別糾弾闘争をはじめ九州のみならず全国水平社の大きな闘いの先頭に位置していた。しかしながら、全九州水平社＝福岡といっても過言ではない状況のなかでは福岡県水平社というよりも彼らの活動の舞台は全九州水平社にあったといってよい。創立13年後に、初めて県独自の大会が開かれるのもそのことの事情を物語っていよう。

『大会議事録』によれば「今回の福岡県大会は実に第１回の大会である」から始まり、それ以前は、九州大会の開催をもって福岡大会にかえていたことが述べられている。またこのような県単位での大会の開催は、「組織が整備されつつある一端を物語るものである」としている。

全國水平社福岡縣聯合會ニュース

憤起せよ！ 兄弟諸君!!

「全国水平社福岡県連合会ニュース」（1936年10月30日）
［井元麟之史料］

松本治一郎、衆議院選挙

松本治一郎の衆議院議員当選記念（福岡県第一区より立候補し、第3位で当選。1936年2月21日）［松本龍提供］

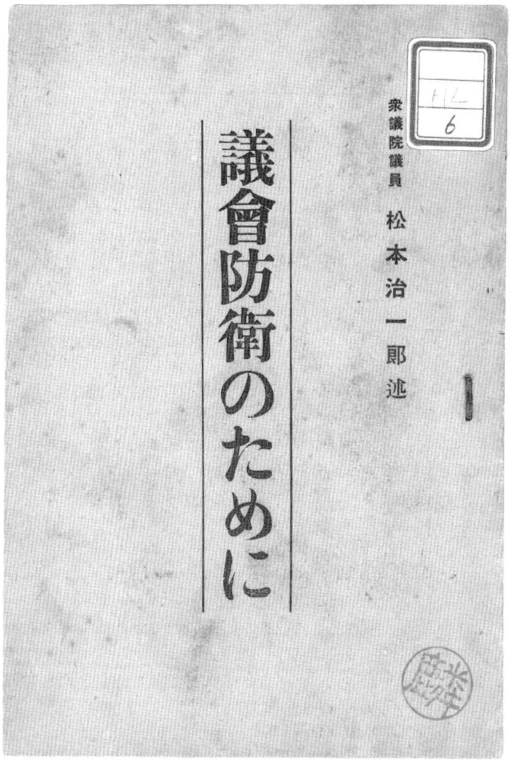

衆議院議員松本治一郎述『議会防衛のために』（1937年2月）
［井元麟之史料］

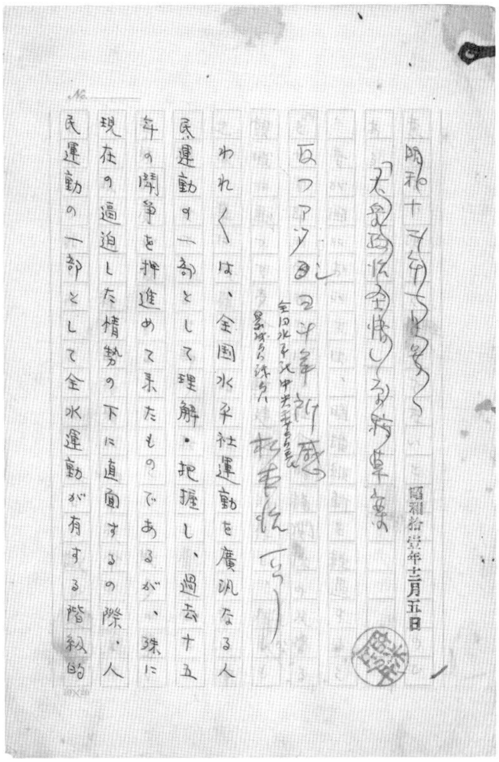
昭和拾壹年十二月五日

反ファッショ闘争所感

われ／＼は、全国水平社運動を廣汎なる人民運動の一部として理解・把握し、過去十五年の闘争を押進めて来たものであるが、殊に現在の逼迫した情勢の下に直面するの際、人民運動の一部として全水運動が有する階級的

松本治一郎「反ファッショ闘争所感」の原稿（1936年12月5日）
［井元麟之史料］

推薦の辞

三好弥六

一、仕事の為には汗を流せ
一、人のためには涙を流せ
一、御国の為には血を流せ

斬く絶叫す

松本治一郎《マツモトヂイチロー》

松本治一郎立候補宣言

大東亜総力戦完遂のため真の政治體制を確立せん

立候補の御挨拶

松本治一郎

再び福岡県第一区の大衆諸君に訴ふ!!

松本治一郎《マツモトヂイチロウ》 立候補宣言

立候補の御挨拶

腐敗ダラクのブル政党か、勤労大衆の代表松本か!

松本治一郎氏を推す言葉

郷里の皆様に松本氏を推薦す

松本治一郎選挙広報（1942年）［福岡市博物館蔵］

第21回衆議院選挙（福岡県第一区）に第2位で当選（1942年4月30日）

松本治一郎は、1928（昭和３）年、衆議院議員総選挙に労農党から立候補したが、落選。36（昭和11）年の年頭で、近々予定されている衆議院に立候補する決意をにじませた。それは全国水平社が２年前の大会で打ち出した地方改善に関係する運動の展開を加速するためであった。２月20日投票の衆議院議員選挙に福岡１区より立候補し３位で当選した。そして５月１日に開会された第69回特別国会の衆議院予算委員会で「部落解放」「勤労国民の生活防衛」「反ファシズム」の課題を背負って質問に立った。国会で初めての部落解放の立場に立った歴史的な質問であった。さらに「華族制度」についても質問している。国政の場で部落問題が論議の対象になるのは異例のことであり、選挙戦で身分的、民族的差別の撤廃などの公約を掲げて闘ったのを実践したのであった。

衆議院議員３期、参議院議員４期、戦前・戦後の30年近くにわたって国会議員として活躍した。

融和事業完成十ヶ年計画(1936年〜1945年)・融和教育・同和教育

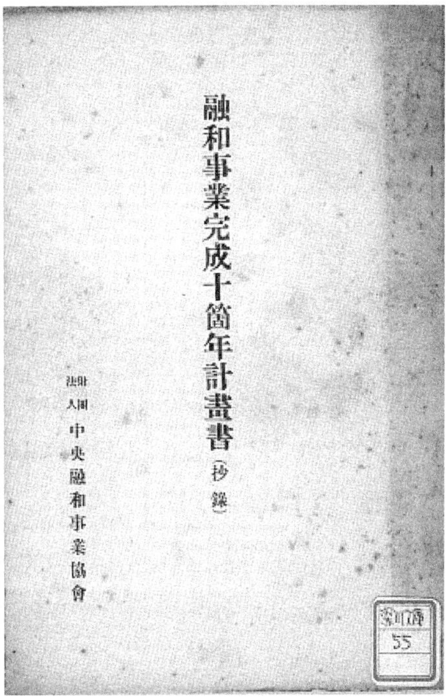

『融和事業完成十箇年計画(抄録)』
[松本治一郎記念会館蔵]

下毛郡《しもげぐん》鶴居《つるい》国民学校《こくみんがっこう》同和教育《どうわきょういく》研究発表会《けんきゅうはっぴょうかい》

1941年(昭和16)3月に国民学校令が公布された。またこの年6月には中央融和事業協会が同和奉公会と改称されて、従来の「融和」はすべて「同和」と称されるようになり、8月、文部省は『国民同和への道』を発表して、あらためて戦時体制下における同和教育の指導方針を示した。1月にはすでに大分県同和教育研究会が発足し、翌年下毛郡鶴居村(中津市)鶴居国民学校が県の同和教育研究校に指定され、1943年(昭和18)1月16日、研究発表会が行われた。『同和国民運動』196号には以下の記事が見える。

学校訓導と同和教育	訓導	西来路 鳴 雄
教科経営と同和教育	訓導	黒 川 秋 義
学校経営と同和教育	次席(教頭)	吉 崎 光 雄
女教師と同和教育	訓導	椋 園 ワサ子
	助教	竹 田 倉 吉

中食後午後一時より約二時間に亘り県本部高崎主事より、同和教育の重要性と之が実施運営の方途及県下同和事業の現況等に関して講演があり、二時三〇分より久野校長の学校経営並に徳島、和歌山、京都等における同和教育先進県の視察報告あり、質疑応答に引き続き臨視官宮久視学の講評あり、午後四時過ぎに会を閉じたが、此日下毛郡中津市の学校長及教職員百数十人の参会あり。… 中略 …閉会後も学校教職員県村当局有志を交へて同和問題解決の上の懇談が行われ散会は午後六時過ぎであった。(原文のまま)

『大分県部落解放小史』

福岡縣	田川郡伊方國民學校	融和教育全般ニ亘リ研究	昭和一、六、三第一回研究ノ發表會開催盛大、實績多大
熊本縣	菊池國民學校	融和教育ニ關スル事項ノ研究	一校ニ對シ五十圓當助成ノ上研究資料ノ購入先進地優良校ノ視察等
	日吉右同	同	同
大分縣	大分市南大分國民學校	我校ノ實際教育	縣下關係國民學校長會同、研究、發表等ヲナシ實際教育ノ進展ヲ圖ル
高知縣	安藝郡室戸國民學校 高岡郡久禮右同	調査研究、教案作成其他	實地教授、調査、研究、指導者派遣、經費ノ補助其他
鹿兒島縣	薩摩郡樋脇國民學校	調査及研究發表	兩校共協力一致融和教育ノ徹底ニ精進シ相當效果ヲ擧ゲツヽアリ
	肝屬郡大姶良右同	融和教育ノ實際公開	

『融和事業年鑑』
(昭和15年版)

部落内に建てられた教員住宅 『大分県部落解放小史』

融和教育修身細目
[京都大学経済学部図書館 上野文庫]

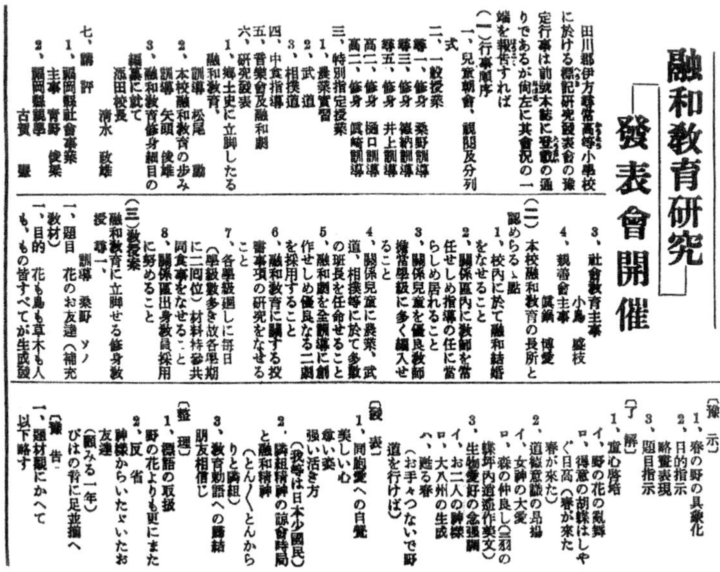

融和教育研究
「發表會開催」

田川郡伊方尋常高等小學校に於ける標記研究發表會の豫定行事は前號本誌に登載の通りであるが尙左に其會況の一端を報告すれば

(一)行事順序
一、兒童朝會、觀閲及分列式
二、一般授業
尋一、修身 桑野訓導
尋三、修身 德納訓導
尋五、修身 井上訓導
高一、修身 樋口訓導
高二、修身 眞崎訓導
三、特別指定授業
1、農業實習
2、武道
3、相撲道
四、中食指導
五、音樂會及融和劇
六、研究發表
1、鄕土史に立脚したる融和教育、 訓導 松尾 勳
2、本校融和教育の歩み 訓導 矢頭 俊雄
3、融和教育修身細目の編纂に就て 添田校長 淸水 政雄
七、講評
1、福岡縣社會事業主事 育野 俊梁
2、福岡縣視學 古賀 璽
3、社會教育主事 小島 盛枝
4、親善會主事 眞鍋 博愛

(二)本校融和教育の長所と認めらるゝ點
1、校内に於て融和結婚をなせること
2、關係區内に教師を常任せしめ指導の任に當らしめ居れること
3、關係兒童を優良教師擔當學級に多く編入せること
4、關係兒童に農業、武道、相撲等に於て多數の班長を任命せること
5、融和劇を全訓導に創作せしめ優良なる二劇を採用すること
6、融和教育に關する投書事項の研究をなせること
7、各學級週しに毎日(學級數多き故各學期に二回位)材料持參共同食事をなせること
8、關係區出身敎員採用に努めること

(三)教授案
融和教育に立脚せる修身教授 尋一、 訓導 桑野 ソノ
一、題目 花のお友達(補充教材)
一、目的 花も鳥も草木も人も、もの皆すべてが生成發展する春の自然を觀賞させ融和の心に活くるの情操を養ふ
一、教材區分及時間配當(一時間)
一、聯絡事項 巻一修身書 二十七よい子供二十五兄弟
一、準備 繪本
一、指導點
〔豫 示〕
1、春の野の具象化
2、目的指示 略畫表現
3、題目指示
〔了 解〕
1、童心啓培
イ、野の花の亂舞
ロ、得意の胡蝶はしやぐ日高(春が來た春が來た)
2、道德意識の昂揚
イ、女神の大愛
ロ、森の仲良し(三羽の蝶坪内逍遙作美文)
3、生物愛好の念强調
イ、お二人の神様
ロ、大八州の生成
ハ、甦る春
(お手々つないで野道を行けば)
〔發 表〕
1、同胞愛への自覺
美しい心
尊い美
强い活き方
(我等は日本少國民)
2、隣組精神の諒會時局と融和精神
(とん/\とんからりと隣組)
3、教育勅語への歸結
朋友相信じ
〔整 理〕
1、標語の取扱
野の花よりも更にまた
2、反 省
神様からいたゞいたお友達
(顧みる一年)
びはの背に足並揃へ
〔豫 告〕
一、題材観にかへて以下略す

[『融和事報』第173号1941年4月1日]

熊本県来民村の満蒙開拓団

水平運動と融和運動との合体をはかる「地方改善・国民融和懇談会」記念写真。水平社からは、松本治一郎、井元麟之、田中松月、朝田善之助等、融和団体から岡本弥等、学者として喜田貞吉、行政から真鍋博愛、野間宏らも参加（1939年11月24日）

全国水平社第16回大会の記念写真（1940年8月、東京・協調会館）［松本治一郎史料］

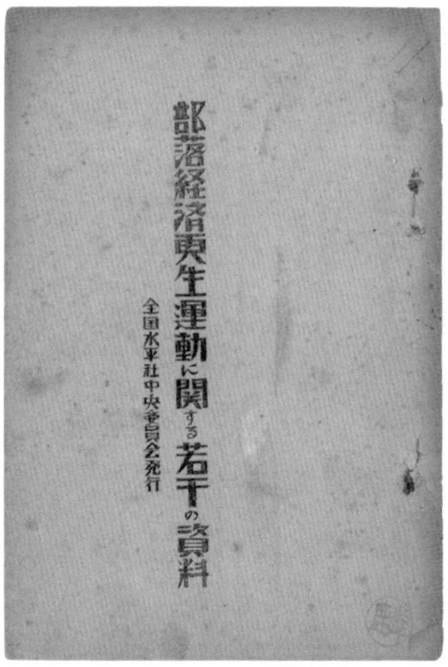

［井元麟之史料］

昭和戦前期、中央融和事業協会を中心に作成された融和事業の総合的計画。昭和恐慌に直面して1932（昭和７）年から部落経済更生運動が始められ、政府も地方改善応急施設事業を実施していたが、全国水平社も33年３月の第11回大会後の中央委員会で「部落委員会活動」の方針を決定し、経済問題への取り組みを開始するとともに、応急施設費の不正使用の暴露、使用計画立案への関与権の獲得などの闘争を続けていた。こうした動きを受け、融和団体の側でも応急施設費がうち切られる36年度からそれにかわって部落大衆を引きつけておくべき事業が必要となり、35年６月24 ～ 25日、昭和10年度全国融和事業協議会を開き、融和事業に関する総合的進展に関する要綱とその具体的計画にあたる「融和事業完成十カ年計画」を決定した。

総額5,000万円、一年間500万円の予算のはずだったが、戦時下第一年次は政府125万円＋地方行政25万円の合計150万円にすぎず計画は挫折した。しかも、1945年に完了ということで1946年以降は措置されず、1953年まで放置された。宮崎県はこの間、何ら措置されていない。

首相官邸に田中義一首相（中央）を訪問した有馬頼寧（右から2人目）ら融和問題研究会のメンバー（1927年5月）［『写真記録　全国水平社』より］

全国水平社の解消

【表１】

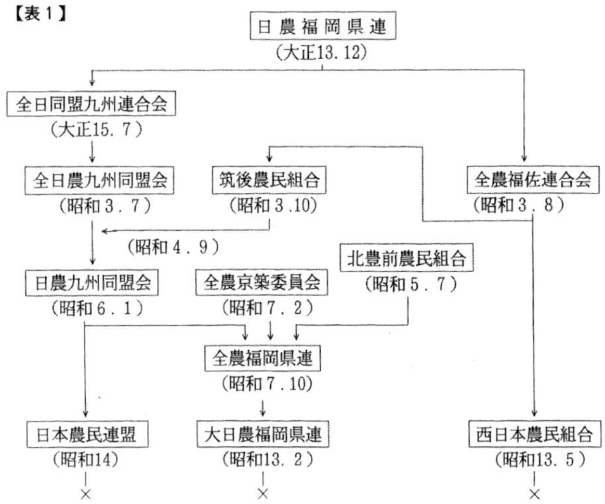

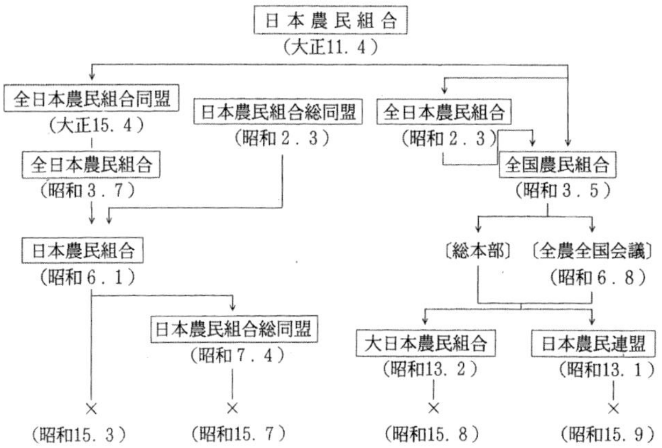

農民組合消滅の図
『部落解放史宮崎』第２号

全国水平社のみならず、農民運動も労働運動も農民組合も1931年12月21日の「言論、出版、集会、結社等臨時取締令」で解散させられた。

水平運動の状況

一、全國水平社解消後の動向

全國水平社解消其の後の動向は、中央委員長松本治一郎に於て依然として自己の政治的地盤擁護の立場より舊組織に對する執着相當根强きものあるものの如く、解散聲明書竝解散届提出の件に關しても、偶〻衆議院議員選擧に立候補を理由に選擧終了後迄解散届提出延期方諒解を求むる處ありたるが選擧竝議會終了するも荏苒解散届の提出を爲さざる爲、大阪府、福岡縣當局に於て松本治一郎に對し直接或は間接に至急解散届の提出方慫慂したる處、同人に在りては選擧終了後議會の召集あり剰さへ商工委員に任命せられたる爲多忙を極め、舊全水の事務的處理に停滞を來たし居る狀況にして、本件解決に關し一應總意の取纒めを爲すを妥當なりとして奔走中の模樣なるが、一方舊全水内部に在りても此の際當局の指示に從ふを最も賢明の策なりと進言する者もありて(井元隣之、早野利喜藏等)、この程漸く具體的態度の決定に自信を得たるものの如く、近く全國の舊幹部を大阪に召集し、解散届提出に關する正式決定を爲す模樣なり。

当局の解釈　一応選挙終了後迄解散声明書発表延期方諒解を求むる処ありたるも、選挙並びに議会終了するも、じんぜん何等の措置もなさず漫然推移しおるの状況なるが、本件に関しては松本委員長自身が何等かの処置をなすと否とにかかわらず、全水組織そのものは届出法定期間の経過と共に、即ち本年一月二十日法的に消滅したるものにして、従って今後全水としての行動は一切許されざるは勿論なり。しかして松本治一郎其他の幹部の意向を総合するに、彼等は新たに更生の団体結成を意図しおるにあらずやとも認められ、全水の過去に於ける運動の潜勢力とその組織の特殊性よりして今後の動向に関しては相当留意の要あり。

水平運動の状況　二一

厳秘

特高月報

昭和十七年七月分

内務省警保局保安課

『人民融和への道』と『国民同和への道』

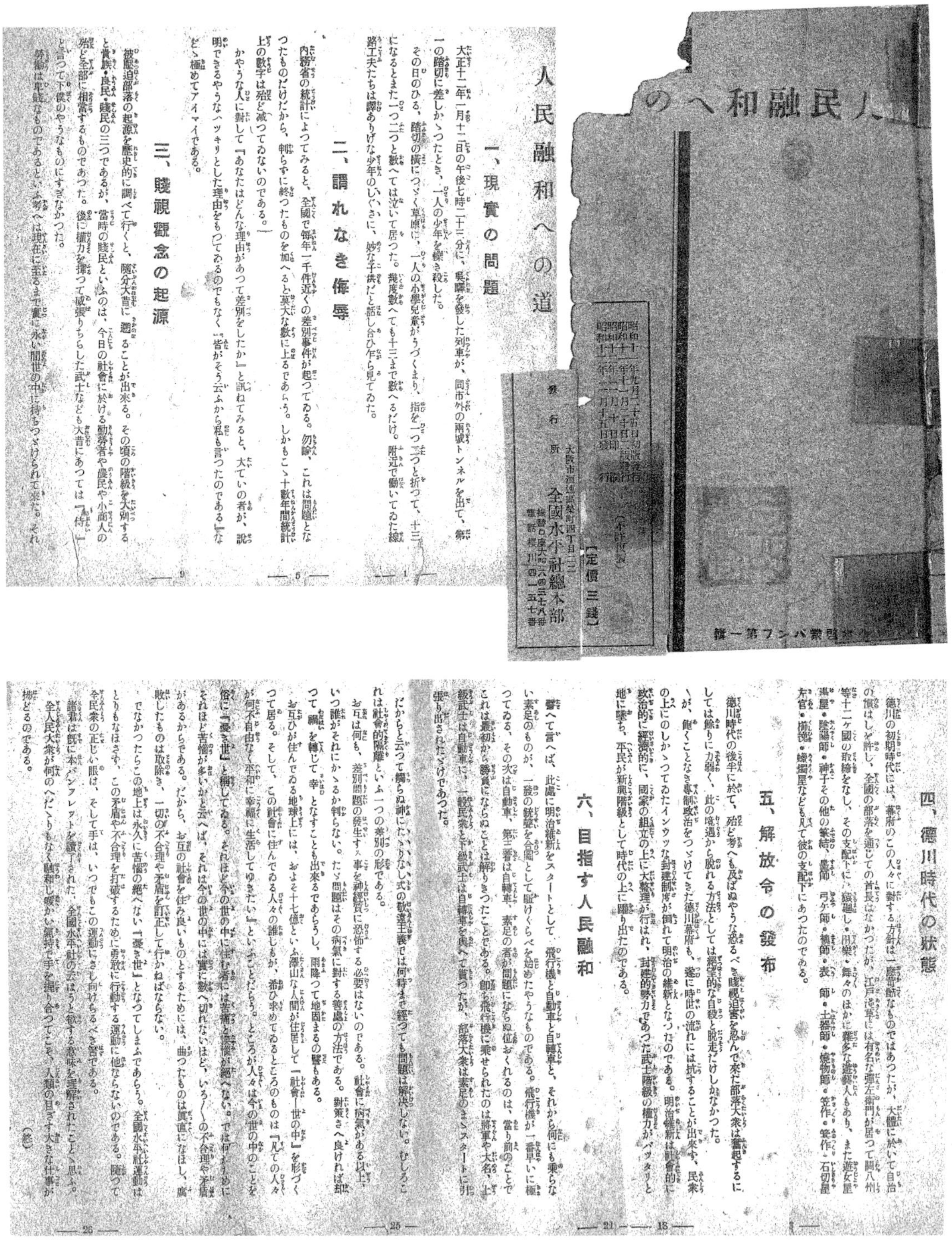

人民融和への

啓蒙パンフレット第一輯

昭和十一年九月二十五日初版發行
昭和十一年十一月二十日二版發行
昭和十二年二月十日印刷
昭和十二年二月十五日發行

（不許複製）

【定價三錢】

發行所 大阪市浪速區榮町四丁目
全國水平社總本部
振替口座大阪六四三七八番
電話櫻川四一五七番

人民融和への道

一、現實の問題

大正十二年一月十二日の午後七時二十三分に、呉驛を發した列車が、同市外の兩城トンネルを出て、第一の踏切に差しかゝつたとき、一人の少年を轢き殺した。

その日のひる、踏切の横につゞく草原に、一人の小學兒童がうづくまり、指を一つ二つと折つて、十三になるとまた一つ二つと數へては泣いて居つた。幾度數へても十三まで數へるだけ。附近で働いてゐた線路工夫たちは譯ありげな少年のしぐさに、妙な子供だと話し合ひ乍ら見てゐた。

— 1 —

二、謂れなき侮辱

内務省の統計によつてみると、全國で毎年一千件近くの差別事件が起つてゐる。勿論、これは問題となつたものだけだから、判らずに終つたものを加へると莫大な數に上るであらう。しかもこゝ十數年間統計上の數字は殆ど減つてゐないのである。

かやうな人に對して『あなたはどんな理由があつて差別をしたか』と訊ねてみると、大ていの者が、説明できるやうなハッキリとした理由をもつてゐるのでもなく『皆がそう云ふから私も言つたのである』など極めてアイマイである。

— 5 —

三、賤視觀念の起源

被壓迫部落の起源を歴史的に調べて行くと、隨分大昔に遡ることが出來る。その頃の階級を大別すると貴族・良民・賤民の三つであるが、當時の賤民といふのは、今日の社會に於ける勤勞者や農民や小商人の殆ど全部に相當するものであつた。後に權力を握つて威張りちらした武士なども大昔にあつては『侍』と言つて下僕のやうなものにすぎなかつた。

勞働は卑賤なものであるといふ考へは現在に至るまで實に永い間世の中に持ちつゞけられて來た。それ

— 9 —

四、德川時代の狀態

德川の初期時代には、幕府のこの人々に對する方針は一應寛大なものではあつたが、大體に於いて自治の慣はしを許し、全國の部落を通じての首長はなかつたが、江戸淺草には有名な彈左衛門が居つて關八州等十二ケ國の取締をなし、その支配下に、猿廻し・田樂・舞々のほかに雜多な遊藝人もあり、また遊女屋・湯屋・陰陽師・神子その他の筆結・墨師・弓ゲ師・鞠師・表師・土器師・燒物師・笠作・箕作・石切屋・左官・櫛挽・蠟燭屋なども凡て彼の支配下にあつたのである。

五、解放令の發布

德川時代の後半に於て、殆ど考へも及ばぬやうな恐るべき賤視迫害を忍んで來た部落大衆は奮起するにしては餘りに力弱く、此の境遇から脱れる方法としては絶望的な自殺と脱走だけしかなかつた。

が、飽くことなき專制政治をつゞけてきた德川幕府も、遂に時世の流れには抗することが出來ず、民衆の上にのしかゝつてゐたインウツな封建制度が倒れて明治の維新となつたのである。明治維新は社會的に政治的に經濟的に、國家の組立の上に大整理が行はれ、封建的勢力であつた武士階級の權力がバッタリと地に墜ち、平民が新興階級として時代の上に躍り出たのである。

— 18 —

六、目指す人民融和

譬へて言へば、此處に明治維新をスタートとして、飛行機と自動車と自轉車と、それから何にも乘らない素足のものが、一發の銃聲を合圖として驅けくらべを始めたやうなものである。飛行機が一番早いに極つてゐる、その次は自動車、第三番は自轉車、素足の者が問題にならぬ位おくれるのは、當り前のことでこれは最初から勝負にならぬことは解りきつたことである。即ち飛行機に乘せられたのは將軍や大名、上級武士は自動車に、一般民衆と下級武士は自轉車を與へて貰つたが、部落大衆は素足のまゝスタートに引張り出されただけであつた。

— 21 —

だからと云つて觸らぬ神にたゝりなし式の敬遠主義では何時まで經つても問題は解決しない。むしろこれは社會的隔離といふ一つの差別の形である。

お互は何も、差別問題の發生する事を神經質に恐怖する必要はないのである。社會に病氣がある以上、いつ誰がそれにかゝるか判らない。たゞ問題はその病氣に對する善處の方法である。對策さへ良ければ却つて禍を轉じて幸となすことも出來るであらうし、雨降つて地固まるの譬もある。

お互ひが住んでゐる地球上には、およそ十七億といふ澤山な人間が住居して『社會―世の中』を形づくつて居る。そして、この社會に住んでゐる人々の誰しもが、希ひ求めてゐるところのものは『凡ての人々が何不自由なく平和に幸福に生活してゆきたい』といふことだらう。ところが人々は今の世の中のことを俗に『憂き世』と稱してゐる。それほど今の世の中に住む者には苦痛と災禍が絶へない。では何のためにそれほど苦惱が多いかと云へば、それは今の世の中には實に數へ切れないほど、いろ／＼の不合理や矛盾があるからである。だから、お互の社會を住み良いものとするためには、曲つたものは眞直になほし、腐敗したものは取除き、一切の不合理や矛盾を訂正して行かねばならない。

— 25 —

でなかつたらこの地上は永久に苦惱の絶へない『憂き世』となつてしまふであらう。全國水平社運動はとりもなほさず、この矛盾や不合理を打破するために勇敢に行動する運動に他ならないのである。隨つて全民衆の正しい眼は、そして手は、いつでもこの運動にさし向けらるべき筈である。

諸君は既に本パンフレットを讀了された。全國水平社の云はうと欲する意味を理解されたことゝ思ふ。全人民大衆が何のへだゝりもなく融和し暖かい氣持で手を握り合つてこそ、人類の目ざす大きな仕事が捗どるのである。

（終）

— 26 —

[大野甚史料]

『人民融和への道』は1936（昭和11）年９月25日に全国水平社が発行した26ページの国民向けの啓発パンフレット第一号。一、「現実の問題」として、1923（大正12）年１月に呉駅で実際にあった13歳の部落の子の自殺事件。二、「謂われなき侮辱」では内務省の調べで年間一千件近くの差別事件が起きていること。三、「賤視観念の起源」では中世からの起源を説明。四、「徳川時代の状態」で身分制度が確立し差別が強化されたこと。五、「解放令の発布」では解放令がでても部落は解放されなかった。六、「目指す人民融和」では「お互いは何も、差別問題の発生する事を神経質に恐怖する必要は無いのである。社会に病気がある以上、いつ誰がそれにかゝるかは判らない。ただ問題はその病気に対する善処の方法である。」と差別が社会の不合理や矛盾の反映とわかりやすく説明した。

文部省『国民同和への道』

序　言

江戸時代に士農工商以下の階層として賤視せられた一部の同胞が、明治維新に際して解放せられ、その身分・職業共一般人と同等とせられたことは、正しく一君万民の我が国体の本義を顕揚したものであつて、この解放の断行せられた明治初年を以て、同胞差別の弊風は全くその跡を絶つべきものであつた。

しかるに、不幸にしてこの解放は、その結果においては制度上のことに止まり、実際生活や感情の上における差別は、その後も依然として存続し、多年に亘る官民の努力にも拘らずその解消を見ず、支那事変以来の重大時局下にあつても、尚国民間に一つの間隙を残してゐるのである。

我が国は今や未曽有の世界史的転換期に際会し、東亜新秩序建設を目ざして大東亜戦争を遂行しつつある。この大戦遂行に備へ、且東亜建設に遺憾なき態勢を整へるため、高度国防国家体制の確立は刻下の急務となつた。同胞差別の問題は、この国内新建設に当り、反国家的・反時局的なるものとして克服されなければならぬ諸々の矛盾・欠陥の一つである。国民生活が未

第一　差別せられる同胞

一部同胞に対して今尚行はれてゐる差別は、古い時代からのいはれなき因襲に基づくものである。この人々は、血すぢのいやしい人々、一般とは筋の違つた人々と見られてゐる。それは個々人の理性的判断から出るものではなく、唯因襲的にかく信じられてゐるだけであるが、この因襲が人心を支配する力には、今尚根強いものがある。

一　差別の事実

一部同胞がいはゆる部落の人として今尚一般から受ける差別は、この人々の生活の凡ゆる場面に種々の形を取つて現れてゐる。学校内においては、部落の児童は一般の児童の中に親しい友を得難く、多くは孤独である。社会に出ては、社交上において陰に陽に仲間はづれにされる。その身許が知られてゐる限り一般の人々との結婚は望み難く、若し結婚後にその身許が判明すれば、その結果として、多くの場合離婚を招く。公私の団体には参加を拒まれ、町内会・部落会等においても、この部落か

367

第二　部落の沿革

過去において差別待遇を受けた人々の中、最も賤しまれたのは、主として皮革関係の業務に従事する人々であつた。古く平安時代からこれを忌避する風が現れ、鎌倉時代以後の封建社会の発達と共にこの人々の部落が形成せられて行き、江戸時代に

369

一　部落の起源

一部の人々に対する差別は、今日とは非常に異なつた古い時代の社会生活の諸条件の下に発生したものであることが、先づ注意されなければならない。

我が国は、古くから農を生民の本として尚んだ。従つて、土地を有し、自ら食物を生産した農民の地位が高く、これに与らない工　商その他遊芸・雑役等に従事する人々は、農民程に尚ばれることがなかつた。かやうにして、生産関係から各種の業に携はる人々の社会的地位が決定せられたことは、・・・

二　部落の形成

鎌倉時代以後の封建制度の発達により、職能的な各種の階層が形成せられて行くに伴なつて、賤しまれた人々も階層的集団として存在せしめられるやうになつた。部落の形成は、一般的にはこの時代以後に始まつたと見られる。皮革関係者は依然として忌避せられてゐたが、しかし尚当時においても、他の賤しまれた業に従事するものとの区別は、さ程はつきりしたものではなかつた。

賤しまれた業務の中には、その間に自然にその地位が高められて行つたものもある。例へば遊芸の中の或ものの如き。・・・

三　明治維新における解放

幕末、皇政復古の運動が盛んになるに伴なつて、四民平等の精神に基づき、過去久しきに亘つて苛酷な取扱を受けた人々に対しても、その解放を論ずる者が現れるやうになつた。・・・

第三　同和問題の所在

一　差別のいはれなきこと

日本民族はもと単一民族として成立したものではない。上代においていはゆる先住民族や大陸方面からの帰化人がこれに混融同化し、皇化の下に同一民族たる強い信念を培はれて形成せられたものである。かくてこの国に生をうけたものは、その源が何れにあるやを問ふことなく、同一日本民族としての自覚と誇とを持ち、歴代天皇の御仁慈の下に分に励み、困難に際してはよく一致団結して国土を守り、以て今日の国運の隆昌を致したのである。皇国の弥栄のために一身一家を捧げることこそ国民たるものの責務であり、又喜びである。この自覚に徹せ

372

第四　同和運動の経過

同和運動は、はじめ部落の人々の自覚に基づく解放運動として起され、その激化に対して、同胞相愛の趣旨に基づく協調融和の運動が展開せられて第二期ともいふべき時期に入り、更に支那事変勃発後の重大時局に対処して、ここに新しい同和国民運動の発足を見るに至つた。それは、時局の要請に即応する運動の新しい体制であると共に、又過去の運動の結集であり、綜合的帰結たる意義を帯びるものである。

一　自主的解放運動の擡頭

部落の人々は、明治四年太政官布告を以て身分・職業上の差別から解放せられたが、現実の生活や感情の上においては、その後も依然として差別的待遇を受け続けた。しかるに、文化の発達、教育の普及は、部落の人々の自覚を促し、遂にこの人々は、明治三十年頃この不当の差別に抗して自らを解放せしめる運動を起すに至つた。・・・

とりわけ世の耳目を聳動せしめたのは、大正十一年三月、全国水平社が創立せられたことであつた。全国水平社は、部落の人々自らの行動によつて絶対の解放を期せんとするもので、その運動は全国に拡大し、差別する者に対して盛んに糺弾を行ひ、その反省を求めた。

二　協調融和運動の展開

部落の人々によつて起された解放運動に対して、この問題を相互の理解によつて解決しようとして始められたのが、いはゆる協調融和の運動である。既に大正三年に大江天也が帝国公道会を組織してこれに着手し、更に大正十年には有馬頼寧等が同愛会を組織して、同一趣旨に基づく運動を行つた。・・・

第五　国民同和の実現

支那事変以来時局は重大化の一途を辿り、遂に昭和十六年十二月八日を以て大東亜戦争の勃発を見るに至つた。米英撃滅を期するこの未曽有の大規模の戦争、又これを通じて行ふ偉大な

374

結　語

一部同胞に対する差別には、今日その存続を承認すべき何等の合理的根拠も見出されない。それを尚容易に消滅せしめないものが、国民の心理に或は国民生活の内に存するとしても、それらは何れも共に清算せらるべき運命にあるものである。要するに、それは国民生活の内に残された反国家的な欠陥であり、時代錯誤的な矛盾である。それが解消の過程を辿りつつあることは、最早疑ふことを得ない。しかし、このことは、この差別の不合理が広く認められ、それを解消せしめるための運動が益々活潑となり、多くの国民の協力を得て行くことを期し得るところに証示せられるのである。若し然らずして、多くの国民がこの問題に対して正しい理解を有せず、無関心或は敬遠の態度を持するままに放任せられるとすれば、この問題は、今日の時局においても依然として解決せられることはないのである。しかし、国内新体制確立がこの問題をも解決し得ぬ如き状態に止まるとすれば、如何にして東亜新秩序建設の大業の完遂を期することが出来ようか。国民凡てがこの問題の重大なる意義を認識し、その速かなる解決に向かつて協力することを要望して已まないのである。

昭和十七年三月

附　録（略）

380

『部落解放教育資料集成　6　融和教育の理論と運動（Ⅱ）』

『国民同和への道』は1942（昭和17）年８月に文部省同和教育会が発刊した教育関係者向けのパンフレット。序言、第一、「差別せられる同胞」では一部同胞に対して今尚行はれている差別は、古い時代からのいはれなき因襲に基づくもの。第二、「部落の沿革」では平安時代からの歴史。第三、「同和問題の所在」では日本民族はもと単一民族として成立したものではない。第四、「同和運動の経過」では全国水平社の結成。第五、「国民同和の実現」では支那事変以来の時局の状況。結語では「一部同胞に対する差別には、今日その存続を承認すべき何等の合理的根拠も見出されない。それを尚容易に消滅せしめないものが、国民の心理に或は国民生活の内に在するにしても、それらは何れも共に精算されるべき運命にあるものである。要するに、それは国民生活の内に残された反国家的な欠陥であり、時代錯誤的な矛盾である。」と合理性と戦時体制下の非合理性があった。

V. 部落解放運動としての再出発（1945年〜）

部落解放全国委員会の結成

部落解放全国委員会の結成記念（1946年2月19日）

全国水平社は、自ら解散することなく組織としては生きていたが法的には自然解消となった。全国水平社の指導者たちは、敗戦の混乱のなかで、いち早くたちあがり、部落解放運動の再建にとりかかった。1946（昭和21）年２月19･20日、京都で全国部落代表者会議と部落解放人民大会が全国水平社の名によって召集され主催された。参加した人たちは水平社だけではなく、かつての融和運動もふくめた全部落の代表であり、文字どおりの大同団結であった。

かくして２月19日、部落解放全国委員会（略称―解放委員会）が結成された。解放委員会は、「一切の封建的残滓を払拭し民主主義日本を建設して部落民衆を完全に解放することを目的」とし、名称には全国水平社の伝統を受け継ぎながら「観念的な水平運動に対する終止符」を打ち、「新しき部落解放委員会活動の再出発」をめざす決意がこめられていた。

結成当時の役員は、全国委員長に松本治一郎、全国常任委員に山本政夫・田中松月・富岡募・井上哲男・野本武一・北原泰作・上田音市・朝田善之助・木村京太郎・松田喜一・中西郷弌等、書記長に井元麟之、顧問に武内了温・梅原真隆である。

結成翌日の部落解放人民大会には、進歩・自由・社会・共産の各政党の代表も参加した。戦後の解放運動の出発は、部落問題の解決がまさに国民的課題であり、そのための統一と団結が可能であることを示した。

部落解放運動は政治的に大きく昂揚し、国会議員はじめ各級議員、首長あるいは農地委員などに多数の部落代表を送り出した。しかし、民主化の幻想からぬけだせず、やがて吉田内閣による松本治一郎の公職不当追放によってその希望は打ち砕かれ、さらに東西の冷戦の激化と朝鮮戦争を契機とした日本資本主義の立ち直りにつれて差別が顕在化していく。こうしたとき「オールロマンス闘争」によって、部落解放運動は行政責任追求・差別行政反対闘争を打ち出し、新たな発展をみせる。

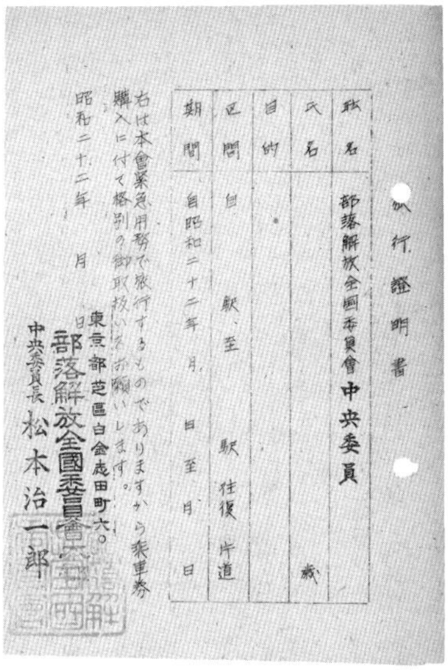

「旅行証明書」（1947年）
［井元麟之史料］

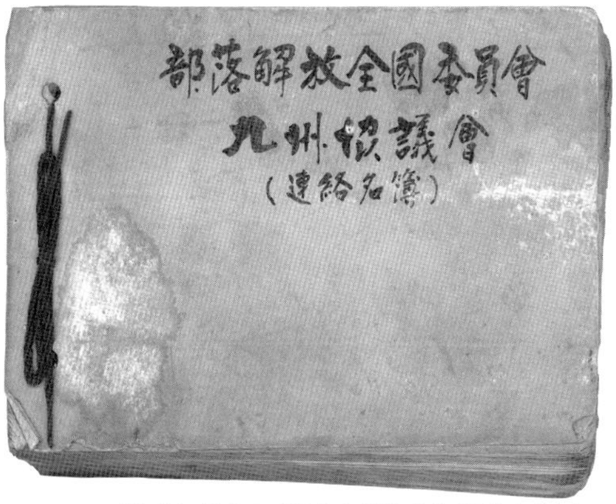

「部落解放全国委員会九州協議会（連絡名簿）」
［井元麟之史料］

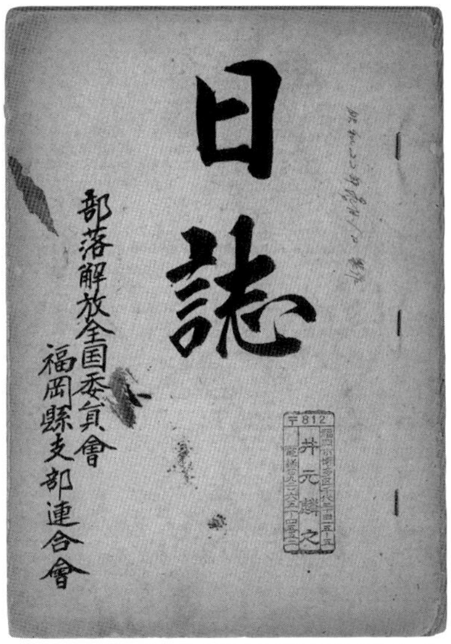

『日誌』（1947年9月1日より11月25日まで）
［井元麟之史料］

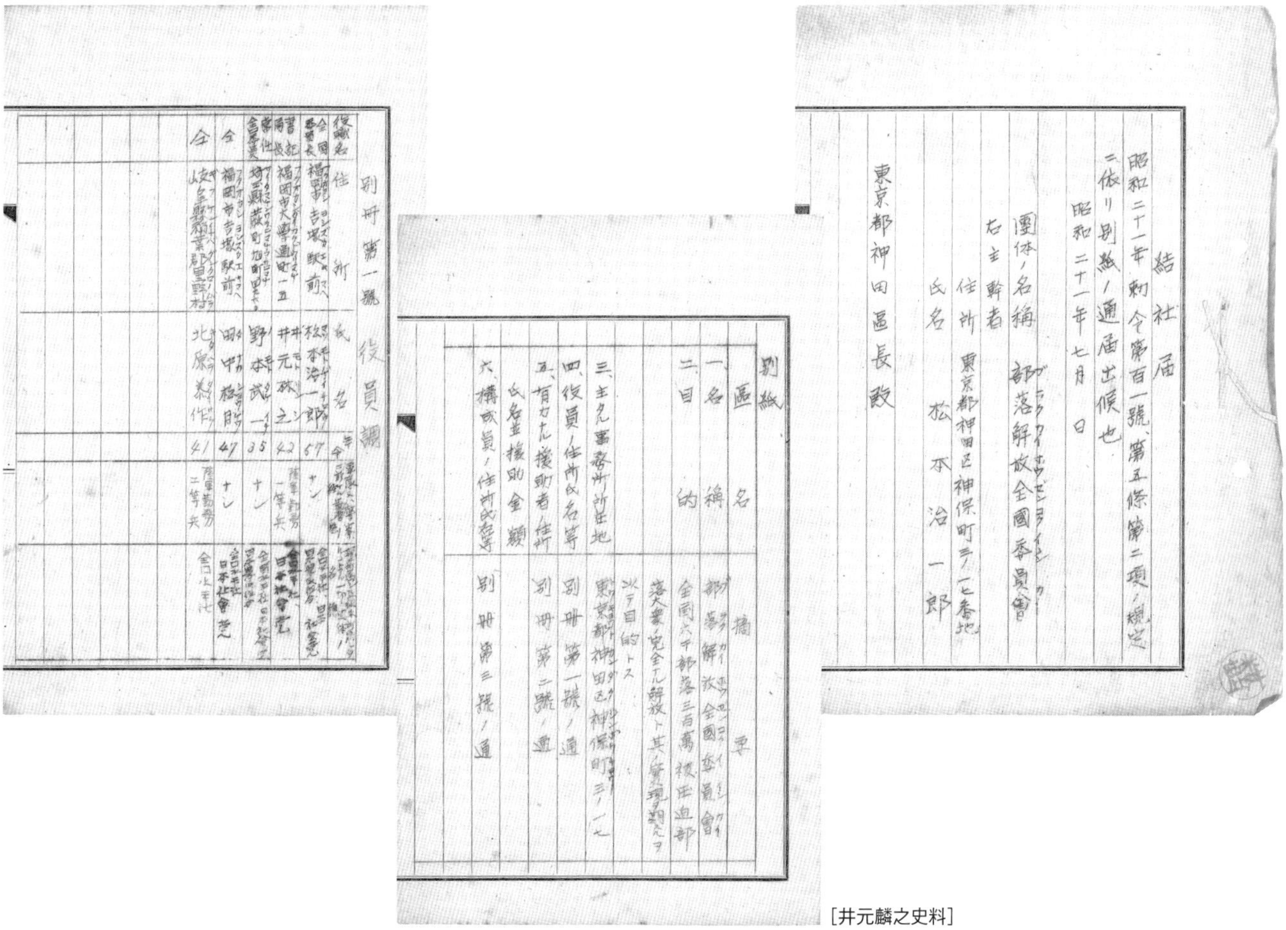

［井元麟之史料］

松本治一郎公職追放反対運動

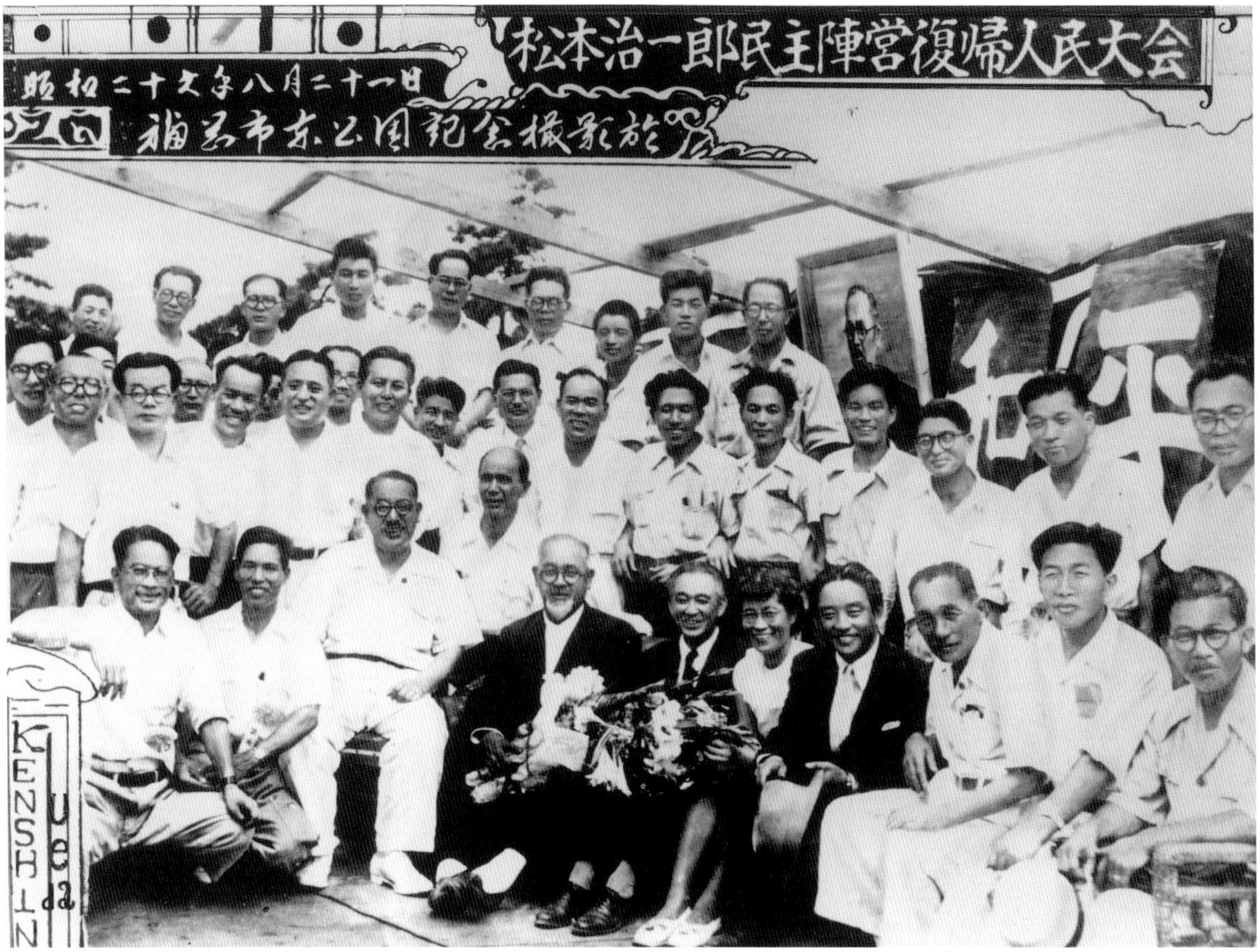

松本治一郎民主陣営復帰人民大会記念（1951年8月21日）

1949（昭和24）年１月24日、松本治一郎は戦前の大和報国運動の本部理事に就任し、戦争遂行に協力したという理由で、突如公職追放を受けた。

しかしこれは、吉田茂首相の政治的陰謀にほかならなかった。松本治一郎の公職追放問題は、この時ばかりでなく、1946（昭和21）年の総選挙以来問題にされ、３回にわたって起きていた。この公職追放は、天皇制に対する執拗な追及、なかでも天皇拝謁拒否（カニの横ばい事件）への報復であった。しかもこの時には、松本治一郎のみならず井元麟之、田中松月、深川武といった部落解放全国委員会の幹部も同時に追放されていることから、解放委員会に対する政治的弾圧でもあった。

解放委員会は、ただちに緊急中央委員会を開き追放指令の即時解除の要請を決議し、あわせて署名運動を開始し、「松本治一郎氏不当追放反対闘争委員会」の体制をつくった。解放委員会福岡県連は、「不当追放反対福岡県委員会」を結成し、パンフレット『不当追放の真相』を作成し、反対闘争の先頭にたった。

解放委員会本部は、これらの闘争の高揚期に闘争を第２段階と位置づけ（４月）、追放反対の具体的な闘争を「人権と生活権を擁護する人民闘争」へと一般化していった。翌年ふたたび追放反対闘争を前面にかかげ、４月に入ると全九州人民大会の開催、請願隊による福岡～東京行進、５月には首相官邸前のハンストと、闘争は高揚した。

1951（昭和26）年８月になり、ようやく松本治一郎の追放解除は行われた。この２年半に及ぶ闘いは、戦後初めての民主陣営の共同闘争であり、大衆的行動でもあった。

戦後新憲法下最初の参議院選挙で当選、参議院副議長に選ばれた。
副議長室で。（1947年）［井元麟之史料］

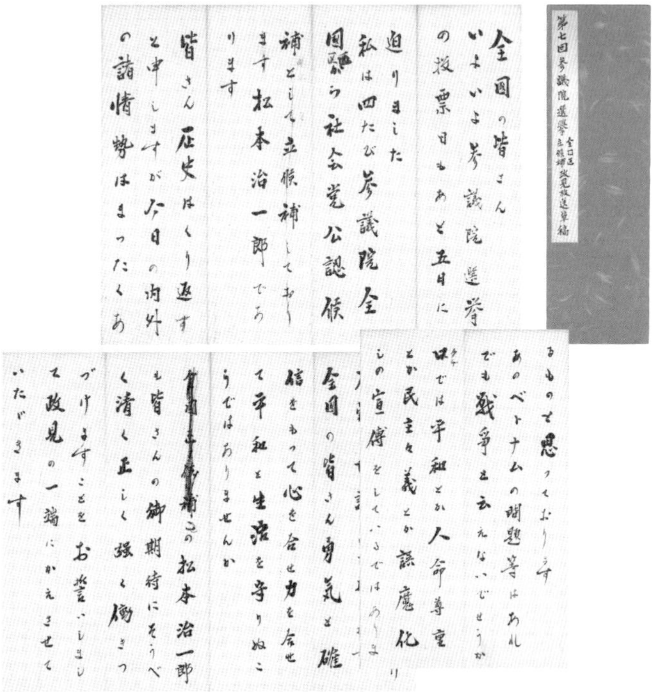

最後の参議院選挙草稿（福岡県中間地協）

松本氏の『拝謁問題』

参議院各派間で問題化す

松本参議院副議長は去る二十一日の国会開会式の際天皇陛下に拝謁しなかつたことが問題になり、二十四日になつて参議院で表面化して来た、当日開会式後便殿に入られた陛下に両院正副議長が拝謁することになつていたが、松本氏だけがこのような旧式の儀礼は不要という見地から拝謁しなかつたものであるが、参議院自由党あたりがこの行動を副議長の職務上不穏当として重視し、場合によつては松本副議長不信任まで問題を進展させるべきであるという強い意見まで出て来た、このため二十四日緑風、自由、民主三会派ではそれぞれ議員総会を開いて協議した後、社会、無所属懇談会によびかけて真相を調査することとなり、同日午後各会派代表の懇談会を開いたが、社会無所属両会派では態度を保留し、二十六日までに返答することとして同日は散会した、この両会派の態度如何にかゝわらず緑風、自由、民主三会派では二十六日松本副議長に会見して弁明をきゝ、その上で対策を考えることとなる模様である

松本副議長談 お迎えやお見送りも正面玄関までちやんとしたのだから当然つくすべき儀礼はつくしてある、便殿に入られたのち両院正副議長が便殿前の廊下にならんで、一人ずつカニの横ばいをして拝謁することになつているのだがわたしは第一回国会の開会式以来こういうことは不必要だと考えているので、私だけは廊下から便殿に入つて拝謁することはしなかつた、こういう儀礼は旧憲法時代のそのまゝが行われているので新憲法にはふさわしくないと考えている、国会を代表して衆議院議長があいさつすればそれで十分と思う、殊に拝謁というような古い言葉は新憲法下ではいけない、あいさつとか会見でいいじゃないか

「カニの横ばい」事件を報じる記事
［「朝日新聞」1948年1月25日付］

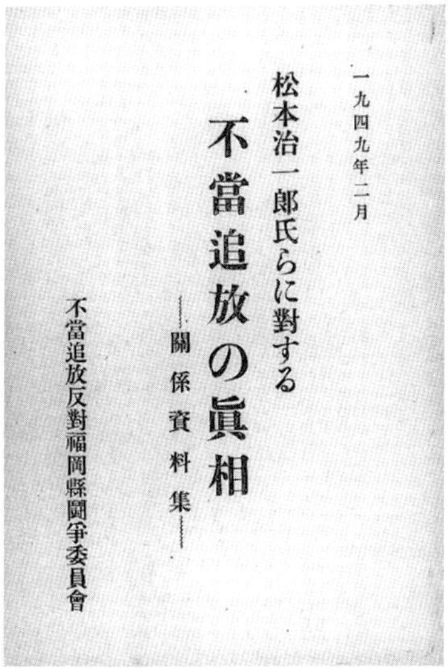

一九四九年二月

松本治一郎氏らに對する

不當追放の眞相

——關係資料集——

不當追放反對福岡縣鬪爭委員會

『不当追放の真相』（1949年2月）
［井元麟之史料］

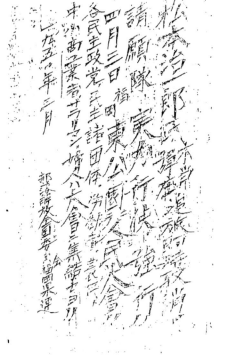

不当追放反対ステッカー

部落解放全国委員会から部落解放同盟に

部落解放同盟と改称した第10回全国大会（1955年8月27日）

(1) 第82号 1955年9月25日 解 放 新 聞 定価1部10円

第82号 1955年9月25日 部落解放同盟中央機関紙

解放新聞

部落解放第十回全国大会報告特集号

第十回全國大会おわる

名称を部落解放同盟に

老人も母親も子供も 部落ぐるみの斗いへ

十年の経験生かして新しい前進

第一日

【写真説明】会場をうめつくした人と旗（上）あいさつをおこなう松本委員長（右）多数決で「部落解放同盟」と名称変更がきまった歴史的な瞬間（下）

全縣、全国的規模で斗いを前進させよ

午後

名称変更めぐ

部落解放全国委員会は1955（昭和30）年、第10回全国大会の決定にもとづき、組織名称を「部落解放同盟」に改めた。改称の理由は、全国水平社の精神を受け継ぎ、広汎な部落大衆が闘争に立ち上がっている状況下で、名実ともに部落大衆を動員し、組織しうる大衆団体としての性格を明らかにするためとしている。

部落解放運動の流れは、第１期糾弾闘争主導の時代、第２期行政闘争主導の時代、第３期共同闘争主導の時代の３段階によって特徴づけることができる。特に部落解放同盟と改称する前後の時期から、一般大衆をも巻き込んだ行政闘争・共同闘争を主導した取り組みは、国際的にも評価を受けている。

福岡市長選挙にかかわる差別事件

福岡市長奥村茂敏氏に對する公開狀

御就任早々の貴下に、このような公開狀を送らねばならぬことを、お互いのため遺憾に思います。

先般の福岡市長選擧に當つて、いわゆる身分的な差別言辞が、ほとんど公然と福岡市民の間に流布されました。しかもその件数が無数にのぼつたことは、わがくに社会史上に類例を見ない人權上の一大不祥事であると云えましよう。

いまや私たちは、この不祥事を何らかの方法で処理しなければならない事態に直面しております。私たちはここにおいて、紛爭を無益に拡大するような方法は極力これを防止し、あくまで人道上の立場に立つて、貴下および市民各位の良心に訴え、平和的な建設的な方法によつて対処する方針を決定いたしました。もちろん挑発者と目される若干の悪質者のほかは、その一つ一つを摘発して平地に波瀾を起すようなことは、できるだけ避けたいと望んでいます。

もとより貴下が、このような非人道的な差別行為を自ら発意したり、積極的に流布されたとは考えたくありません。しかし貴下の選挙事務長以下の運動員は、差別観念が流布されていることを知りながら、あえて積極的に制止しようとしなかつたのみか、かえつてこれを善良なる市民の間にあふりたて、さらにその上にボス、暴力団、不正行為、赤旗などの悪質デマを乗せて宣伝につとめ、最も効果的な選擧戦術として利用いたしました。

それらの悪質デマの一つ一つについては、別途にその眞偽が確められるでありましようが、何ら確実な事実の裏付けのない事柄が、驚くべき巧妙さをもつて、まことしやかにつくりあげられ、さらに差別的偏見の色眼鏡を通して針小棒大に作爲されました。

わが福岡市においては過去二十年ほどの間、殆んどいまわしい差別事件の発生を見ず、青少年の大多数は何れもこの問題を知らずに成育してきたのでありますが、不幸にも今度の市長選擧を通じて、これを知らされたのです。いま学生、生徒間にさえ、この憂うべき現象が崩していることを聞き、私たちはがく然としています。

かつて大正年代に「なぜ私の両親は、私を生んで下さつたのだろう。私は両親を恨みます」と書き残して鉄道自殺をした少年がありました。その他数えあぐれば際限もないほど多くの悲慘事が繰り返されてきたのであります。過去は眠つているだけです。このたびの貴下たちの行爲を契機として、再び私たちの福岡市に、このような差別観念とそれにともなう悲慘事が甦えらないと、果して何びとが保障できましよう。

誰ともなく、こつそり投げられた石が、思いがけなくも多くの罪なき人々の人權を侵犯し、むごたらしく傷つける結果となつてしまいました。

私たちは、いたずらに貴下を糺弾したり中傷しようとするものではありません。私たちが強調したいのは、正しく明るい市政は、あくまで公正と正義と人道とにかなつた方法と手段とによつて、築かれねばならないということです。

貴下は市長就任の挨拶で「自由と人格を尊重、權利と義務をならび行い、社会道徳を守るという民主々義の三原則」を強調されましたが貴下の圧倒的勝利と、光榮ある市長の椅子が、その実は、反社会的な、偏見に充ちた、誤れる封建思想によつて大きく支えられている事実を見逃すことはできません。

誠実で人格高く、且つ聰明であると称される貴下は、すでに、こうした恥ずべき裏面の事態を知られるにおよび、必ずや良心のかげりを感じていられることと信じます。

差別観念の流布が、選擧戦の中に行はれたという事実は、未だかつて全国に例がありません。もしこれを、ある場合もつとも有効な戦術として各地で用いられるに至りますならば、世を毒する害悪これに過ぎるものはありません。差別観念は、いかなる暴力にも増して最も凶悪だからであります。

一たび人々の心の中に復活した差別的な偏見は、非常に根強いもので、且つはげしい伝播力を持つております。これを取り除くためには甚大な努力と長い期間を要し、種々の困難があることは申すまでもありません。

しかし貴下をはじめ心ある福岡市民は、その責任の所在をいたずらに轉嫁し合うことなく、不祥なる反社会的偏見を一日も早く、完全に拭い去るべく全力をつくされねばなりません。

これこそは文化都市大福岡建設の、道義的基盤をなすものであり、又これなくして明るく正しい福岡市政の実現はあり得ないと信じます

私たちはこの際、すべての市民各位が、一つは自らをさらに謙虚にかえりみ、一つは平静に自己の良心を呼びさまし、共々に正すべきはあくまで正し、良識ある社会生活の確立に努められんことを期待すると同時に、貴下が、人間としての良心と、市長としての職責の両面より、冷静にこの公開狀の趣きを省察し、崇高なるべき市民の人權を、他の不合理なる侵犯より守るため、差別的偏見の打破について眞剣に最善の具体的努力を払はれるよう要請いたします。

昭和三十一年九月二十七日

福岡市人權擁護民主協議会

代表委員

亀井味樂
青山道夫
永江隆三
諌山博
大倉清一

[井元麟之史料]

[『福岡における解放運動　水平50年』]

1956（昭和31）年９月17日投票の福岡市長選挙における、革新系候補高丘稔に対する差別キャンペーン事件。自民党系対立候補は地方新聞や業界紙、演説会などを利用し「高丘は以前日本人ではなかった」「松本治一郎は、ボスだ、暴力団だ」など無数の悪質な差別キャンペーンを行い、部落差別をあおった。これは革新側の労働者にも浸透し、高丘は予想外の惨敗を喫した。

選挙後、部落解放同盟福岡県連は糾弾の闘いを組織した。福岡市議会では、数人の部落出身議員が出身を明らかにし、差別事件の背景の追求と部落のおかれている実態を訴えた。また革新陣営を中心として、福岡市人権擁護民主協議会が結成され、平和と人権と民主主義を守る活動を開始した。

そして、当選した奥村市長の責任追及を通じて、差別意識を生み出す部落の実態や部落大衆の生活そのものが差別であり、それを放置していることこそ「福岡市行政の責任」であることを明らかにしていった。また、市内各部落の諸要求の結集は、以後の行政闘争の一大契機となった。

奥村市長糾弾を訴える福岡県連合会

奥村差別市長抗議大会（1956年12月5日）

さらに教育実践の中身も根底から問われ、翌57年５月、３人の教師によりサークルとしての福岡市同和教育研究会が結成された。その後の組織活動を通して、61年５月27日、県内６地区30人の代表によって福岡県同和教育研究協議会が結成された。

Ⅵ. 部落解放運動のさまざまな闘い(〜1964年)

三井三池闘争と解放運動との連帯

三井三池第二組合の差別ビラに対する 聲明書

われ〳〵は、札つきの分裂主義者鍋山、佐野に指導されてつくられた第二組合の幹部が作製した四月七日附「友山労組の皆さんに訴える」というビラを入手した。

このビラはわれ〳〵の許すことのできない次の様な記事が書かれている。「三池労組は三鉱連の中でも、特殊部落とよくいわれて居りました。……(中略)……統制、団結の名のもとに、一切の批判と発言を封殺し、シュン烈なる暴圧を加え組合員をヒキづつてきたのです。三鉱労組の特殊部落たるユエンは、まさにここにあります。……(中略)……旧労幹部は計画的暴行を用い、各坑の構内外を、こん棒、竹槍、鉄棒でもつて血の海と化し、まさに暴徒を組織した。……(中略)……民主的組合を新らしくつくりあげる信念に燃えて……そして特殊部落にならないで友山労組の皆さんと共に信義と友愛のもとに団結していきたい……(中略)。昭和三十五年四月七日、三池炭鉱新労働組合」と放言している。このビラを入手したわれ〳〵は心の底から煮えたぎる憤りと憎しみを感じている。

差別が激しかつた大正時代でも、これ程、悪質極まる公然たる差別はなかつた。いわんや人権尊重と民主主義運動がかなり進んでいる現在、想像もされない程の悪質極まるものである。ビラは暴力をふるう三池労組は特殊部落のようだといつているが、それは未解放部落の人間は、野蛮で、理不尽な暴徒の集団ということを意味している。われ〳〵に許しがたい差別をしながら、かれらは恥しらずにも、「民主的組合を新らしくつくりあげる信念に燃えて」云々とうそぶいている。この一事は第二組合の本質をあますことなく国民の前に暴露している。

われ〳〵は人間解放と生活安定をスローガンに、大正十二年水平社を創立して以来今日までの三十八年間、血みどろの斗争をつゞけてきた。ある時は軍部、裁判所、警察の弾圧をうけ、ある時は右翼テロの暴力と斗い、多くの活動家や先輩が牢獄の中で敵の手により虐殺されたり、永い牢獄の中で苦しめられた。そしてまた差別の苦しさに煩悶の末幾百の人間が自ら生命を断つていつたのである。

このような、苦難の斗争と、尊い犠牲のつみかさねによつて、われ〳〵の今日をつくりあげた。そしてこのことはわれ〳〵の力のみでなく、労働者を中心とした、平和と民主主義と生活を守る民主諸団体の諸斗争の結果が、民主主義と人権を尊重する国民の与論をつくりあげるのに、大きく影響していることを知つている。

このビラはわれ〳〵に現在よりも、もつともつと差別と苦しみのひどかつた昔にもどれということを意味して居り、われ〳〵並びに民主主義を愛する人々にとつて断じて許せないことである。このような非人道的、非人間的な民主主義に逆行するビラが何を目的として配布されたか、われ〳〵は部落差別がつくられた歴史から、また永い差別と抑圧をはねかえす斗いの経験から知つている。それは第一にはこのビラは、三池労組を三鉱連及び他労組から切り離すために、今尚、人々の間に間違つた観念として残つている差別意識を運用したのである。特に発行の日附が会社案そのままの藤林あつせん案を受諾するか拒否するかを決定する炭労大会の直前である四月七日であり、中心的に配布された所が三井田川、三池山野であるように、三鉱連(五山)と三池労組との分断作戦を成功させ、炭労大会で藤林あつせん案を受諾させることを第一にねらつていた。

第二には、かれらは部落差別をあふつて、われ〳〵に挑発をかけ、部落解放同盟が、暴力による差別糾弾に出てくることを期待している。若し同盟がこのような行為に出たら待つていましたとばかり、暴力団に支援される三池労組と宣伝し、三池労組の分裂を拡大させ他労組、国民から孤立させることをねらつているのである。

われ〳〵は永い運動の経験から差別した個人をやつつけることによつて、われ〳〵の完全解放が勝利しないことを知つている。われ〳〵の解放は労働者の解放なくして達成されないし、またわれ〳〵の解放なくして労働者の解放もあり得ないことも、労働者はよく知つている。三井独占資本は金もうけするためには、血も涙もなく、冷酷無比に労働者を石炭のボタのように捨てるのである。と、われ〳〵も過去に於ける差別と貧困を深める迫害が今尚、岸政府と独占資本によつて強化されている二重の犠牲と圧迫による結果、いまなは結婚、就職などで差別をうけ、都市では失業者と半失業者群が集団し、農村では平均耕作反別三反歩という極零細農民としての苦しい生活状態に追い込められている。このことは三池労組の首切りと、吾々の苦しみは共通の根から出ていることを示している。

三井独占資本が指名解雇で半数以上の組合活動家の首切をネライそれを強行するために殺し屋、警官を繰り入れての暴力的攻撃は正に労働組合活動の自由と民主主義を否定するものであり、差別をなくし人間を尊重せよという同盟の目的に相反するものである。吾々が三池斗争を自からのものとして理解し、支援斗争を行う理由はここにある。この差別事件は英雄的な三池労働者の斗いと、これを支える全国的な広範な民主勢力に追いつめられた三井独占資本を中心とする敵権力と、第二組合を指導する札つき分裂主義者が、自からの目的を達するために、許すべからざる部落差別を用いたことは明らかである、その事は三井独占資本が、人間が人間を差別する非人道的行為をする第二組合とのみ話合い就労させている事実、大牟田に警察が五千名から動員し第二組合を援護している事実がそのことを立証している。そうでないというなら、会社はこのような差別を行う第二組合との話合い及び就労を即時拒否すべきであ[illegible]察権力は即時大牟田から引あげるべきである。

いま三池労働者に集中的に加えられている労働組合と民主主義を破壊する弾圧は、新安保条約による日米軍事同盟の強化を促進するために岸内閣と独占資本が軍国主義とファシズムをうちたてる目的のもとに強行されている。われ〳〵に対する差別もこの目的のためになされたものである。労働者えの攻撃、われ〳〵に対する差別はともに自由と権利、民主主義全般に対する国民えの攻撃である。

われ〳〵は心に激しい憤りと憎しみをもつが故に、差別ビラに対するもつとも効果のある斗いは、自由と権利、民主主義を愛する労働者を中心に広範な人々が抗議と支援のためにともに立上ることによつて、人権と民主主義を守る大きな与論を結集することである。この力こそが差別の真の元兇三井独占資本と敵権力と分裂主義者を孤立させ、もつとも手痛い打撃を与える唯一の道である。こうした力が三池斗争を勝利させ、安保批准阻止えの大きな力になると確信している。このことがわれ〳〵の完全解放えの道すじでもある。

以上の立場にたつて、われ〳〵は全国の部落大衆の力を結集し、広範な平和と民主主義を愛する全ての人々と提携して、三井独占資本並びに支配権力と、札つき分裂主義者に対し、全組織をあげてテッテイ的に斗う断固たる決意を表明するものである。

右声明する。

一九六〇年四月二十五日

部落解放同盟福岡県連合会

第二組合差別ビラに対する「声明書」(1960年4月25日)

1959(昭和34)年8月から翌年11月にかけて闘われ、「総資本対総労働の闘い」と称された福岡県の三井三池争議は、おりからの日米安保条約批准阻止闘争とともに激動の1960年代を代表する大きな闘争であった。

国のエネルギー政策の転換のなかで、炭鉱資本と財界は、日本炭鉱労働組合(炭労)の中心であった三池労組に攻撃を集中し、職場活動の圧殺を狙い、人員整理と賃金・労働条件の大幅引き下げを提示した。会社側は三池労組に対して全面ロックアウトを実施し、組合側は全面無期限ストで対抗した。第二組合が結成されるなか、両者の対立は極限に達し、会社側暴力団が組合員を襲撃(久保清刺殺事件)するという事態までに発展した。部落解放同盟福岡県連は、1960年県連大会において三井三池闘争支援を決定し、3月29日700名の動員を皮切りに、連日動員を行った。闘争の過程で会社側の暴力団に職のない部落青年が一部いたが、親父が解放同盟員で支援に駆けつけて暴力団と対峙してみると、その暴力団の中に息子がいるという構図があった。労働者の側も部落に対する正しい認識をもたず、暴力団対策を部落解放同盟に依存しているにすぎなかった一面があったと反省した。

また60年4月7日に第二組合は、三池労組を「特殊部落」と名指す差別ビラを大量配布し、三池労組を孤立においこもうとした。部落解放同盟はただちに糾弾に立ち上がり、5月9日には全国から2,500名が結集し、現地三池労組とともに8,000人の参加で差別糾弾決起大会を成功させた。糾弾闘争の中で第二組合長の辞任を約束させ、労働者の抱えている現実と部落の抱えている現実とを統一的に理解し、共闘を一段と進めた。

三池闘争の支援にかけつけた部落解放同盟

三池闘争の先頭に立つ松本治一郎（大牟田駅前）

『安保体制粉砕、不当弾圧反対、三池を守る総評九州拠点大集会』(1960年7月17日)
10万人の労働者がヘルメットに鉢巻を力強く締めて、全国各地からホッパー広場にむけて汽車、電車、貸し切りバスを連ねて参加した。
[『みいけ　闘いの軌跡』三池炭坑労働組合]

三池労組支援に組合本部を訪れた各組合の鉢巻(1960年7月)
[『みいけ　闘いの軌跡』三池炭坑労働組合]

闘争時解放同盟員が着たハッピ[『全筑後水平社創立70周年記念誌』]

警官隊も組合員に暴力を行使(港務所中央司令室付近　1960年5月12日)

大牟田市の延命公園にある三川鉱災害の慰霊碑［燃える石］

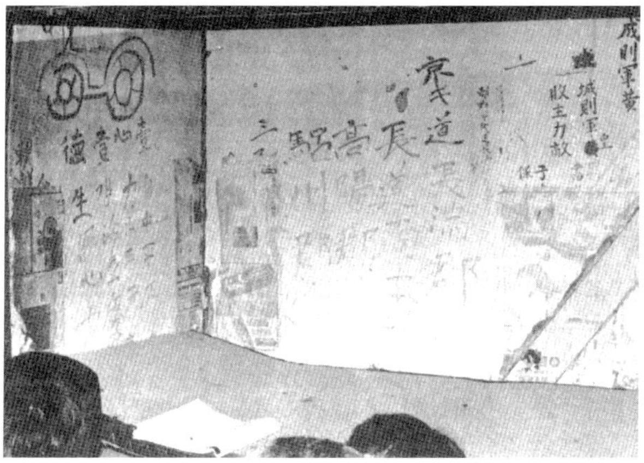

朝鮮人が書き残したと思われる落書き［燃える石］

三井三池炭鉱は囚人労働から始まった。その後、与論島からの移民や朝鮮人労働者、戦時中の捕虜労働などの歴史がある。大牟田には、今なお囚人墓地、与論島記念碑、朝鮮人遺跡が残されている。三池闘争が、「総資本対総労働の闘い」と称されるように、総労働として「総評」が闘いを支援し、総評傘下の各労働組合が組合員を動員した。総評の１億円カンパのみならず各組合は創意工夫して組合員・家族を支援した。ピケ要員への弁当つくり、映画上映会、歌声指導、屋外保育、青空教室で子ども達の教育にもあたった。写真集『たたかい』には、労働組合の名前とともに「解放同盟」の名前もある。

囚人墓地

大牟田市一ノ浦町

広い墓地の片すみに「囚人墓地であったと伝えられている」と書かれた白い立看板が目印。和数字で番号の刻んである四角い荒削りの黒い石がきれいに並んでいて、その無機質な殺風景さはいかにも三池炭鉱で苛酷な苦役を強いられた囚人墓地風だが、正確な裏付けはなく、疑問視する人もいる。この一区画に女性名の石があるのも謎。

※囚人労働　明治時代に入り、近代化を急いでいた日本では貴重なエネルギー資源である石炭の採掘に力を入れた。苛酷な条件のため人手不足は常で、１８７３（明治６）年官営になった三池炭鉱はこのため囚人に目をつけ使役を始め、三井資本にわたってからの昭和初期まで約６０年にわたって続けられた

［燃える石］

与洲奥都城(よしゅうおくつき)

大牟田市昭和町

与論島から石炭の船積み労働などのために移住して来た人たちでつくる「与洲奥都城会」の納骨堂。与洲は与論島。奥都城はお墓の意味。

与論島民が台風や干ばつで苦しんでいた１８９９（明治３２）年、三井資本の募集で三池炭の積み出し港であった長崎県口之津町に１、２００人が移住したのにはじまる。三池港ができていなかった当時、伝馬船で口之津まで石炭が運ばれ、中国や東南アジアに輸出する荷役の仕事に従事した。

１９０８（明治４１）年、三井資本による三池港の完成でおよそ半数が大牟田に移り住み、同様に石炭船積みの仕事を始めたが、周囲からは「ヨーロン」と言われ蔑視されながら、厳しい仕事を割り当てられていた。賃金も地元労働者のおよそ半分に押えられるなど、その労働実態は極めて厳しいものであった。まるで囚人や戦時中の捕虜、朝鮮人、中国人らの強制労働につながるような炭鉱の差別構造のなかで苦しんでいたことを示している。

与論の人達は大牟田市新港町の新港社宅の北半分に集められた。この社宅は船積み社宅と言われた。その社宅は今は取り壊され、貯炭場に様変わりしている。

［燃える石］

炭鉱閉山から鉱害復旧闘争

豊州炭鉱水没事故は、周辺の陥没を誘発し、被害は部落に拡大した。

炭鉱の閉山で取り壊される田川郡川崎町豊前鉱社宅

中央鉱害統一交渉報告

私たち部落解放同盟田川地区協議会代表は昭和41年1月28～29日の両日に亘る政府の同和対策審議会が出した答申の完全実施要求の全国民大会に参加するため上京する機会を更に産炭地筑豊の部落問題、特に鉱害被害より起る、あらゆる部落差別の問題を解決するための斗いを押し進めるべく、会長羽音豊外20名の代表が上京し、関係各省及び大手炭鉱本社と交渉し、今まで斗つて来た、鉱害問題を更に一段と具体的に積上げ成果を多大に挙げることができました
ついてはその上京代表団の中央における交渉の概要をまとめて報告致します。

昭和41年2月1日

前列中央羽音会長
田川地区代表

［田川水平社70周年記念誌］

「ボタ山のある所に部落あり、部落のある所に炭鉱あり」の言葉が示すように、福岡県筑豊の諸問題の基底には部落問題があった。炭鉱の鉱区が多数の部落にまたがり、部落大衆は生涯のどの時期かに炭鉱やその関連の仕事で生計を立てた。また、朝鮮人、中国人、オランダ人、イギリス人などの外国人も炭鉱に地域ぐるみ収奪されながら、慢性的失業労働力を補う炭鉱でもあった。

また、戦後の炭鉱は食糧や物資を炭鉱に優先的に割り当て、労働力確保に努めた。こうして全国から筑豊に人々が集まり、この中にも多数の部落大衆がいた。

1952（昭和27）年夏の不況以降、筑豊の炭鉱は終焉へ歩み始め、石油エネルギーへの急速な転換と石炭需要の激減が炭鉱の「スクラップ・アンド・スクラップ」を加速した。この閉山の影響をまっさきに受けたのが部落大衆であった。

こうして、鉱害、環境破壊と失業が部落に集中した。したがって、筑豊の部落解放運動は、鉱害復旧闘争と就労・生活保障闘争に重点が置かれていった。

鉱害問題、労働問題について交渉を受ける各省の、課長、係員（組坂若記撮影）
［『私の生涯　組坂若記』より］

鉱害問題について関係各省課長、係員と交渉中の私達（松本七郎夫人撮影）
［『私の生涯　組坂若記』より］

飯塚市営墓地内にある朝鮮人無縁仏を追悼するためと
南北朝鮮統一を願う「無窮花堂」

飯塚霊園　追悼文碑

識字運動

このひとときがせめてものすくいだ。失対事業（『あいうえお』からの解放運動』より）

初期の識字学級（田川郡川崎町浦の谷）

高知県の長浜部落で始まった教科書不買運動が教科書無償化闘争に発展した。1964（昭和39）年、小学校１～３年生に教科書無償が実現し、その後順次措置されていったが、教育権の保障が不十分であり、長期欠席などで文字が読めない人々がいた。

1959年、解放同盟福岡県連京都･行橋地区協議会で、解放同盟の綱領を学習したところ、部落解放運動の活動家さえ、文字を読めない人がたくさんいるという差別の実態が明らかになり、このままでは解放運動をすすめることができないと、「開拓学校」が開設された。翌年には、ひと山こえた田川郡香春町にひろがり「識字学級」が開設される。さらに、同郡川崎町の浦の谷では、「同対審答申」の出た直後の1965年９月頃から学級開設の準備がすすめられた。この「識字学級」は文字を奪いかえすだけでなく、自分を変革しながら部落解放に立ちあがる「解放学級」として、燎原の火のように全国に広まっていった。

識字運動の始まり

１９５９（昭和３４）年

部落解放同盟行橋・京都地区協議会・松蔭支部結成
白川小学校側と教育問題について話し合いをする
支部内に無学で文字を知らない人が多いのが、わかった
差別によって文字を奪われたことが、わかった
奪われた文字を奪い返す運動が始まった
識字運動の始まりです

支部員の個人宅の一室を借りて勉強が始まる（薄暗いはだか電球の下）
勉強する場所がほしい
苅田町へ集会所建設要求の運動へと発展をする
白川小学校の古校舎を払い下げ解体をして建設材料にする

１９６１（昭和３６）年１２月２６日松蔭集会所完成

解放学級開設当時の松蔭集会所

［『部落解放同盟苦闘四十年のあゆみ』京都行橋地区協議会］

Ⅶ. 国策樹立運動と同和対策審議会答申（1965年～1974年）

国策樹立請願運動

荆冠旗を先頭に一万人のデモ行進。九州総決起集会

請願行進隊の解散式（1961年10月11日、東京･教育会館）

部落解放の国策樹立にかかる取り組みは、戦後初期から部落解放運動の重要な課題で、一貫して主張されてきた。その闘いは、大きく３つの時期に分けることができる。

第一期は、部落解放全国委員会が結成された後、1951（昭和26）年初めて部落解放国策要請を討議し、「松本治一郎不当追放即時取消、部落解放国策樹立」を掲げて闘われた。

第二期は、京都オール・ロマンス事件を契機に地方自治体における同和対策予算の計上が促進され、解放委員会内部においても国策樹立の具体的な要請が検討されはじめた。1958年には、内閣に部落対策審議会の設置、国会に部落問題解決のための特別委員会の設置などを要求した結果、政府は同和問題関係閣僚懇談会の設置を決めた。国の部落対策予算も当初は厚生省だけであったのが、この年度から文部省が、翌年には農林省・建設省が予算措置を講じはじめた。

以上の国策樹立要求運動の総決算としてもっとも大きな高揚期を迎えるのが、第三期である同和対策審議会設置法の制定の翌年の1961年からである。

部落解放同盟はこの年に国策樹立大行進を行うことを決議し、名称を「部落解放要求貫徹請願運動」とし、あわせて百万人署名運動も開始した。９月11日には請願行進隊（西日本隊）が、福岡市より東京までの1,200㎞の大行進を開始、10月10日に東京で東日本隊と合流した。同日開かれた部落解放要求貫徹国民大会において部落完全解放のための行政要求に関する項目などを決議し、政府各省と交渉を行った。

この運動は、「同和対策審議会答申」完全実施要求国民運動へと継承された。

同和対策審議会答申

部落解放要求貫徹請願運動九州総決起集会（1961年9月11日）

福岡市役所前を出発する西日本隊

門司についた請願行進隊

福岡県宗像郡での行進隊

1961（昭和36）年10月10日、東京芝公園で「部落解放要求貫徹国民大会」が開かれた。そしてこの「国民大会」の１ヶ月後、同和対策審議会が発足する。19人の委員も任命された。民間側委員の運動体からは、北原泰作が選ばれた。こうして「同和対策審議会」は動きだし、総会42回、部会121回、小委員会21回の会議を重ねた末、1965年８月11日、答申を出した。いわゆる「同対審答申」である。前文、本文、結語からなる。政府に対して、同和対策の必要性と早急な実施を求めている。このなかで、もっとも注目されるのは、同和問題は「人類普遍の原理である人間の自由と平等に関する問題であり、日本国憲法によって保障された基本的人権にかかわる課題である」とし、さらに同和問題の解決は「国の責務であり、同時に国民的課題である」として、国の第一次責任を明らかにしている点。以来、この同対審答申は、同和行政・同和教育の基本指針としての役割を果たしてきた。

松本治一郎の永眠

しめやかに行われた松本治一郎の告別式。壇上は弔辞を読む鈴木茂三郎

松本治一郎著

西欧・アフリカ・
中東をめぐりて

── 民族解放のいぶき ──

DROIT ET LIBERTE

Une interview exclusive de M. Juricho MATSUMOTO
dirigeant antiraciste japonais :

Nous sommes tous solidaires dans la lutte contre les discriminations

CE noble vieillard, souriant, amical, qui nous reçoit dans les salons d'un grand hôtel, près des Champs-Elysées, a parcouru des milliers et des milliers de kilomètres, préoccupé de la paix, de la fraternité humaine. Il veut nous dire, pour que nous le fassions savoir ici, à l'opinion publique, comment, à l'autre bout de la terre, des hommes, dont il est, sont traités en parias en raison de leurs origines. Il veut connaître la lutte, menée chez nous, contre le racisme seules des années de lutte ont pu l'amener.

Nous montrant son secrétaire et l'interprète, Japonais également :

— *Ai-je l'air différent d'eux?* nous demande M. Matsumoto en riant.

En fait, pour voir ou créer des différences entre les hommes, les racistes ont un flair particulièrement subtil...

— De quelle facon, la lutte antiraciste est-elle menée au Japon?

— *Voilà trente-quatre ans,* nous dit M. Matsumoto, *que j'ai créé un mouvement de lutte contre les discriminations. Nous appelons à l'union des victimes et au soutien de tous les gens de cœur. Des résultats notables ont été obtenus, mais le combat continue, doit continuer, et il nous faut l'appui des antiracistes du monde entier.*

LE RACISME CONTRE LA PAIX

— Rencontrez-vous d'autres formes de racisme?

— *Il y a un racisme étroitement lié à la guerre. Au cours du dernier conflit, on a tenté d'exciter le sentiment de supériorité des Japonais à l'égard des autres peuples asiatiques vaincus. Et nous pouvons dire que l'emploi de la bombe atomique, au Japon précisément, et les expériences atomiques qui se sont poursuivies après la guerre relèvent d'un certain racisme. D'aucuns considèrent que la vie d'un Jaune vaut beaucoup moins que celle d'un Blanc... .*

« Mais toutes les formes de divisions, de discriminations, sont liées, et toutes favorisent les massacres et les guerres.

— Comme notre Mouvement, qui l'indique dans son nom même, vous luttez donc à la fois contre le racisme et pour la paix.

— *Je suis vice-président du Conseil Asiatique de la Paix et je pense en effet que tout cela est étroitement lié. La conférence de Bandoeng, à laquelle j'ai assisté, a œuvré à la fois contre le racisme et pour la paix.*

« Je pense que la paix seule fera disparaître les préjugés et les discriminations entre les hommes. Nous devons tous nous unir pour l'assurer.

A. L.

解放新聞社

パリでの人種差別反対、ユダヤ人排斥反対国際同盟大会参加とイギリス、ドイツ、チュニジア、アルジェリア、モロッコ、エジプトを歴訪し全世界的な水平運動をすすめた。(1956年3月～5月)［松本治一郎史料］

松本治一郎は、平和運動（広島での原爆反対闘争、福岡板付、沖縄での基地反対闘争など）にも積極的に取り組んだ。

中国訪問を終えた松本治一郎のところに政府から、生存者叙勲内示の話が届いた。治一郎は、こう言って受け取りを拒否した。

「権力と闘ってきた私を、なんと考えておるのか。天皇から叙勲式とか親授式とか、そんなことができるなら、この松本の闘争は存在しなかったはずだ。勲章をほしがり、権威をふりまわそうとする。この考えが部落差別を残すことにつながっている。」

1965（昭和40）年７月の参院選は治一郎の最後の選挙になった。戦前を入れて７回目の出馬である。このとき78歳、選挙演説を「最後のお礼まわり」という言い方をした。支持してくれる人たちを大事にした治一郎だった。

1966年２月14日、治一郎は、福岡の自宅の黒板に「不可侵、不可被侵」の走り書きを残した。絶筆だった。治一郎の根っことして、どしっと張っている筆跡。戦前から欠かさず正月の書き初めに書いた言葉だ。揮毫を求められたときも、これを書く。「不可侵（侵さず）」が最初にあるところがミソだ。人の非を問う前に、まず自分がそうしない、ということだ。周恩来が提唱した「平和五原則」の下敷きになったとも言われる。

３月５日、治一郎は自宅台所で倒れた。その後次々と襲いかかってくる病魔には勝てず、1966年11月22日午前２時58分、身内に見守られながら永眠した。79歳だった。

第23回メーデー（1952年5月1日福岡市東公園）

アジア諸国会議日本代表団（1955年4月10日ニューデリーにて）

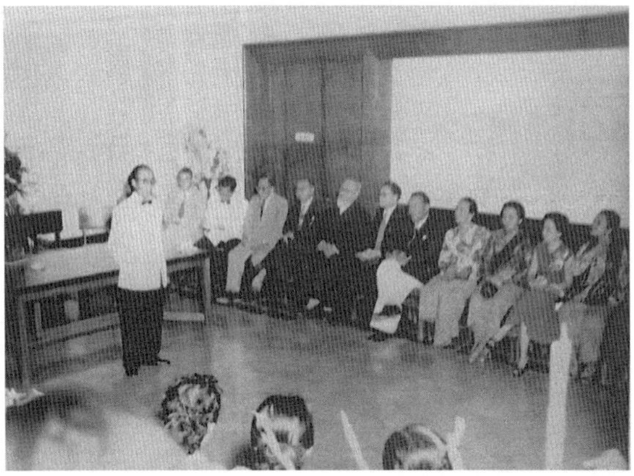
バンドン会議（1955年4月15日）

残留日本人家族と天津にて（年月不詳）

インド訪問時の松本治一郎（年月不詳）

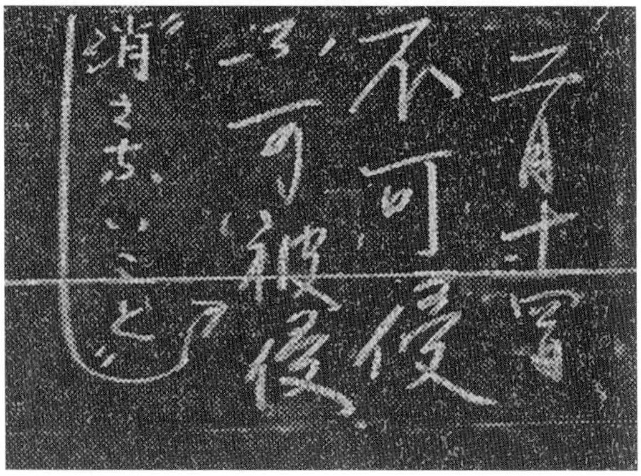

自宅の黒板に書かれた絶筆、〝消さないこと〟とある（1966年2月14日）
［松本治一郎史料］

同和対策事業特別措置法の制定

特別措置法制定を求めての中央集会（1967年10月19日）
［『写真記録全国水平社六十年史』より］

「特別措置法」と狭山はたえず結合して闘われた（1970年12月7日）
［『写真記録全国水平社六十年史』より］

国会への請願デモに出発（1968年12月3日）
［『写真記録全国水平社六十年史』より］

「同対審」答申完全実施要求国民大行進ポスター
［『写真記録全国水平社六十年史』より］

昭和四十八年七月二十日

部落解放同盟鹿児島県連合会

殿

部落解放同盟鹿児島県連総会開催案内

各位には、日夜部落の完全解放を願われ、ご奮斗を賜っていることに厚く感謝し敬意を表する次第であります

全国水平社創立五十年の歴史と伝統に基き「同対審」答申の完全実施と「特別措置法」具体化要求のため積極的な斗争を進めてきたが現状は必らずしも部落差別は解消されず今尚あらゆる差別の壁は余りにも厚く特に重要な段階を迎えております。

この際抜本的な政治政策と地方自治体の[illegible]より一層の[illegible]推進で[illegible]ために具体的な今後の方向を位置づけ部落解放の旗の下に全県市町村組織統一と団結を強化し、部落の完全解放を速かに勝利するため左記のとおり総会を開催することになりましたので公私共ご多忙の折柄誠に恐縮でありますが是非共ご出席下さるよう御案内申し上げます。

記

一、日時 八月九日 午前十一時
一、場所 大口市西水流 市営グランド内 市民集会場（電話 二－二六二五）
一、講師 中央本部 松本英一（全国参議院議員） 福岡県連 高田[illegible]（中央委員）
一、来賓 県民生労働部長 大口市長
一、旅費、中食代は支給します
一、各部落より三名以上の参加下さるよう特にお願い致します
一、自動車駐車場あり

部落解放同盟鹿児島県連総会案内状
同対審答申の完全実施と「特別措置法」
具体化が述べられている（1973年7月）

1965（昭和40）年８月に出された同和対策審議会答申は、結語の中に、とくに緊急を要する課題として、特別措置法の制定、具体的年次計画の樹立などの６項目が掲げた。このことを受けて1969年７月10日「同和対策事業特別措置法」が制定された。同和地区における経済力の培養、住民の生活の安定及び福祉の向上等に寄与することを目的とし、国及び地方公共団体が実施すべき諸々の事業を掲げている。それらに対応する予算措置を講ずることが法的に義務づけられたことは、同和行政史上、画期的な出来事といえる。しかし、10年を期限とする時限立法であったため、強化・延長や法律の実質化を求めて要求国民運動が展開されることとなる。

九州各地の「同和」教育研究協議会の設立

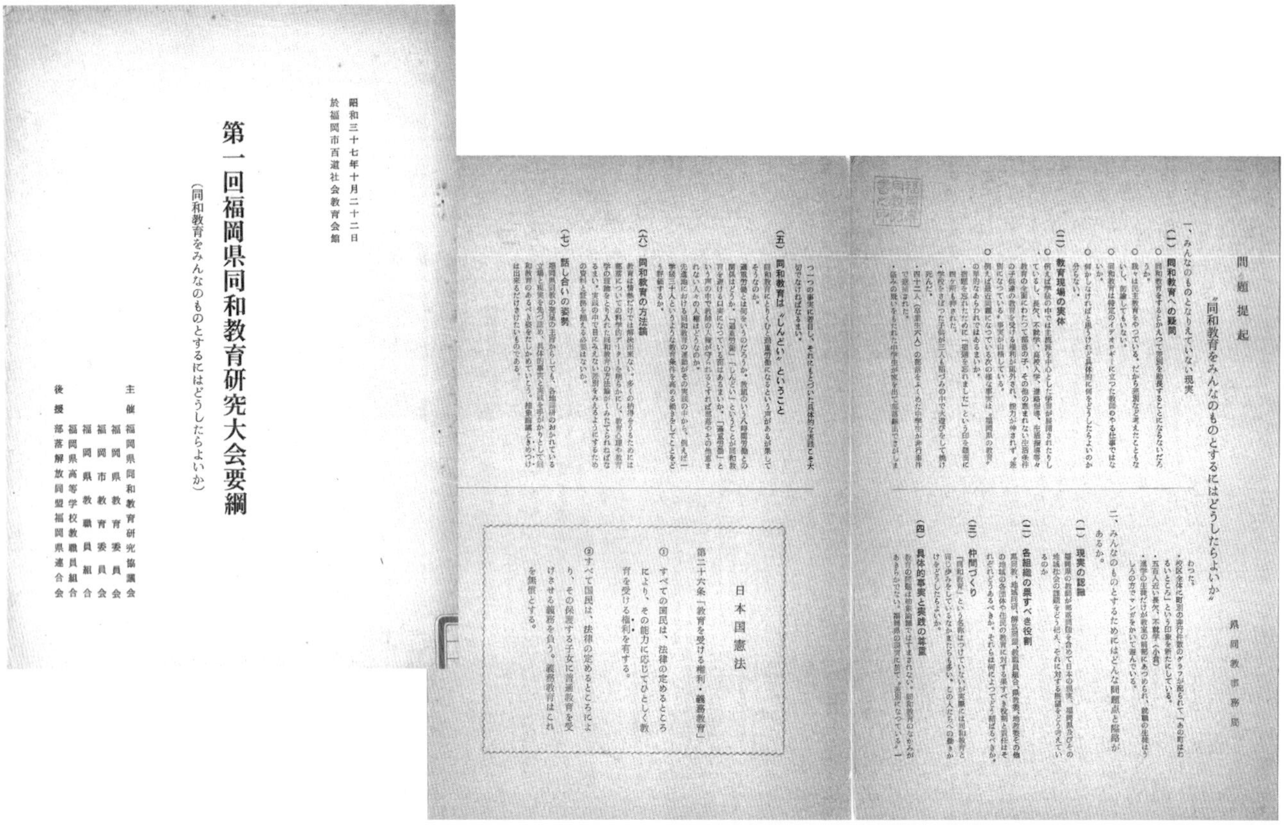
昭和三十七年十月二十二日
於福岡市百道社会教育会館

第一回福岡県同和教育研究大会要綱

（同和教育をみんなのものとするにはどうしたらよいか）

主催　福岡県同和教育研究協議会
福岡県教育委員会
福岡市教育委員会
福岡県教職員組合
後援　福岡県高等学校教職員組合
部落解放同盟福岡県連合会

問題提起

"同和教育をみんなのものとするにはどうしたらよいか"

一、みんなのものとなりえていない現実

（一）同和教育への疑問

（二）教育現場の実体

（五）同和教育は"しんどい"ということ

（六）同和教育の方法論

（七）話し合いの姿勢

日本国憲法

第二十六条「教育を受ける権利・義務教育」

① すべての国民は、法律の定めるところにより、その能力に応じてひとしく教育を受ける権利を有する。

②すべて国民は、法律の定めるところにより、その保護する子女に普通教育を受けさせる義務を負う。義務教育はこれを無償とする。

二、みんなのものとするためにはどんな問題点と隘路があるか。

（一）現実の認識

（二）各組織の果すべき役割

（三）仲間づくり

（四）具体的事実と実践の尊重

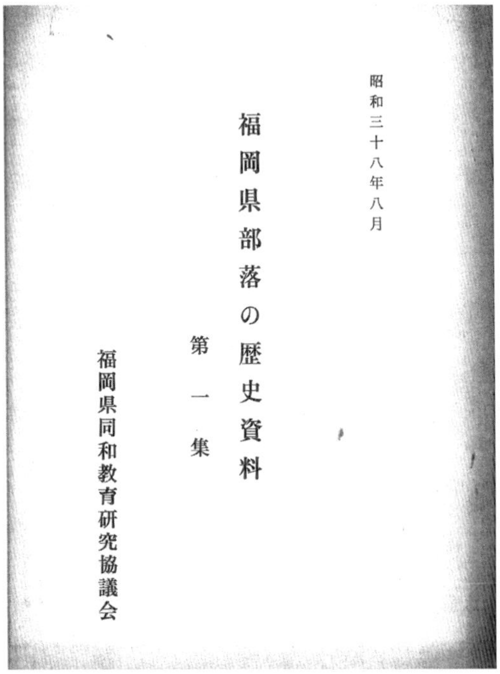
昭和三十八年八月

福岡県部落の歴史資料

第一集

福岡県同和教育研究協議会

部落解放運動の成果として「すべての学校で同和教育の実践を」ということから、1973（昭和48）年度使用中学校、1975年度使用小学校の教科書に部落問題の記述が載った。しかし、「教科書の内容をどう教えたらいいのか分からない」「地元の部落史が分からない」ということから各県、各地で同和教育研究会が結成された。1961年５月福岡県同和教育研究協議会、1970年11月佐賀県同和教育研究協議会、1971年11月熊本県同和教育研究協議会、1974年11月長崎県同和教育研究協議会、1975年12月宮崎県同和教育研究協議会、1976年３月鹿児島県同和教育研究協議会、同年６月大分県同和教育研究協議会がそれぞれ結成され、研究大会や夏期講座などの取り組みが開始された。

第 1 回

熊本県同和教育研究大会総括集

期日　昭和47年10月29（日）
会場　熊本市立錦ケ丘中学校

熊本県同和教育研究協議会

は　じ　め　に

熊本県同和教育研究協議会
会長　塚　本　喜代夫

本年度、県同協最大の事業であり、社会教育、学校教育の両分野を通じ、差別からの完全解放を願う教育内容の創造と実践研究の場でもある本研究集会が開催され完全ではないにしても一応の目的を完了したことを、会員並びに参加者の皆様と共に喜びたいと思います。

同和教育は、部落差別の現実に学びながらその差別の本質を見抜きその上にたってどうしたら解放につながる教育ができるか、その内容を創造し、実践し、実践されたものを討論し、教育条件の整備要求に結びつけ、そして思考錯誤をくり返しながら前進させるものであると思います。このような観点に立って本研究大会をみるとき、『部落』抜き、『差別』抜きの討論がなかったたか、教育実践がなされないままに頭の中だけで考えた解放討論がなされなかったか反省してみる必要があると思います。

熊本県は同和教育の後進県だと、各界、各層からの批判をうけます。そのことは、わたしたち社会教育、学校教育、教育行政者、県市町村の政治及び、一般行政者全員が謙虚に反省することが必要と思いますが、それ以上に考えなければならないことは、熊本県に根深く存在し、今も拡散されつつある部落差別を一刻も早く洗い出し、広い意味の教育の場にさらけ出し、教師、指導者、又県民ひとりひとりの責務としてとらえ、解放への努力をすることだと思います。そのことに対し逃避しようとしたり、否定する態度の教師や行政者がひとりでもいることこそ一番の恥であると考えるべきです。

同和教育は一人の百歩前進より百人の一歩前進こそ必要たのです。前進とは実践です。来年の研究大会こそ参加者全員が実践の上に立って研究討論する場にしようではありませんか。

最後になりましたが、本研究会を開くにあたり、各界、各層の経済的・精神的御援助を深く感謝します。

(1) 第 4 号　　大分県同教ニュース　　1977年3月1日

大分県同教ニュース

No. 4

発行
大分市王子新町3
大分中央公民館内
大分県同和教育研究協議会事務局

県同教第一回研究大会

予想を上まわる参加者546名

多くの成果と課題をもって終わる

去る一月一九日（水曜日）「部落問題が提起する教育上の諸課題を解決するとともに、現代社会に存在するさまざまな差別を排除し、部落解放、人間解放をめざす教育内容の創造とその研究実践を交流しあう」ことを目的とし、特に「同和」教育を全県民のものにするための、県同教と各地同研の組織的なとりくみの強化をねらって、第一回大分県「同和」教育研究大会を開催しました。

各地同研組織からはもちろんのこと、大分市・別府市をはじめとし、県下各地域から「同和」教育の実践を志す方々が多数参加して下さいました。特に、高等学校や県立学校、県並びに市町村教育委員会からも参加者が多く、「同和」教育の課題が徐々に県下全教育関係者にひろがりつつあることを強く感じました。

極めて初歩的であり、しかもささやかな研究大会でありましたが、六郡市同研からの実践報告をもとに、質疑と意見の交換が行われ、多くの成果をあげることができるとともに、また多くの問題点も残しました。このことを、各学校や各同研内にすべて環流し、十分今後の礎にしていただきたいと念じております。

参加者内訳一覧

同研名	人数	郡市名	人数
中津市同研	66	下毛郡	12
宇佐市同研	26	西国東郡	6
宇佐郡同研	16	大分市	50
豊後高田市同研	25	別府市	29
杵築市同研	23	高等学校・県立学校	56
東国東郡同研	44	県教委・市町村教委	44
玖珠郡同研	38	県外	6
大野町同研	8	解放同盟	9
日田市同研(準)	21	その他	12
大分郡同研(準)	7	大会実行委員	21
竹田・直入同研(準)	17	合計	546
大野町を除く大野郡	10		

第 2 回

大分県『同和』教育研究大会要録

部落解放をめざす教育内容を創造し
「同和」教育を全県民のものにしていこう
——県同教・各地同研の組織的なとりくみを強化しよう——

期　日　1977年12月4日（日）
会　場　大分女子高等学校体育館ほか

大分県同和教育研究協議会

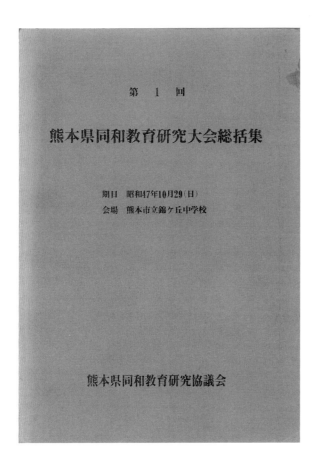

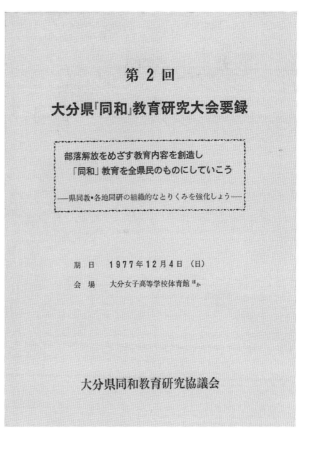

第1回

長崎県同和教育研究集会

要録

■とき ~~1950~~ 1975年2月18日(火)～19日(水)
■ところ 長崎市 自治会館

主催 長崎県同和教育研究協議会
後援 長崎県教育委員会
全国同和教育研究協議会
福岡県同和教育研究協議会
佐賀県同和教育研究協議会
熊本県同和教育研究協議会

2 講座と講師

(1) 講座・会場・自治会館

講座A	門田秀夫氏	全国同和教育研究協議会副委員長
講座B	林力氏	全国同和教育研究協議会副委員長
講座C	磯本恒信氏	解放同盟長崎県連合会委員長
講座D	西口敏夫氏	全国同和教育研究協議会委員長

(2) 分散会助言者

第一分散会（勤労福祉会館）	わたなべひろやす氏	福岡県同和教育研究協議会事務局長
第二分散会（〃）	市丸照美氏	佐賀県同和教育研究協議会事務局長
第三分散会（〃）	古沢千代勝氏	熊本県同和教育研究協議会事務局長
第四分散会（ユースホステル）	井本武美氏	全国同和教育研究協議会事務局員（京都市連協）
第五分散会（〃）	白須義和氏	全国同和教育研究協議会事務局員（奈良県同教）
第六分散会（〃）	荒木康夫氏	全国同和教育研究協議会事務局員（大阪府同教）

1 日程

時＼日	18日（火）	19日（水）
	受付	受付
10:00	開会行事	講座D（西口） ・私と同和教育のかかわり 全国情勢もあわせて
30 11:00	講座A（門田） ・部落の歴史について	
12:00	昼食	昼食 会場移動
13:00 30 14:00	講座B（林） ・同和教育とは何か	分散会 ・同和教育をどうすすめたらよいか
15:00 16:00	講座C（磯本） ・部落の現実と問題点	
17:00		

第2回

佐賀県同和教育研究大会

昭和46年12月6日
唐津会場
12月7日
佐賀会場

日程	
受付	9.30 ～ 10.00
開会	10.00
挨拶	10.00 ～ 10.10（県教委・同研会長）
報告	10.10 ～ 11.00（文部省同和教育研修会）
	小学校の部…古川正徳（北波多小校長）
	中学校の部…渡辺正美（大川中 校長）
実践報告	11.00 ～ 12.00
	小学校…馬場政秋（大川小教諭）
	中学校…市丸照美（唐津二中教諭）
昼食	12.00 ～ 13.00
講演	13.00 ～ 14.30
	「学校教育における差別をどうとらえ、
	同和教育をどうすすめるか」
	大阪府八尾市教育委員会同和指導室長
	川添俊孝先生
質疑	14.30 ～ 15.30
閉会	15.30

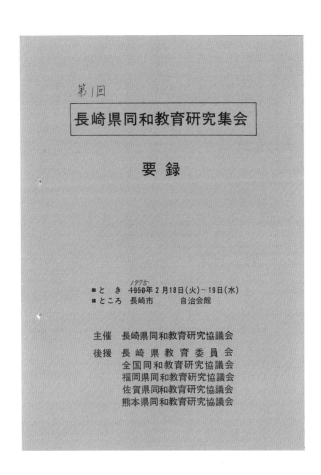

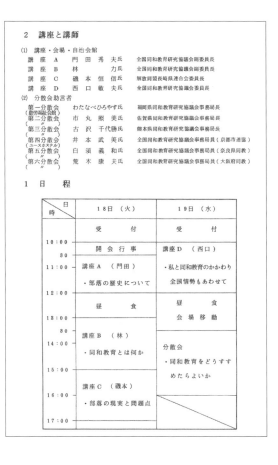

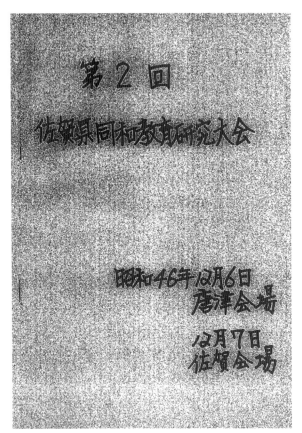

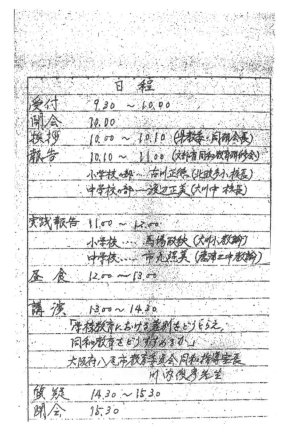

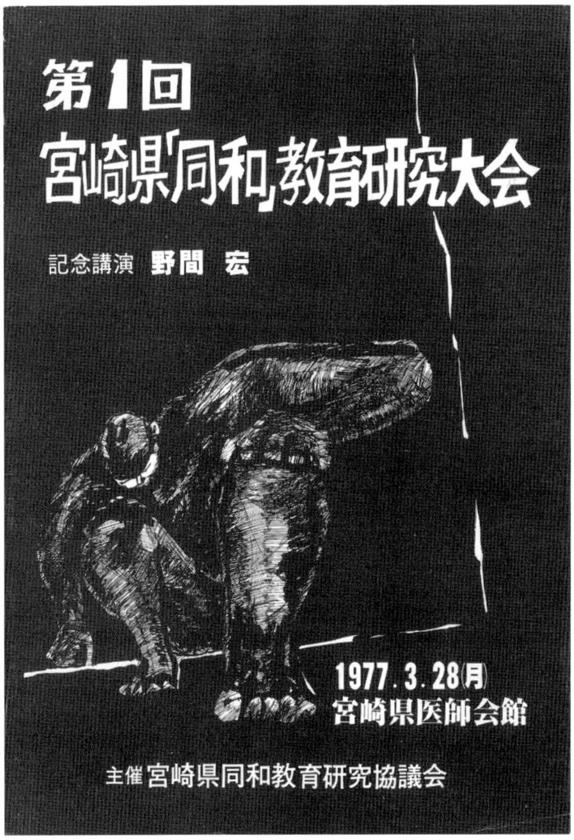

あいさつ

宮崎県同和教育研究協議会
会長　加藤津芳

宮崎県同和教育研究協議会が発足してから1年3カ月、今日、ここに第1回研究大会を開くことができました事に大きな喜びを感じている次第です。

「同和」教育不毛の地と言われた、この宮崎の地にも、延岡、えびのを中心として解放同盟の支部が誕生し、活動を始めました。県同教もこの両解放同盟の支部と連帯し、部落の現実、先進県の実践に学びながら「同和」教育の方向を模索してきました。その間、日向、門川、宮崎、都城、小林に解放同盟の支部が発足し、2月27日、解放同盟宮崎県連合会が結成されて、私達の「同和」教育も大きく発展しようとしています。

しかしながら、現実には大きな差別が厳然として生き続けています。行政差別の結果、回りの下排水が部落に向って流れ込む、雨が降ればすぐ浸水する、塵をとりに来てくれというと清掃車が入らないという狭い道路、4年前にやっと電灯がつきましたという地区、今だに市の回覧板が回って来ないという地区等々、更に「俺達をエタと一緒にするな」という住民感情→そして地区指定反対の町民集会、これが「部落はない」「差別はない」「寝た子を起すな」「なおった傷をかきむしるな」と言われてきた宮崎県の実態です。

この1年の歩みの中で、特にこれといった私達の教育実践もありませんが、県同教7地区学習会で話し合われた事を発表して、皆さんの御批判をあおぎ今後の指針にしたいと思っております。

皆様方の御指導、御鞭撻をお願いし、挨拶といたします。

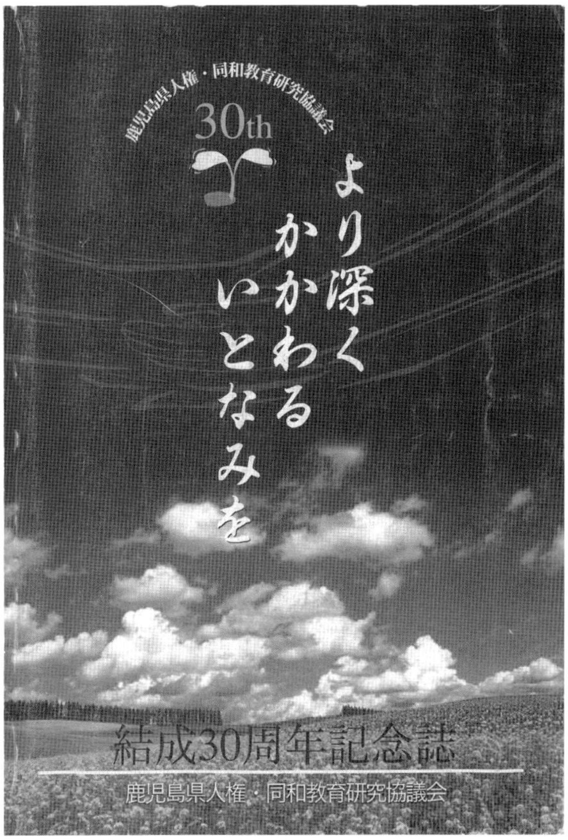

鹿児島県同教の歩み

(1976～2005年)

全同教鹿児島大会以前

1．組織の結成

戦後のめざましい部落解放運動の中でも100をこえる鹿児島県の被差別部落（以下：部落）では組織的な解放運動もなく，1970年代に入るまで同和行政や同和教育もないという「暗黒の時代」が続いた。

1973年，鹿児島県独自の歴史性と風土のなかで閉塞状況にあった部落の人たちは，行政による同対事業の不正流用という犯罪的差別行為に怒りをもって立ち上がり，部落解放同盟鹿児島県連合会（以下：解放同盟県連）を結成した。

1975年，当時の西口敏夫全同教委員長・林 力九同教会長を学習会に招いた鹿児島の教師たちは初めて部落問題をつきつけられ，1976年3月22日，「部落問題を欠落させた鹿児島の民主教育とは何であったのか」という深刻な自己批判のもとに36人の教師たちによって鹿児島県同和教育研究協議会（以下：県同教）を結成した。

部落問題についての深い認識のなかった教師たちは何よりもまず部落に通った。20時間をこえる授業を持ちながら2時間も3時間もかけて県北の部落に通い，語り込み，帰宅は朝方になる。1，2時間まどろんで授業にかけつけるという日もしばしばであった。

部落に通う教師たちは，農村の真中にありながら農地もなくワラ加工品やヤミ米売りで生計をたてる部落，竹根掘りや山芋堀りを主な仕事とする部落の実態を知ることになる。

「差別はもうない」と言われながら，部落産業従事者への差別，結婚差別などが横行していた。また，解放運動に立ち上った人々に「暴力集団」のキャンペーンを張り，解放運動をやめなければ銀行は融資をことわるという差別がまかりとおっていた。

“狭山の黒い雨”上映に際し，部落の親たちは「わしらも同じような差別を受けてきた」と怒りながら，「教師は転勤でいつでも逃げられる。寝た子をおこして誰が最後までみるのか。部落にとって警察と教師は一番の敵だった。」ときびしく糾した。

また，「先生方は部落を乱しにくるのか。担任ももたないような教師は部落に入れない」と拒否する場面もあった。それでも，ひたすらに部落に通いつめ，教師自らの“差別性”への“内なるたたかい”をすすめ，「自覚をもって会員へ」となかまを掘り起こし，地区同教結成に向けて県内を走りまわった。

2．地域の立ち上がりと教育行政

鹿児島県特有の保守的風土と行政の事なかれ主義のなかで，奄美を除く県内のすべての市町村に1～3地区はあるといわれた部落のうち，当初に地区指定を受けのたは17市町村

―13―

全国統一応募用紙と進路保障

公正採用選考人権啓発推進員制度のご案内

◆ 制度の目的

日本国憲法に明記されている「職業選択の自由」を保障し、すべての人々の就職の機会均等が確保されるためには、雇用主が同和問題をはじめとする人権問題を正しく認識し、応募者本人の適性と能力に基づく公正な採用選考を行っていただく必要があります。

このため、本制度では、一定規模の事業所において「公正採用選考人権啓発推進員（以下「推進員」という。）」の設置を図り、この推進員に対し研修等を行うことにより適正な採用選考システムの確立を図るとともに、推進員が中心となって、企業内従業員に対する人権研修の計画・実施等を推進することを目的としております。

平成23年度　新規高等学校卒業者の採用選考に係る不適正事象の例

福岡労働局職業安定部職業安定課

事例

【作文】	家族について（父、母の尊敬できるところ）
	尊敬する人物について
【求人要綱】	二次（三次）面接が求人票に記載されていなかった。
	求人票にない適性検査を実施.
	選考方法にはない作文があった。
	求人要綱にある作文が実施されなかった。
【面接時の質問】	兄弟、姉妹はいますか。
	長男ですか。
	お父さん、お母さん、お姉さん、お兄さんは何の仕事をしていますか。
	家族構成を教えてください。
	尊敬する人物はだれですか。
	親のことをどう思いますか。
	血液型は何型ですか。
	今までに大きな病気をしたことはありますか。
	家族のことを話してください。
	家は農家ですか。
	両親、兄と同居ですか。
	愛読書は何ですか。
	（応募することに関し）親の承諾を得ていますか。
	どういう家に住んでいますか。
	どの辺に住んでいますか（通勤時間）。
	（県外の生徒に）親戚は近くにいますか。
	携帯電話番号を教えてください。
【社用紙】	社用紙の項目に「病歴」、「他に検討した会社」、「最寄駅」等があった。
	アンケート用紙により「健康診断」的なものがあった。
	内容は不適正ではないが（志望動機）社用紙を使用した。
【その他】	大学、専修学校生と一緒の集団面接であった。
	面接時に、本人に「アルバイト採用なら可能である」と伝えた。
	虚偽の不採用理由（取引先の人を雇った）を学校に伝えた。
	身うちの人を雇うこととなった、との理由で不採用となった。
	採否通知の遅れ（一次面接から不採用通知まで1カ月以上かかった）。

平成23年度　新規高等学校卒業者の採用選考に係る
「申合せ」違反事象の概要について（平成24年3月末）

福岡労働局職業安定部

1　違反事象件数

	事業所数		事業所延数							
				内定取消等	作文	求人要項	社用紙（アンケート用紙等）	面接時質問	書類選考	その他
県内	31	（13）	37	3	2	6	2	23	0	1
県外	10	（6）	10	0	0	0	1	9	0	0
計	41	（19）	47	3	2	6	3	32	0	1

（　）内は、学校対応済み。

2　面接時違反事象の内訳

	事業所延数	事象件数								
			本籍	家族の職業・収入	家庭環境・住居	家族関係・生い立ち	思想・信条	宗教・信仰	尊敬する人物	その他
県内	23	37	0	6	7	12	0	0	2	10
県外	9	16	0	3	2	5	0	0	0	6
計	32	53	0	9	9	17	0	0	2	16

3　社用紙（アンケート用紙等）の内訳

	事業所数	事象件数								
			本籍	家族の職業・収入	家庭環境・住居	家族関係・生い立ち	思想・信条	宗教・信仰	尊敬する人物	その他
県内	2	4	0	0	1	0	0	0	0	3
県外	1	1	0	0	0	0	0	0	0	1
計	3	5	0	0	1	0	0	0	0	4

応募用紙とは、新規高卒者が学校経由で求人事業所に提出するよう定められた一括書類のこと。履歴書、調査書のほか、紹介書、趣意書等を含めることもある。就職差別を撤廃するため、1973（昭和48）年に様式が初めて全国的に統一された。子どもたちの進路保障の視点から改正され、96（平成8）年に、本籍欄、家族等欄を削除する大幅改訂が実現した。高卒段階にとどまらず、中卒者には「職業相談票（乙）」、大卒者には「大学用モデル様式」を労働省が定めている。さらに、市販のJIS規格の履歴書にもその趣旨が反映されている。

60年代後半、全国同和教育研究協議会進路保障の部会で、金融機関に集中する就職差別事件が広島、兵庫、奈良、和歌山等各地から報告された。部落出身生徒の叫びと訴えが、それまで求人企業の意向にそっていわゆる「当てはめ」の進路指導をやってきた学校、教師を動かし、部落解放運動の高揚とも結びついて闘いが始まった。しかし、現在も違反事例が数多く報告されているとおり、さらなる啓発が求められている。

狭山差別裁判反対闘争

前列に石川一雄夫妻

［部落解放同盟福岡連合会蔵］

1963（昭和38）年５月１日、埼玉県狭山市で女子高校生殺害事件が発生した。当時は「善枝ちゃん殺し事件」とよばれた。この殺人事件で、部落の青年石川一雄さんが犯人にデッチ上げられた冤罪事件として「狭山事件」とよばれる。2013（平成25）年は50年目となる。

埼玉県警は、身代金を取りに来た犯人を取り逃がした。県警は、特別捜査本部を設置し、機動隊、消防団も動員して大々的な山狩り捜査を行い、善枝さんの死体を被差別部落に近い畑の農道で発見した。地域住民の被差別部落に対する根強い差別意識を反映して、事件発生直後から警察は、被害者の自宅と身代金の受け渡し場所の佐野屋の間に位置した被差別部落出身者の経営する養豚場の関係者に見込み捜査を集中させた。そして、養豚場で働いていた石川一雄さんにねらいをつけ、５月23日の明け方、自宅で「別件」逮捕した。

地元紙の埼玉新聞は、「石川の住む特殊地区環境のゆがみが生んだ犯罪―用意された悪の温床」などと被差別部落を犯罪の温床であるかのように書いた差別記事を掲載した。こうした地域住民の差別意識や警察発表を鵜呑みにする報道の中で、別件逮捕、代用監獄での長期拘留、弁護士との接見禁止など、自白への道が整えられていった。

石川さんは、一審では容疑を認めていたが、64年９月10日、東京高等裁判所における控訴審第１回公判において、無実を主張。このような中、捜査や裁判の有り様が問題視されたが上告も棄却され、無期懲役の刑が確定した。再審請求中の1994（平成６）年仮出獄し、別件逮捕以来31年７ヶ月ぶりに故郷に帰った。無実の石川さんの仮出獄を一刻も早く実現すべきだという幅広い世論と部落解放同盟を中心とする大衆的な運動、国会議員、弁護団の積極的な取り組みによって実現したものである。その後も、狭山の教育課題と再審開始の課題の解決に向けて取り組まれている。

あいつぐ差別事件(戦後)

[部落解放同盟福岡連合会蔵]

一九九〇年版
全国のあいつぐ差別事件
部落解放基本法制定要求
国民運動中央実行委員会 編・発行

全国のあいつぐ差別事件
一九九〇年版
部落解放基本法制定要求
国民運動中央実行委員会 編・発行

定価 1,300円+税39円
(税込価格 1,339円)
0036—901105—1095

発売元
解放出版社

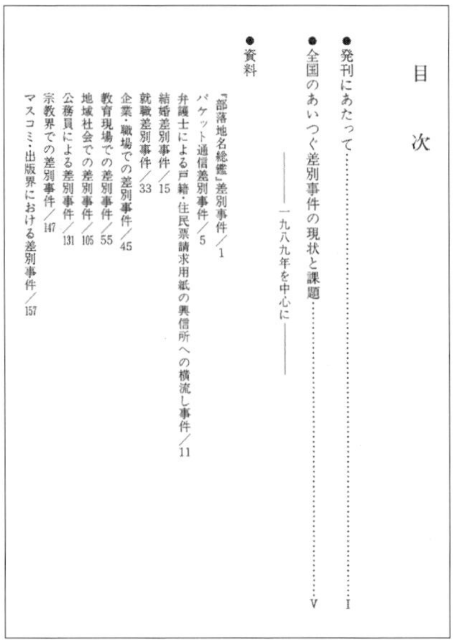
目次

●発刊にあたって……I
●全国のあいつぐ差別事件の現状と課題……V
——一九八九年を中心に——
●資料
『部落地名総鑑』差別事件/1
パケット通信差別事件/5
弁護士による戸籍・住民票請求用紙の興信所への横流し事件/11
結婚差別事件/15
就職差別事件/33
企業・職場での差別事件/45
教育現場での差別事件/55
地域社会での差別事件/105
公務員による差別事件/131
宗教界での差別事件/147
マスコミ・出版界における差別事件/157

■子どもたちの「長期欠席」

「長欠」「不就学」を自分の問題としてとらえきれない教職員や、「同和問題の解決は行政の責任」ととらえきれない自治体職員が、あいついで差別事件を起こした。「わが子や孫には、同じ差別を味わわせたくない」と部落大衆が立ち上がり「差別事件」を提起してきた。糾弾学習会で、部落大衆から厳しい指摘を受けて、自らの誤りや不十分さに気づき、自らの生き方を再生した者は多く、糾弾闘争の価値は今も大きい。

［部落解放同盟福岡連合会蔵］

曹洞宗宗務総長差別発言についての確認・糾弾会（1981年1月、大阪）
［提供　解放新聞社］

福岡県における相次ぐ差別事件

1990年10月

1 大蔵住宅に係わる差別ビラ大量配布事件 №1～№3
2 福岡通産局職員差別発言事件 №4
3 穎田町立病院医師差別発言事件 №5
4 自衛隊広報官差別発言事件 №6
5 弁護士による戸籍謄本等請求用紙大量横流し事件 №7～№8
6 高度情報化社会の新たな手口による差別事件（パソコン通信）差別事件 №9～№11

部落解放同盟福岡県連合会

部落解放同盟福岡県連合会作成（1990年10月）

発刊にあたって

私たちの国民運動は、不十分ながらも「地対財特法」という成果をえていらい、三年半がたち、残り一年半となりました。これまでの運動の成果をうけつぎ、「地対財特法」を足がかりに、その限界性・不十分性を明らかにすることによって、「基本法」の必要性を、いっそう明らかにしなければなりません。

本年は、同和対策審議会答申が出されて二五年という節目にあたります。

この二五年間に、たしかに一定の改善はは[か]られたというものの、環境改善事業に重点がおかれ、産業、就労、教育、生活の向上、そして差別意識の払拭について、まだまだ深刻な課題や問題があります。とりわけ、結婚差別や就職差別をはじめ、あいつぐ差別事件の現状には深刻なものがあります。

これらをふまえ、「同対審答申」の精神をうけつぎ、「同和」問題の根本的な解決をはかり、真に平和にして民主的な社会を実現するために、「部落解放基本法」の制定を実現しなければなりません。

部落解放の運動は、国内はもとより全人類のいっさいの差別撤廃と切り離しがたいとりくみであり、国際社会での人権尊重・差別撤廃の運動にも連帯するものでなければなりません。

今こそ時代をこえ、国や地域をこえて、世界のすべての人びとと共有する人権意識にたって「部落解放基本法」制定要求のいとなみを、国民運動として、さらに着実につみあげてまいりたいと思います。

なお、本書は一九八九年に生起した全国の差別事件のうち、比較的事実関係が明確で典型的な事件をもとに編集されております。厳しい差別の実態を広く知っていただき、各方面で広く活用されることをお願いする次第です。

一九九〇年一〇月

部落解放基本法制定要求
国民運動中央実行委員会
会長　大谷光真

隣保館活動

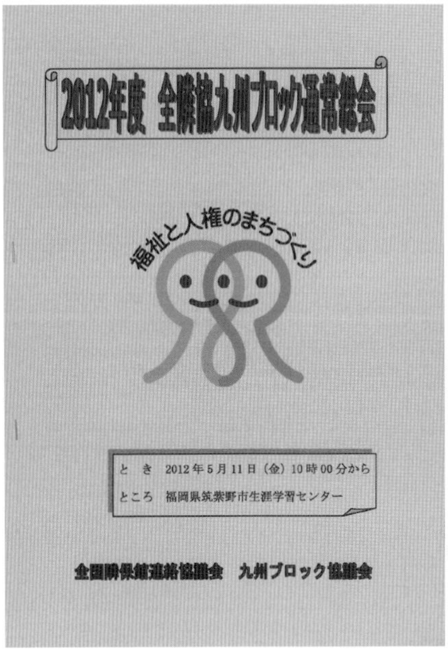

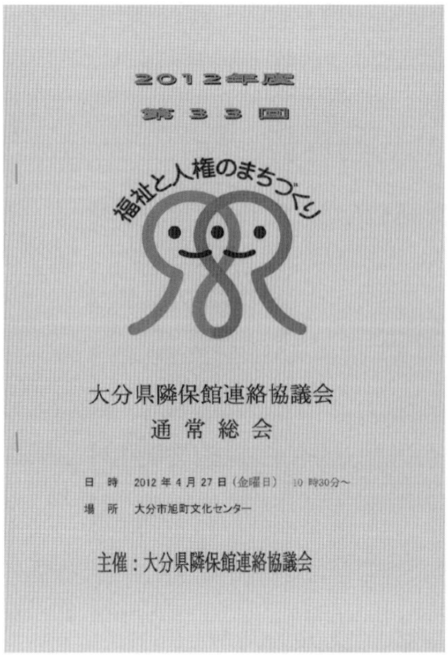

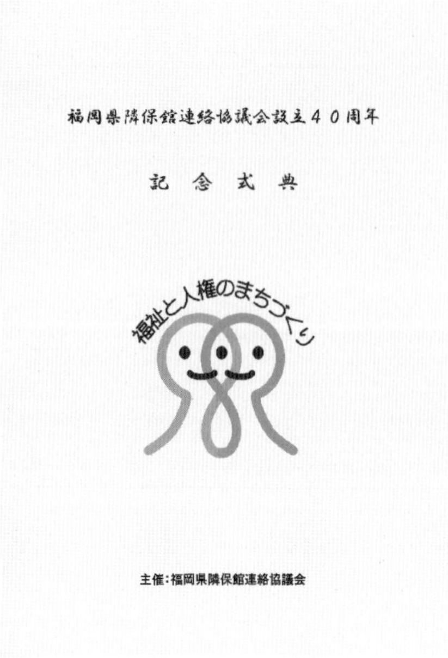

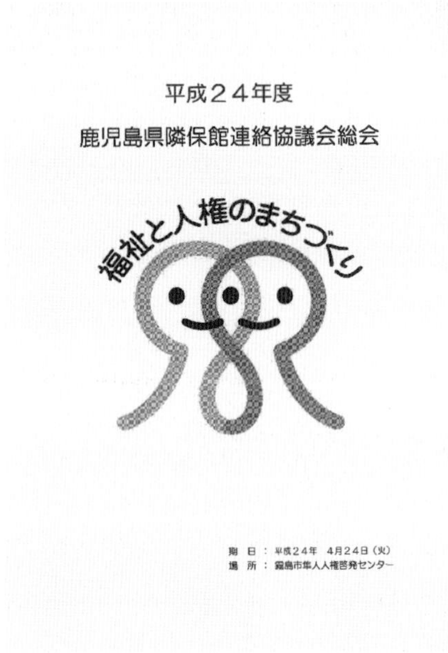

隣保館は、同和地区及びその周辺地域の住民を含めた地域社会全体の中で、福祉の向上や人権啓発のための住民交流の拠点となる地域に密着した福祉センターとして設置された。生活上の各種相談事業をはじめ社会福祉等に関する総合的な事業及び国民的課題としての人権・同和問題に対する理解を深めるための活動を行い、もって地域住民の社会的、経済的、文化的改善向上を図るとした。第二次大戦前は米騒動や全国水平社の結成によって部落問題が政府をはじめ広く社会一般から重大な社会問題と認識されたことが背景にある。

1958（昭和33）年社会福祉事業法の改正によって隣保事業の法制化がなされた。また、59年5月8日、同和問題関係閣僚懇談会において同和対策要綱が了承され、いわゆるモデル地区事業としての隣保館設置が記述された。翌60年度から同和地区隣保館への運営費補助制度が実現すると、各地に隣保館の設置が進んだ。

各地の「部落解放（史）研究会（所）」等の設立

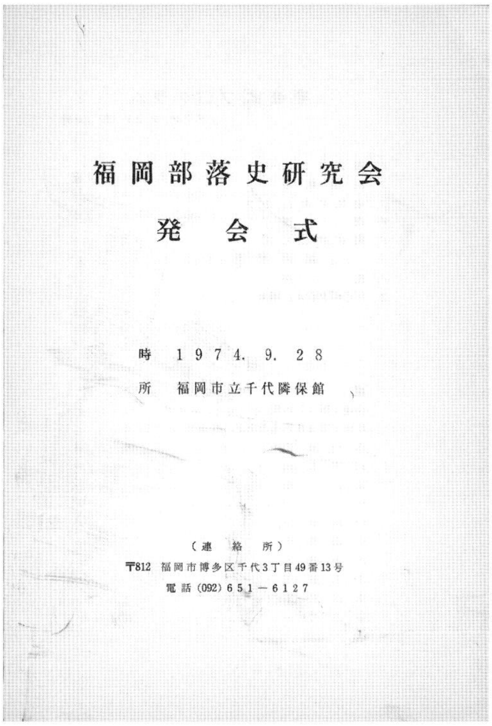

福岡部落史研究会

発 会 式

時 1974. 9. 28

所 福岡市立千代隣保館

（連 絡 所）

〒812 福岡市博多区千代3丁目49番13号

電話（092）651－6127

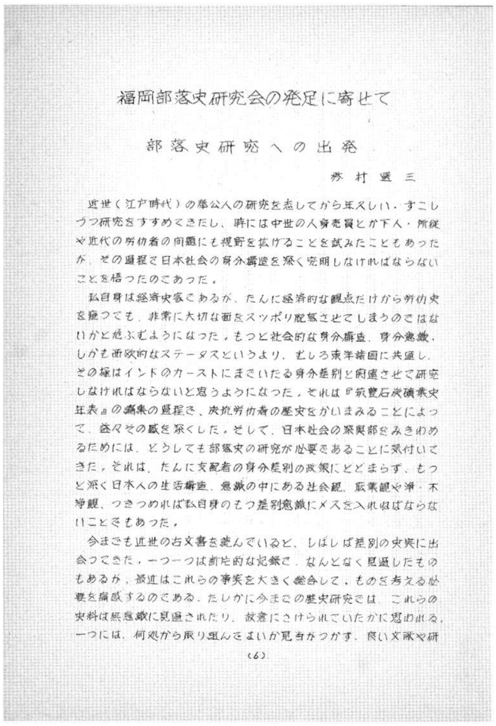

福岡部落史研究会の発足に寄せて

部落史研究への出発

秀村選三

近世（江戸時代）の奉公人の研究を志してから年久しい．すこしづつ研究をすすめてきたし、時には中世の人身売買とか下人・所従や近代の労働者の問題にも視野を拡げることを試みたこともあったが、その過程で日本社会の身分構造を深く究明しなければならないことを悟ったのであった。

私自身は経済史家であるが、たんに経済的な観点だけから労働史を扱っても、非常に大切な面をスッポリ脱落させてしまうのではないかと危ぶむようになった。もっと社会的な身分構造、身分意識、しかも西欧的なステータスというより、むしろ東洋諸国に共通し、その極はインドのカーストにまでいたる身分差別と関連させて研究しなければならないと思うようになった。それは『筑豊石炭礦業史年表』の編集の過程で、炭坑労働者の歴史をかいまみることによって、益々その感を深くした。そして、日本社会の深奥部をみきわめるためには、どうしても部落史の研究が必要であることに気付いてきた。それは、たんに支配者の身分差別の政策にとどまらず、もっと深く日本人の生活構造、意識の中にある社会観、職業観や浄・不浄観、つきつめれば私自身のもつ差別意識にメスを入れねばならないことでもあった。

今までも近世の古文書を読んでいると、しばしば差別の史実に出会ってきた。一つ一つは断片的な記録で、なんとなく見過したものもあるが、最近はこれらの事実を大きく総合して、ものを考える必要を痛感するのである。たしかに今までの歴史研究では、これらの史料は無意識に見過されたり、故意にさけられていたかに思われる。一つには、何処から取り組んでよいか見当がつかず、良い文献や研

（6）

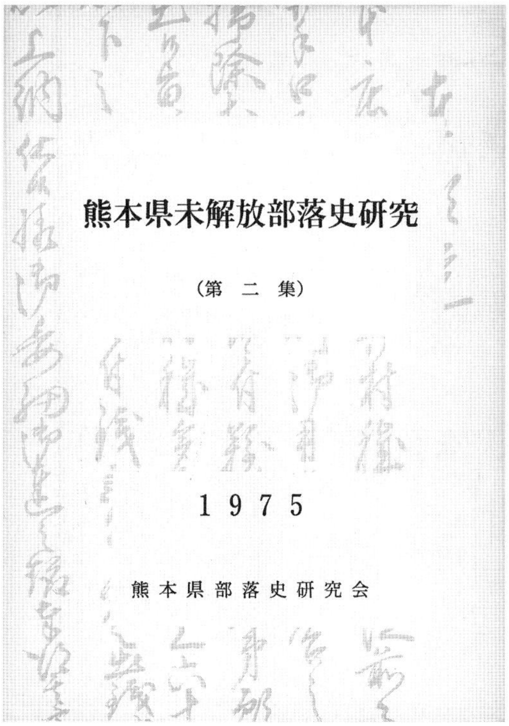

熊本県未解放部落史研究

（第二集）

1975

熊本県部落史研究会

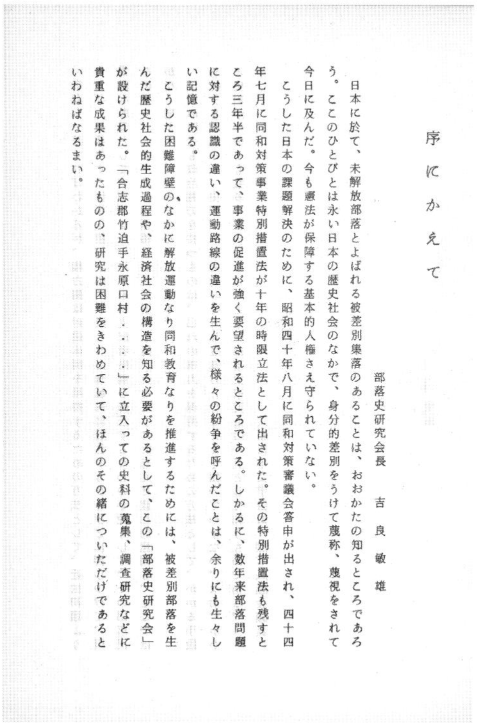

序にかえて

部落史研究会長 吉良敏雄

日本に於て、未解放部落とよばれる被差別集落のあることは、おおかたの知るところであろう。ここのひとびとは永い日本の歴史社会のなかで、身分的差別をうけて蔑称、蔑視をされて今日に及んだ。今も憲法が保障する基本的人権さえ守られていない。

こうした日本の課題解決のために、昭和四十年八月に同和対策審議会答申が出され、四十四年七月に同和対策事業特別措置法が十年の時限立法として出された。その特別措置法も残すところ三年半であって、事業の促進が強く要望されるところである。しかるに、数年来部落問題に対する認識の違い、運動路線の違いを生んで、様々の紛争を呼んだことは、余りにも生々しい記憶である。

こうした困難障壁のなかに解放運動なり同和教育なりを推進するためには、被差別部落を生んだ歴史社会的生成過程や、経済社会の構造を知る必要があるとして、この「部落史研究会」が設けられた。「合志郡竹迫手永原口村・・・」に立入っての史料の蒐集、調査研究などに貴重な成果はあったものの、研究は困難をきわめていて、ほんのその緒についただけであるといわねばなるまい。

部落解放史の研究は近畿地方で始められた。遅れて出発した九州で、部落の歴史を「生産と労働」と位置づけたのは、福岡の松崎武俊だった。また、「すべての学校で同和教育の実践を」という部落解放運動の成果として、教科書に部落問題の記述が載るようになると「地元の教材で部落の子どもに胸を張らせたい」と研究がさらに進み、各県、各地で部落解放（史）研究会（所）などが結成された。1974（昭和49）年９月福岡部落史研究会、1979年11月長崎県部落史研究所、1980年12月熊本県部落解放研究会（1974年熊本県部落史研究会は結成）、1983年３月大分県部落解放研究会、1983年８月佐賀部落解放研究所、1986年４月鹿児島県部落史編さん委員会、1987年12月宮崎県同教部落史専門部会がそれぞれ結成され、研究や教育・啓発活動が進んでいる。

佐賀部落解放研究所紀要

—部落史研究—

●佐賀県の部落史研究 …………………………… 米倉利昭 …… 1
— その対象と方法 —

●部落と宗教 …………………………………… 日野賢隆 …… 8

●諫早家資料日記類にみる
元禄元年から五年に至る記事について …… 大園隆二郎 …… 57

●江戸期古地図に現われた被差別部落 ………… 大島恒彦 …… 66

●佐志村大庄屋記録 …………………………… 成富信義 …… 76
—「官事細録」— をめぐって

1

1984. 3.

編集後記

当研究所設立して八カ月を経た、さまざまの陰に陽にの支えを得て新しい史料を手にしている。

部落の完全解放への資材として、この史料をどう読みとり、どのように理解してもらうのか — 研究所の任務は愈々重きを増してくる。

「部落史」は、なまじっかに読解してはならない。歴史と未来、過去と将来の接点の「現在」に、読む私は在るのだということを忘れてはならないのではないだろうか。

石の上に座す思いで懇願して資料の拝観を申し出ても門前払いを喰い、幾度となく足をはこんでやっと目にすることが出来た史料は単なる一般の藩令の写し書きであったりなどなど……笑えない、だが何となく笑いがこみあげてくる史料さがしをくり返しながら、一点の資料を手にして、その読解に時を忘れる — それは研究所の生きがいのひと時である。

それらを紹介しながら、読者に感得してもらうことも大きな仕事だが、その一点の史料を、どこまでも深く読みとり — どのように読みとっていくかが問われなければならないと思う。

紀要として部落史研究の創刊号を世に問うのだが、それぞれの研究員の読みとりを深考していただきたいものである。

史料にたいしている研究者の生身がおのずからあらわれているものを立脚点として更に自己の解放運動の立脚点とされんことを祈りたい。

— 事務局記 —

部落史研究 第一号

発行 一九八四年三月八日
佐賀部落解放研究所
理事長 米倉利昭
〒847 唐津市栄町二五八八番一一
佐賀県解放会館内
☎ 〇九五五七—四—四六三九

印刷 (有)弘文社印刷 ☎ 二三—五六〇三
〒840 佐賀市天神二丁目四—一一

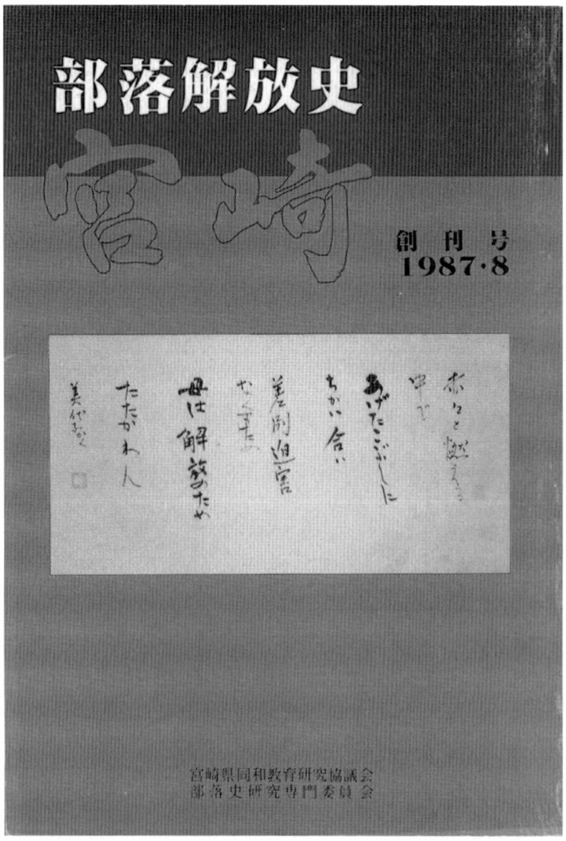

発刊にあたって

宮崎県同教部落史研究専門委員会
委員長 曽我 努

久しく待ち望んだ研究誌「部落解放史　宮崎」の発刊を部落史研究専門委員会として喜びたいと思います。

私たち部落史研究専門委員会は、宮崎県同教の研究分野の一翼として設立されて以来、宮崎県の被差別部落にかかわる史実の調査、研究をしてまいりました。設立当時、全国的な研究は相当な段階までに進んでいるものの宮崎県の実態はほとんど手付かずの状況で、私たち部落史研究専門委員会も、何を何処から如何にして研究に取り組むかまさに暗中模索といった具合でした。「差別と貧困」という視点から被差別部落の歴史をみるのではなく「生産と労働」という面から被差別部落民大衆の生きざまを追求した福岡部落史研究所の故松崎武俊氏のご指導が私たちの研究の指針でありました。とにかく資料の収集からといって宮崎、延岡、都城、高鍋の図書館に出掛け蔵書を調べました。また、被差別部落にある神社のことや古老の話を聞きました。部落史研究専門委員会のメンバーは、県内の小中高校に勤務する教員ですので、授業の合間に調査研究をするといった非常に時間的にも窮屈で気苦労の多い毎日でしたが、着実に研究の成果を上げることができました。

同対審答申に「同和問題の解決は国の責務であり、国民的課題である」と、その重要性が強調されています。しかし、私たちの身の回りには、部落問題に対する予断と偏見が、依然として残っています。私たちは、宮崎県内における被差別部落の歴史を少しでも掘り起こし、正しい部落史を提示することにより、今も厳しく残っている部落差別の解消と真の民主主義を確立するために寄与したいと思っております。

本研究誌が学校教育や社会教育、部落解放運動などに携わる人たちをはじめ、広く県民各位にご活用いただければ幸いに思う次第であります。

おわりに、創刊号の発刊に協力いただきました関係者に対し衷心より厚くお礼を申し上げるとともに、今後とも研究誌に対するご支援ご協力をお願い申し上げます。

一九八七年八月二八日

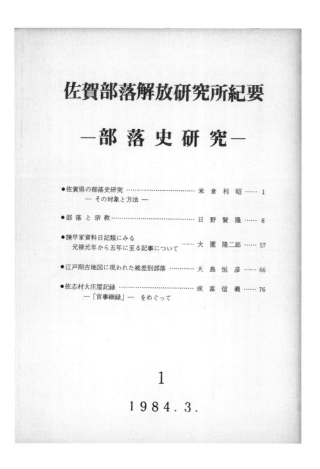

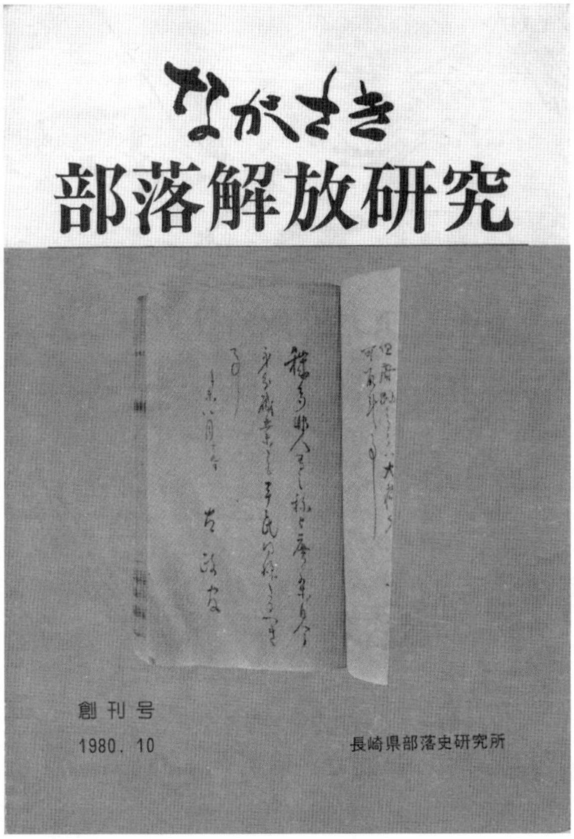

刊行によせて

日本国憲法が保障する基本的人権にかかる国民的課題である同和問題が、徳川三百年の幕藩体制崩壊後百年を経、漸くにして、未解決に放置されることは断じて許されないことであり、その早急な解決こそ国の責務として、国及び地方公共団体が迅速かつ計画的な行政施策を講じ得べく「同和対策事業特別措置法」が制定されるに至るまで、多く人びとが苦難の道を歩まねばならなかったことは、心に深く留めておかねばなりません。

一九二二（大正十一）年、全国水平社が結成されて全国に散在する被差別部落の人たちへの団結の呼びかけがなされてから六年後、長崎においても水平社が設立されて、福岡・熊本の各水平社とともに連帯し、差別糾弾闘争などの解放運動を積極的に行ってきた経験は、戦後再興された部落解放運動への大きな教訓となって生かされています。

なかでも、「福岡聯隊襲撃」陰謀の容疑で逮捕され、懲役刑の一審判決を受けた松本治一郎氏らの長崎控訴院への上告審提訴は、度重なる軍隊内の「虐殺的差別」に対する軍隊差別糾弾闘争への不当なる弾圧にも屈しない抗議行為として、長崎における水平社の結成及び活動に大きな刺激と励ましを与えてくれました。

原爆被災によって、多くの身寄を失ない、居住権すら奪われて、戦後長らく散在を余儀なくさせられた浦上地区の被差別部落の人たちが、ふたたび結集し、解放運動へ起ち上ることが出来たのも、戦前における水平社運動の大なる遺産のお陰であります。

私たちの長崎県部落史研究所が、昨年十一月の発足後一年を経ずして、機関誌「ながさき部落解放

（部分）

発刊のことば

大分県部落史研究会では、このたび、会の機関誌『おおいた部落解放史』を発刊しました。

本誌は、県部落史にかかわる史実の調査、研究をとおして得られた成果を広く県民のものとすることによって部落の完全解放に寄与しようとするものであります。

申すまでもなく部落史研究は、国民的課題である部落問題のよって来るところを明らかにすることによって、世人の予断と偏見を打破するとともに、真の民主主義を実現する方途は何かを見出していくことにその意義と課題があるものと考えます。

本県では、大分県の被差別部落がどのように形成され存続したか、全国水平社創立の翌々年に成立した大分県水平社がその後どのような展開を見せたか、また、「融和事業」が被差別部落の人たちの生活にどのような影響を及ぼしたかなどの歴史的な究明がほとんどなされていないのが現状ではないでしょうか。

このたび創刊した機関誌は、そうした部落問題の本質にかかわることがらの解明に一歩でも近づこうとするものであり、部落史研究の視点を明らかにしていこうとするものでもあります。

本誌が学校教育や社会教育、部落解放運動などに携わる人たちをはじめ、広く県民各位にご活用いただければ幸いに存じる次第であります。

おわりに、機関誌を刊行するにあたり物心両面からご協力をいただいた大分県および関係市町村、部落解放同盟大分県連合会など関係機関に対し衷心より感謝申し上げます。

なお、創刊号にご投稿いただいた皆様に厚くお礼を申し上げますとともに、今後とも機関誌に対するご支援・ご協力の程をお願い申し上げます。

一九八三年一二月一五日

大分県部落史研究会会長　長木次男

刊行のことば

このたび、『論集　長崎の部落史』を刊行する運びとあいなりました。

これは、わが長崎県部落史研究所が毎年二回刊行してきた『ながさき部落解放研究』の中から近世・近代の部落史に関する論文を抜粋してまとめた論文集であります。

長崎県に再び解放の火が燃え上がってから二十年が経過しておりますが、この間、全国的に部落解放運動が広がり、その成果として部落史の研究も大いに進み、九州にも各県に部落史の研究機関が設けられて、九州における部落の歴史も次第に明らかになってきました。

それは、一口に言えば部落の歴史は画一的ではないということです。部落の起源、部落に対する呼称、部落の主たる職業、部落に対する支配構造などは様々であります。

それ故、各部落ごとに丁寧に歴史を調べていかねばなりません。

幕府の直轄であった長崎、譜代大名の支配地であった南高・島原、佐賀藩の飛び地であった諫早・深堀・土着の宗、松浦、大村、五島の各外様大名の支配していた、対馬、壱岐・松浦・北松・平戸・佐世保、大村・東彼・西彼、五島列島からなる長崎県には六十余の部落があると言われています。しかし、その多くは極めて小規模です。

一九四〇年（昭和十五）、島原で開催された「融和事業中堅人物養成講習会」において、協議事項の一つとして長崎県から「小地区ニ於ケル融和事業ノ指導方針ニ付承リ度」が提出されているように、少数点在の部落が沢山あり、これらの部落の歴史を解明し、解放を進めていくことは大変困難です。

しかしながら県内すべての部落について、その解明を進めなければ部落の完全解放を実現することはできません。

私どもの力の足りなさから、これまでに解明できた県内の部落の歴史はほんの一部にしか過ぎません。本書の刊行には、このことによって県内外の多くの人々に関心をもっていただき、不十分な研究体制にたいして一層のご協力をお願いしたいという気持ちが込められています。

今後より一層努力して、今回掲載することのできなかった残り大部分の部落の歴史について明らかにしていくことに本書の刊行が大いに寄与できればと期待しています。

どうか、この趣旨を汲み取っていただき、これまで以上のご協力を頂ければ幸いです。

藤澤　秀雄

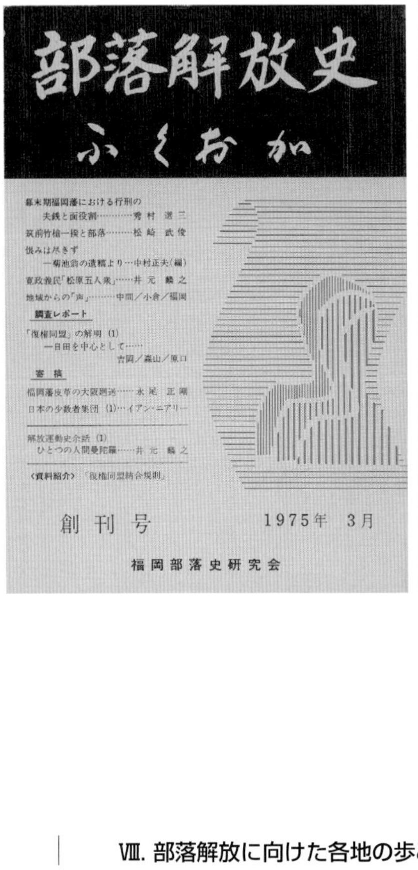

創刊の辞

福岡部落史研究会
会長　中村正夫

われわれの福岡部落史研究会が、「福岡県を中心として、被差別部落の生成、部落解放運動の歩み、『同和』教育運動の発展にかかわる史実を調査、研究し、その成果を広く全県民のものとすることによって、部落の完全解放に寄与することを目的」として発足したのは、一九七四年九月二八日のことであった。じらいほぼ半歳にして、ここに機関誌「部落解放史・ふくおか」を創刊する運びとなった。本会の同人はもとより、部落解放運動に結集するすべての人びとと共に、その喜びをわかち合いたい。

部落史および部落解放運動史の研究は、部落解放運動の前進につれて、ますますその必要に迫られている。たしかに第二次大戦前の水準に比較すれば、こんにち研究は大きく進展したといえる。しかし、それも多くは関西地方をはじめ、いくつかの限られた地域についていえることであり、しかも全体としてみれば、まだ未確定の問題が山積しているのが実情である。部落解放運動の理論構築と実践に十分資するような歴史ないし歴史認識が、今後における早急な研究の蓄積に期待されているゆえんである。

こうした部落史研究の一般的な立ちおくれは、福岡県あるいは九州全体を見渡したばあい、いっそう甚しいものがある。それは二重の意味において、深刻な問題をわれわれに投げ掛けている。その一つは部落差別の歴史的社会的な重みに関することであり、いま一つは研究活動の遅滞に関することである。

福岡県の被差別部落は、その人口地区数において、全国でも有数の地位にある。にもかかわらず、その生成過程や各藩の部落政策についてはほとんど未知の状態にある。また近代以後における福岡県の資本主義的発展と部落の関連は、部分的に照射されているにすぎない。ひるがえって部落解放運動の実践の歴史を見たばあい、福岡県は「部落解放の父」松本治一郎氏をはじめ、多数の有力な活動家を輩出している。しかし、そうした人びとの足跡を辿りながら、実践に学ぼうにも資料はあまりにも不完全である。このように、福岡県においては、部落差別の実態とそれへの抵抗の歴史が、きわめて大きい比重をもっているにもかかわらず、これまで組織的意図的な研究活動はほとんどなされてこなかったという問題がある。

その責任の大半は、地元研究者の怠慢に帰せられよう。福岡県における部落史および部落解放運動史の研究は、むろん皆無ではない。逐次ある程度の進展をみていることは事実である。しかしそれは、おおむね県外の研究者の手になるものである。そのため、往々にして地域的な体系性を欠き、部分的断片的史実の片寄った解釈がなされているばあいもある。そのこと以上に、地域にとって問題なのは、そうした県外の研究者の業績は、特別の関心を持つ人以外、容易に参照することができにくいという点である。そのためもあってか、「同和」教育資料等の刊行物には、間々〝借り物〟の史実が盛り込まれていることもある。

われわれは当面、そうした福岡県における研究の立ちおくれを挽回すべき急務に逢着している。その認識にもとづいた具体化の方途が、福岡部落史研究会の結成であり、「部落解放史・ふくおか」の刊行等である。しかし何分にも、責任の重大さに比すれば、われわれ同人の力量は乏しく、その思想性においても落差がある。いまはまず、最初の一歩を踏み出したところである。

そのことに関連して、われわれの立場について多少とも明示しておきたい。本会はいうまでもなく研究団体である。したがって、調査研究が第一義的な任務であり、その点で運動の実践とは相対的な独自性をもち、またもつべきものと考える。間接的ではあれ、それがかえって部落解放運動の理論と実践の深化に役立つと思うからである。研究活動は概して地道であり、些細な事実に拘泥する。しかしそれが蓄積され、体系化されたときにものをいう。そういう意味で、本誌がささやかなりとも部落の完全解放にいたる新しい道標の一つとなり得ればと期待するものである。

最後に、本会に対しては、福岡県、福岡市ならびに北九州市より多大の補助金交付がなされた。本誌の刊行もそれによって実現することができた。記して謝意にかえることとする。

一九七五年三月

まえがき

本書は、鹿児島県における被差別部落の歴史、社会、経済、文化等に関する調査を行い、部落の形成を歴史的に解明することによって、その差別の不合理性や偏見をなくし、同和問題の正しい理解と認識を県民の方々に深めていただくことを願って、昭和六十一年に『鹿児島県の部落史』を発刊することを計画したものであり、そのための組織として学識経験者、運動団体の代表者、行政関係者からなる部落史編さん委員会を設置して六年間を費してとりまとめたものであります。

言うまでもなく、人間は生まれながらにして自由であり、人間として幸せに生きていく権利は日本国憲法によってすべての国民に保障されており、互いに尊重されなければならないものです。

同和問題は、人類普遍の原理である人間の自由と平等に関する問題であり、日本国憲法によって保障されている基本的人権にかかわる重大な社会問題であります。

その解決を図るためには、私たち県民一人ひとりが同和問題を正しく理解し認識して、個人の立場で、あるいは地域ぐるみで、組織を通じて差別のない明るい社会を実現するよう努力していく必要があります。

本書がそのための県民の方々に対する啓発資料として広く活用され、同和問題の一日も早い解決のお役に立てば幸いと存じます。

発刊にあたり、執筆いただきました先生方、資料提供などにご協力いただきました方々および関係機関、団体等に対し、厚くお礼申し上げます。

平成四年三月

鹿児島県県民福祉部長
瀬　戸　口　　晋

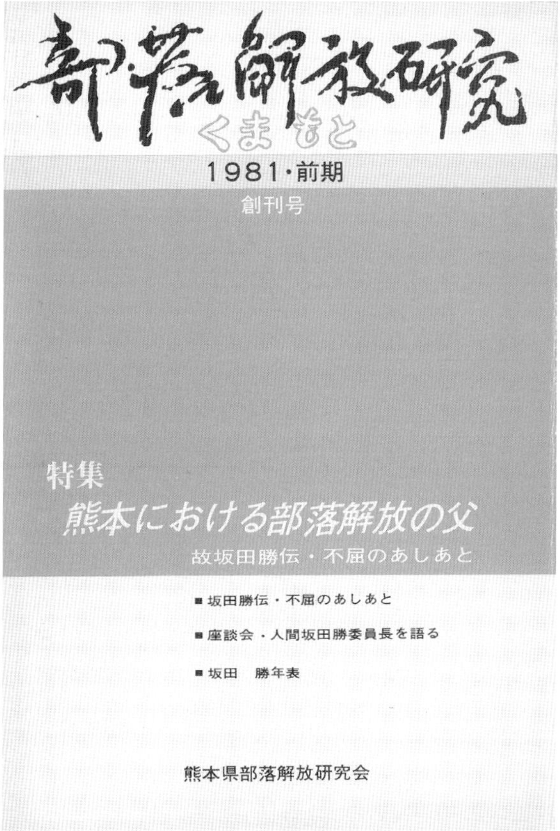

創刊のことば

熊本県部落解放研究会会長
森　祐　二

私たちの熊本県部落解放研究会が、昨年十二月十三日に多くの人々の期待の下に生まれましたのは、規約第一条にありますように、「熊本県を中心として、被差別部落の生成や実態、部落解放運動の歩み、その中で培われた文化、『同和』教育運動の発展等にかかわる史実や文化財を調査、発堀、研究し、その成果を広く全県民のものとすることによって、部落の完全解放に寄与すること」をめざしたからであります。それから約半年漸くここにその最も主な事業として「部落解放研究くまもと」創刊号を発刊することになりました。この成果が果して先の目的にかない得ているかが何よりの問題ですが、さすがに創刊号特有の思いもまた禁ずることができません。正直なところこの刊行は、最初の経験として予想以上にいろいろなことで随分と苦しみましたが、そのために各方面から地味で粘り強いしかも量り知れない程大きい御尽力をいただかねばならぬことになり、そのおかげではじめてこの発刊にこぎつけることができました。まずはこの「生みの苦しみ」を経ての喜びを、感謝をもって皆様とともにしみじみと味わいたいと思います。

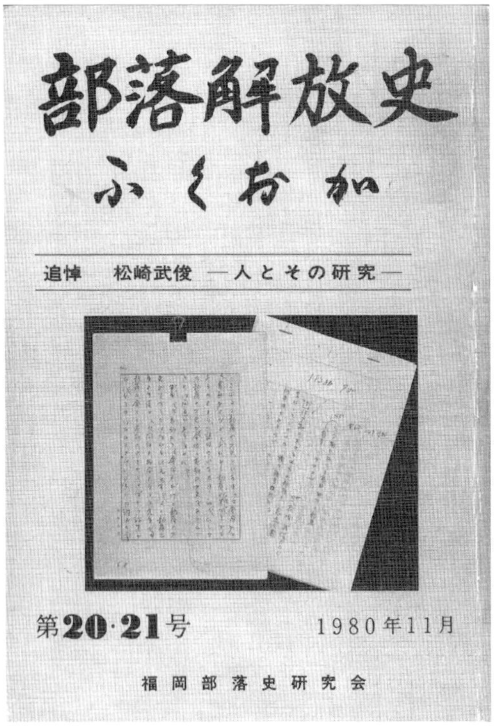

『部落解放史・ふくおか』第20・21号（一九八〇・一一）
追悼・松崎武俊 —人とその研究—

《目　次》

松崎武俊追悼号の特集にあたって……中村正夫……16
提　言
試案「松崎文書館」……秀村選三……18
松崎武俊の部落解放史研究
部落史から部落解放史へ……中村正夫……25
—松崎史学の到達点—
近世部落史の到達点……脇田　修……31
—松崎武俊の偉業によせて—
部落解放史研究における松崎説の意義……船越　昌……38
筑前竹槍一揆研究の視点……紫村一重……47
—松崎武俊論文の視点と問題点—
われらを撃つ『菜の花』・『牛のかたきうち』
『菜の花』に思うこと……三苫鉄児……87
生身の人間の血のぬくもりを……上野英信……92
部落の側から〝生活〟の掘りおこし……安田耕一……94
短いが、重い話……蔵本穂積……96
誇りある歴史を解放運動の基底に
ありがとう……、松崎さん……高田　繁……105
ロマンの人
詩人だった松崎武俊さん……一丸　章……109
郷土史家としての本領
『宗像郡医師会史』……加藤稲穂……119
『中間市史』……岩崎呟喜……120
異彩を放つ収集文書
松崎武俊収集文書について……広渡正利……133

Ⅸ. 部落解放に向けて拡がる輪

部落地名総鑑差別事件

第1回「部落地名総鑑」「部落リスト」購入企業糾弾会（1976年5月、大阪）［『写真記録　全国水平社六十年史』より］

第1番目に発覚した「部落地名総鑑」［提供　解放新聞大阪支局］

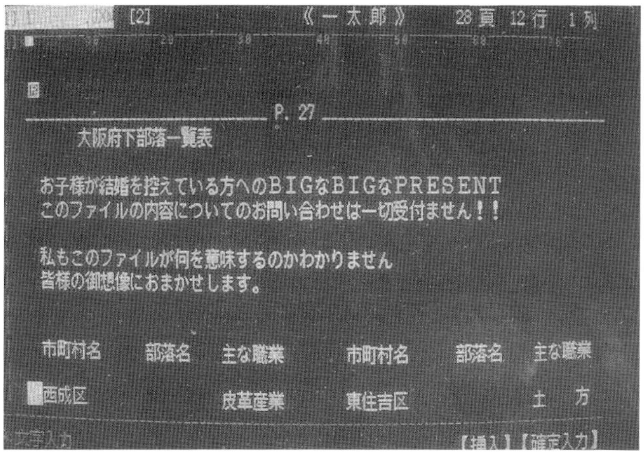

パケット通信の画面

(1)　1975年12月22日　（週刊、月曜日発行）　解放新聞　（昭和23年7月30日第3種郵便物認可）第750号

お知らせ
次号七五一号は20日に発送します。新年号（七五二号）は25日に発送。なお新年号は16頁、増ページのため一月十二日号は休刊いたします。ご了承下さい。

本紙の購読申しこみ
●同盟員は支部を通じて申しこんでください。購読料一月一五〇円
●一般購読者は郵便振替で申しこんでください。振替用紙は郵便局にあります。通信欄に住所、氏名、部数を書きこんでください。
購読料一年ぎめ一八〇〇円十部送料三〇〇円
振替口座　大阪　四五一二六

解放新聞

部落解放同盟中央機関紙
解放新聞社
大阪市浪速区久保吉町1247
電話（06）562－0970
編集発行人　上杉佐一郎
頒価　1部　8頁40円
年ぎめ1部1,800円（〒300円）
振替　大阪45126

「地名総鑑」各省に追及
第三次中央行動

第三次中央行動が十二月十日総理府、大蔵、自治、労働、農林、文部、建設、厚生、通産の各省、十一日法務省と各省交渉の形でおこなわれ、のべ全国から集った同盟代表、全同教、自治体関係者など二百名が参加した。この行動では「部落地名総鑑」について追及が集中、総理府総務長官による声明あるいは談話を発表する、関係各省の次官通達を出し必要な指導を行う、国民への部落問題啓発活動を強化するなどの前向きの回答を勝ちとった。

総理府　啓発活動予算組め
地区指定早急実施を約束

総理府交渉は同盟より上杉書記長、西岡書記次長はじめ四十名の代表と社会党和田貞夫（大阪）参議員が出席、総理府側からは今泉室長が出席して午前十時より始まった。

交渉はまず上杉書記長が要求項目の説明をおこなった。今回の要求は①「人事・特殊部落地名総鑑」の発行、参議員予算調査室長山本正雄氏の差別文書問題など重大な差別事件が起きている。これは政府による部落問題の啓発活動がまったくなされてこなかった所に原因がある。五一年予算の中に重点的に啓発活動費を組むべし。また「地名総鑑」については総理府総務長官によるこの問題についての声明あるいは談話を至急に発表するとともに労働、通産、自治法務の各省において「このような資料を使い部落出身者の雇用をしないなどの行為のあった事業所には、就職、金融斡旋などを停止する」などの内容を含む次官通達を至急出させる。地方自治体関係各機関にも同様の事件防止のための次官通達を出すまた山本室長問題につき、日共＝正常化は差別でないとしているが総理府の見解は。問題の正しい解決のため指導するか。②いまだ地区指定がされていない所が多くある、この対策は。③啓発費の予算が組まれていない。再請求をすべきだ、とした。

これに対し今泉室長は「本人ならび購入者への指導をおこなうとともに同盟からの要望にそって次官通達、総務長官談話の実現につとめたい」とのべさらに山本室長問題について「山本室長の問題の文書は重大な差別文書だと考えている」と答えた。

これに対し同盟側は今回の迅速な措置を評価するとともに、今回の総理府予算の中に啓発活動費が組まれてないことを強く批判、追加要求をすべきだと迫った

地区指定問題では、各地の実例を出して政府の指導の弱さをきびしく批判、今後とも同盟と連絡をとりながら、未指定地区を早急になくす努力を約束させた。

12月9日の第三回中央委員会

1・28は全国網の目集会
中央委員会が狭山方針

第三回中央委員会が十二月九日一時より、東京荒川区民会館小ホールに百名の中執、中央委員が出席してひらかれ、1・28は全国網の目集会で狭山闘争を闘うなどの当面の闘争方針を決定した。

会議は本山中央委を議長にえらんで開会、松井委員長の挨拶のあと西岡書記次長が経過報告ならびに狭山闘争方針の提起をおこなった。

1・28は中央集会を東京社会文化会館で七百名規模でおこない、政界労働界など各界各層の代表を結集する。同時に各都府県において最大限の集会をひらく。

さらに1・28、5・23、10・31にむけ三波の全国オルグ行進をおこない、闘争の盛りあげを図る。この行進は寺尾判決の不当性、上告趣意書の内容の学習。一同盟員が最低五名の署名収集人（署名を集めてくれる人）を作る活動を通じて署名運動の質の強化。各県での共闘組織結成などを活動の目標とする。

去年の三中委で打ちだされた同盟休校、納税拒否の闘争は5・23を最大の山場として全国的規模でおこなうとともに各労組にたいし「狭山」ストを要請する。

「地名総鑑」の糾弾闘争を提起

つづいて上杉書記長が立って全国集会開催などについて提案した。この中で書記長は「企業防衛懇話会なる所で発行した『特殊部落地名総鑑』は悪質な差別であり、その影響は大きい。差別者を糾弾するとともに政府に対しきびしく追及して文書の回収など必要な措置を行わせる闘いを、明日の中央行動の中で展開せねばならない」と語った。

さらに①部落解放中央センター建設のため建設小委員会を四役と次長で発足させる②きたる衆議院議員選挙資金として全国一千万円カンパをおこなう③東京都の「同和懇」問題は日共の策動により重要な段階を迎えている。しかしどのように困難な情勢になろうともわれわれは差別者集団である日共のカイライ組織「正常化連」とは同席しないということを確認し、その方向で東京都の「同和」行政の基本原則確立のため闘うことを提案した。

討議ののち、提案は一括採択され翌日の中央行動の打ち合わせを行った。

「地名総鑑」を報ずる解放新聞　1975年12月22日

1975（昭和50）年11月、「部落地名総鑑」の存在が発覚した。1999（平成11）年７月時点で、明確になっているものだけでも８種類の「地名総鑑」が存在し、購入社（者）は220を超えていることが判明している。「地名総鑑」には全国の5,300を超す被差別部落の地名・所在地・戸数・主な職業などが記載され、１冊５千円から５万円程度で販売されていた。部落解放同盟は77年より「地名総鑑」糾弾闘争を同和対策事業特別措置法強化延長運動、狭山差別裁判糾弾闘争とともに三大闘争として位置づけ、果敢な闘争を展開した。

「地名総鑑」の作成者は、興信所、探偵社関係者らで、人事や結婚にまつわる調査の経験から、「地名総鑑」を作成し販売すれば利益を上げることができるとの考えからだった。購入社（者）の大半は、企業であり、日本を代表する大企業も数多く含まれていた。

「地名総鑑」差別事件に対する糾弾闘争を通じて、企業の差別体質が明らかにされてきた。そうした企業が購入を反省する中から同和問題企業連絡会を結成し、部落差別撤廃に向けた取り組みが実施されている。現在でも、電子版地名総鑑がインターネット上に掲載されるなど課題となっている。

企業内同和問題推進協議会の結成

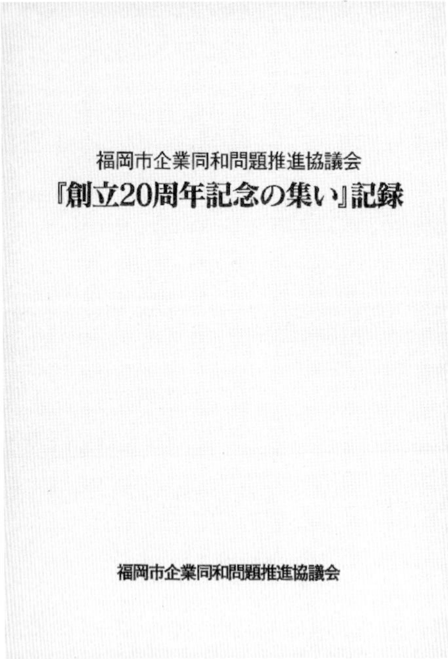

福岡市企業同和問題推進協議会
『創立20周年記念の集い』記録

福岡市企業同和問題推進協議会

発刊にあたって

同和問題の一日も早い解決をめざし、企業が相互に連携して取り組んでいくために、1978年9月28日、福岡市企業同和問題推進協議会が設立されて、早20年が経過しました。

この間、当初手探りで出発した取り組みも年々拡充され、それにともなって、私ども企業の同和問題に対する理解と認識そして実践の輪も、ずいぶんと広がってきたのではないかと考えます。会員数についても1月には500社を超えるところまで増加し、活動自体も一定の評価をいただけるまでになりました。

しかしながら、人権の世紀といわれる21世紀を目前にして、雇用や教育など、同和地区住民の生活実態は、改善が進んでいるものの、いまだ厳しい状態にあります。また、心理的差別の実態をみても、様々な差別事象があとをたたない現状にあります。

私ども企業としても、これからこそが取り組みの真価が問われるものと自覚し、今後一層、事業の拡大と深まりを求めて努力していかなければなりません。

そこで、活動の節目にあたり、これまでのあゆみをふりかえり、その成果と課題を明らかにし、さらなる発展への礎とするために、昨年9月30日、「創立20周年記念の集い」を開催しました。

この小冊子は、この「集い」において行われた同推協の活動報告および全国同和教育研究協議会副委員長の寺澤亮一氏による記念講演をおさめて、集いの記録としたものです。

すでに発行しております「同推協二十年のあゆみ」とあわせてお読みいただければ幸いです。

平成11年4月

福岡市企業同和問題推進協議会の概要

目的	同和問題の解決を図るため、企業の社会的責任と自覚のもとに、会員相互が連携して、同和問題の正しい理解と認識を深め、同和対策対象地域住民の就職の機会均等をはかる。
設立	1978(昭和53)年9月28日
会長会社	西日本鉄道株式会社 (2012年7月～2014年6月末) ※2年毎役員会社にて交代
会員数	440社 (2013年2月1日現在)
運営	・役員会社 10社 (理事会社8社 監事会社2社) ・会員企業より徴する会費収入により運営
事業	・総会記念講演会 ・同和問題第一次研修会 ・同和問題二次研修会 ・同和問題研究会(人事、研修担当者による自主的な学習組織) ・雇用問題研究会(就職の機会均等のための調査・研究) ・「同推協ニュース」「啓発冊子」の発行 ・研修教材・資料等の作成整備 ・街頭啓発活動 ・その他会員企業に対しての、同和問題に関する情報の提供

福岡市企業同和問題推進協議会の事業概要

	事業名	時期	内容	回数
研修事業	総会記念講演会	7月	毎年7月の総会の際に、有職者を招き講演会を実施	1回
	第一次研修会（秋期）	9月～10月	これまで、同和問題についての研修を受講したことがない人を対象に、正しい認識と理解を深めてもらうための半日研修	10回
	第一次研修会（春期）	4月～5月		10回
	第二次研修会	11月	同和問題第一次研修会を受講した人を対象に、より深い認識を身に付けてもらうための半日研修	10回
	同和問題啓発セミナー	12月	会員企業の研修担当者、従業員等を対象とする理解と認識を深めてもらうための継続的な学習会	6回
	雇用問題研究会		「就職の機会均等」をはかるための具体的な方策についての調査・研究など	随時
啓発事業	同推協ニュース発行	1月・8月	機関紙の発行	2回
	地域啓発活動	12月	人権啓発チラシの街頭での配布	1回
	研修教材等の整備		視聴覚教材・研修資料等購入、貸し出し・作成配布	—
	他企業連との交流		他企業連等との意見交換・情報交換	—
	その他		同和問題に関する情報収集と会員企業への伝達	—

同和問題の解決に取り組む企業組織。同和問題の解決が国民的課題であると同時に、日本の企業に要請される社会的責任であるという認識に立ち、企業として主体的な立場から部落問題の解決に取り組む各地の企業間で結成された。1975（昭和50）年に発覚した「部落地名総鑑」にかかわる差別事件を契機として福岡など各地に結成された。とくに西日本を中心とする各府県の主要都市においては、比較的早くから、企業の集団として問題の解決に取り組みはじめた。

主な事業としては、企業内同和研修の推進に関する計画、関係の地方自治体や住民団体の主催する同和問題・人権啓発行事に対し積極的に参加、協力すること。その他、参加企業を対象とする合同研修会の開催、行政や運動団体および他地区の企業連絡会などとの交流も活発に行い、全国の主要な企業連絡会が提携して「同和問題に取り組む全国企業連絡会」も結成されている。企業の社会貢献の必要が言われる今日、ますます重要となっている。

部落解放共闘会議の結成

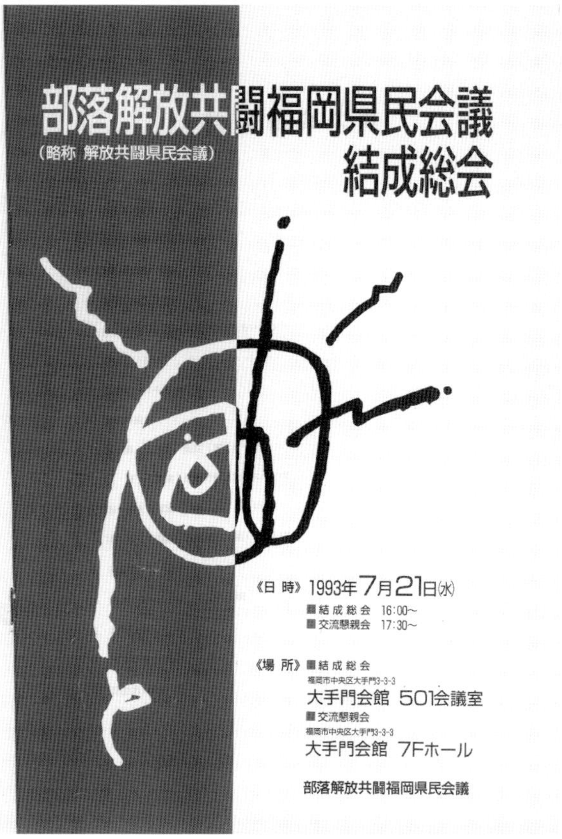

結成総会アピール宣言（案）

人権擁護と差別をなくす取り組みの輪は大きく広がってきました。

「同対審答申」以来、２７年が経過し、今春には「地対財特法」が改正され、引き続き具体的に向けた取り組みが進められています。

しかしながら、国内外をはじめ県内においても依然として各種差別事象が発生しています。

そのため、政治的、経済的、社会的に弱い立場におかれ、様々な差別と人権侵害を受けている人びとの運動は、今や反差別・人権確立をめざすすべての仲間との連帯を強化しながら、世界的な規模での「反差別国際運動」としての取り組みが強く求められています。

私たち、「部落の解放なくして労働者の解放なし」「労働者の解放なくして部落の解放なし」をスローガンに、あらゆる差別をなくし、人権確立をめざした取り組みを進めます。

そのため、新たな「部落解放共闘福岡県民会議」の結成を機に、真に公正で民主的な、そして平和な社会の実現に向けて全力を進めていくことを宣言します。

１９９３年7月２１日

部落解放共闘福岡県民会議結成総会

［部落解放同盟福岡連合会蔵］

［部落解放同盟福岡連合会蔵］

全国部落解放共闘会議は、部落差別をはじめあらゆる差別と闘うことを目的に、労働組合と部落解放同盟の共闘組織として「部落の解放なくして労働者の解放なし。労働者の解放なくして部落の解放なし」というスローガンのもと、1975（昭和50）年12月15日に結成された。結成当時は総評とその傘下の20の産業別労働組合が参加、最大29単産まで増えた。その後、労働組合ナショナルセンターの再編で連合とその産別での共闘会議となった。都府県・地域レベルでの部落解放共闘会議が結成されている。

運動の柱として、部落解放基本法の制定と解放行政の確立、狭山再審闘争、人権教育のための国連10年の推進、雇用差別撤廃など掲げ、活動を展開している。機関紙として「部落解放共闘情報」を発行。

「同和問題」にとりくむ宗教教団連帯会議

［部落解放同盟福岡連合会蔵］

［部落解放同盟福岡連合会蔵］

1979（昭和54）年の世界宗教者平和会議差別発言事件を契機に1981（昭和56）年６月29日、京都の真宗大谷派会議場で結成総会を開き、「深き反省のうえに、教えの根源に立ち返り、同和問題の解決への取り組みなくしては、もはや日本における宗教者たりえない」との基本精神と決意のもとに55教団、３連合体の参加によって発足した。その後の参加教団を加え2000（平成12）年では、69教団、３連合体の組織となる。略称、同宗連。機関紙『同宗連』発行。

発足時には、同和対策事業特別措置法強化延長運動の取り組みに協力し、また狭山差別裁判闘争にも参加。さらに85年より部落解放基本法制定要求国民運動の一翼を担って取り組みを前進させた。

差別事象、「差別法・戒名」問題は今日なおも絶たず、宗教者、宗教教団の差別体質の温存助長の危険性は継続していることを鑑み、ともすれば対策的になりがちな宗教教団の取り組みを、より民主的な方向に是正し、自己反省と自己変革の実をあげようとする努力が重ねられている。

［部落解放同盟福岡連合会蔵］

［部落解放同盟福岡連合会蔵］

「橋のない川」「夜明けの旗」上映運動

[ガレリア・西友共同]

[東映株式会社]

1

小森の朝（明治四十一年九月）

たっぷりと実をつけた稲穂の波。
その稲穂を、激しい驟雨《しゅうう》が叩く。雲の流れが早い。
雨にけぶる稲田の彼方に、小森のわらぶきの屋根屋根がかすんで見える。
雲が割れて、稲の穂に日の光が射す。雨が小止みになる。稲穂の水滴がキラリと光って落ちる。
小森の家々が、たんぼの向こうで、明るい秋の朝の光に包まれている。
風が稲田を渡っていく。雲行きは、まだ怪しい。
（以上、タイトルバック）。

＊

遠くの小森の屋根の下から、旗を持った子供の一団が出てくる。その数三十人あまり。
先頭に団長の五年生、畑中誠太郎（11）。その肩にかついだ旗は、紫の地に白く桜の花を染め抜いてある。右下に五本の白線が書きこまれている。
子供たちはわいわい言いながら歩いていく。
後ろの方から、先頭の誠太郎に小走りに近寄っていく孝二（7）。

孝　二「兄《にい》やん……」
誠太郎「なんや」
孝　二「松っちゃん、やっぱり来てないで」
誠太郎「わかってる」
孝　二「佐吉つぁんも」
誠太郎「ええよ別に。出席率ビリッケツでもかまへん」
孝　二「いっつもビリッケツの五本線やな」
誠太郎「そうや」

孝二、兄のかついだ旗を見上げる。
風になびくその旗。五本の白い線。
タイトル『明治四十一年（一九〇八年）』

2

葛城川《かつらぎがわ》

「橋のない川」は、住井すゑ作の長編小説。「差別をなくし、橋のない川に橋を架けたい」との願いを映画化したもの。旧作は、1部（1969年）・2部（1970年）形式で撮影されたが、差別を助長する部分があったり、部落への好奇心をあおる内容だったりしたので、上映中止の運動が展開された。新作は、1992（平成4）年全水創立70周年記念事業の一環として、映画「橋のない川」製作委員会が企画・製作した。前作のイメージを払拭し、みずからが発光体として輝きはじめる人々の美しさを描き出している。東宝系劇場で公開された。

また、「夜明けの旗」は、「解放の父」と称される松本治一郎の半生を描いた劇映画。1976（昭和51）年東映製作である。治一郎の青年期から、博多毎日新聞差別事件糾弾闘争、福岡連隊事件などを中心に、当時の部落差別の実態、とくに軍隊内での厳しい差別と初期の水平社運動の闘いをフィクションも交えながら、分かりやすくまとめている。東映系劇場で一般公開された。

反差別国際運動（IMADR）の結成とネルソン・マンデラさん来日歓迎集会

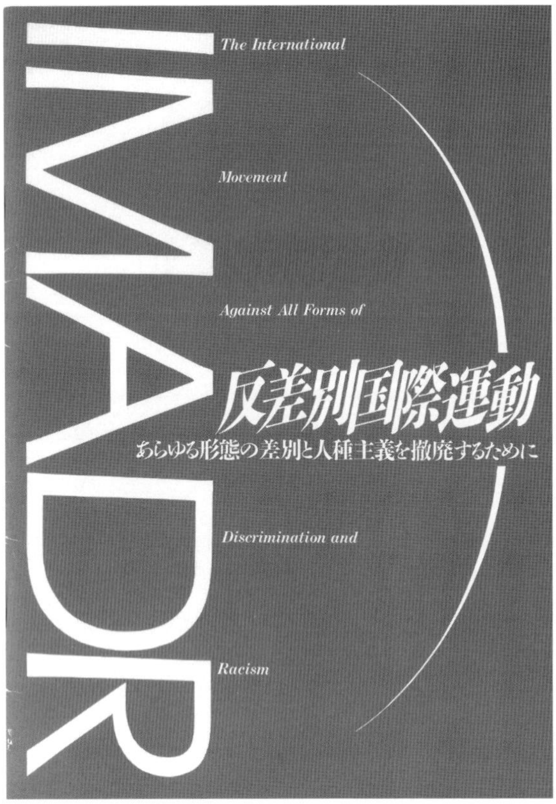

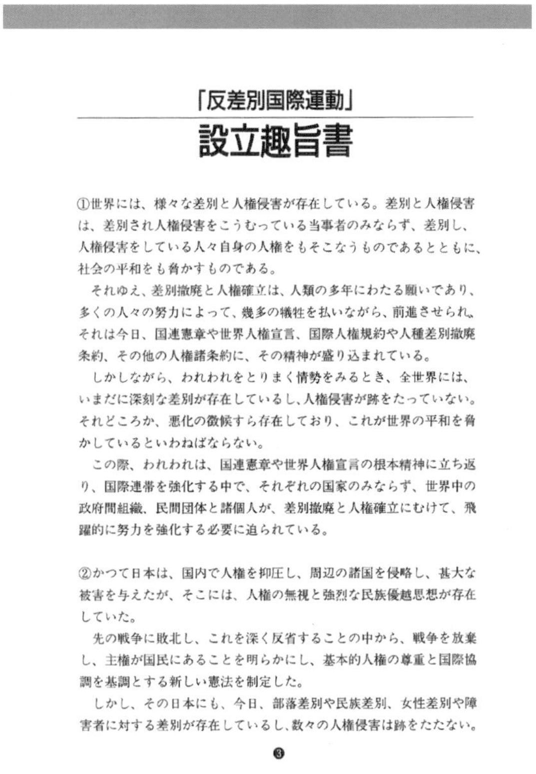

「反差別国際運動」

設立趣旨書

①世界には、様々な差別と人権侵害が存在している。差別と人権侵害は、差別され人権侵害をこうむっている当事者のみならず、差別し、人権侵害をしている人々自身の人権をもそこなうものであるとともに、社会の平和をも脅かすものである。

それゆえ、差別撤廃と人権確立は、人類の多年にわたる願いであり、多くの人々の努力によって、幾多の犠牲を払いながら、前進させられ、それは今日、国連憲章や世界人権宣言、国際人権規約や人種差別撤廃条約、その他の人権諸条約に、その精神が盛り込まれている。

しかしながら、われわれをとりまく情勢をみるとき、全世界には、いまだに深刻な差別が存在しているし、人権侵害が跡をたっていない。それどころか、悪化の徴候すら存在しており、これが世界の平和を脅かしているといわねばならない。

この際、われわれは、国連憲章や世界人権宣言の根本精神に立ち返り、国際連帯を強化する中で、それぞれの国家のみならず、世界中の政府間組織、民間団体と諸個人が、差別撤廃と人権確立にむけて、飛躍的に努力を強化する必要に迫られている。

②かつて日本は、国内で人権を抑圧し、周辺の諸国を侵略し、甚大な被害を与えたが、そこには、人権の無視と強烈な民族優越思想が存在していた。

先の戦争に敗北し、これを深く反省することの中から、戦争を放棄し、主権が国民にあることを明らかにし、基本的人権の尊重と国際協調を基調とする新しい憲法を制定した。

しかし、その日本にも、今日、部落差別や民族差別、女性差別や障害者に対する差別が存在しているし、数々の人権侵害は跡をたたない。

❸

［部落解放同盟福岡連合会蔵］

ネルソン・マンデラさん来日歓迎大阪集会（1990年10月）［提供　解放新聞社］

反差別国際運動（ＩＭＡＤＲ）は、世界各地の反差別団体・個人がつくった国際人権ＮＧＯ（非政府組織）。世界の水平運動をめざして、全世界からあらゆる差別を撤廃し、差別と闘う人々との連帯を推進し、国際的な人権推進の強化をはかることを目的に1988（昭和63）年に結成された。初代理事長に部落解放同盟中央執行委員長の上杉佐一郎が就任した。全国水平社以来の国際連帯活動を基礎にしたものである。人種差別の撤廃、先住民族の権利保護、移住労働者の権利促進、性差別を含む複合差別のなどの活動に取り組んでいる。

南アフリカにおけるアパルトヘイト（人種隔離政策）は、「人類に対する犯罪」として、国連をはじめ世界各地で廃絶を求めた闘いが展開された。反差別国際運動の一環として1990（平成２）年10月28日大阪で、27年ぶりに獄中から解放されたネルソン・マンデラＡＮＣ（アフリカ民族会議）副議長を招いた歓迎集会が開催された。また、世界マイノリティフェスティバルを開催し、世界平和、反差別国際運動につなげている。

インド被差別民の解放運動と手を結ぼう

●特集　カースト制、差別の源流を考える

井元麟之
元全国水平社書記局長

松崎武俊
福岡部落史研究会理事

イアン・ニアリー
英国サセックス大学

インドの不可触民差別を考える

昨年の十二月、インドを訪問された井元・松崎・高田・真崎の四氏にイアン・ニアリー氏（英国・サセックス大学）を交じえて、インドのカースト制度、不可触民差別の実態等々を語ってもらった。

差別の源流、とくにアジアにおける差別構造の重層性を探ること、そして日本の部落差別を世界的視野の中で位置づけることは今日的課題でもある。

（編集部）

■座談会■

高田繁
解同福岡県連副委員長

真崎勝美
福岡大輪朝顔会幹事

司会＝執行嵐
九州大学教授

ダリットの女性と（中央·高田繁氏）

アムベッドカルのインド仏教協会本部
（中央の額は、アムベッドカルーボンベイにて）

小田明団長に手渡されるアムベッドカル博士の肖像。アムベッドカル博士の廟に安置されていたものであり、インド仏教徒協会からこの上ない友好と連帯のシンボルである

同協会本部に釈迦と並べて掲げられているアムベッドカルの画像

インドには、総人口の７分の１に相当する１億余の不可触民（ダリット）が現存する。その差別迫害の実態は、「人類史上類例を見ない奈落の底」といわれ、この人々にはただ生存があるだけである。しかも、その差別の性格を特徴づけるものはアンタッチャブル（不可触）で、日本の部落差別と極めて似かよったものであり、「大乗」に属する日本仏教は、ダリットを「旃陀羅（せんだら）」と呼び、人間として見なしてこなかった。インドにおける旃陀羅＝日本における「穢多・非人」と断じて、日本仏教が部落差別を支持助長した歴史もある。故に、ダリットの解放運動と連帯する部落解放運動が必要である。世界に向かって日本ヒューマニズムを代表しうる真の資格を有するものは、全国水平社運動の伝統を受け継ぐわれわれであることを松本治一郎が1953（昭和28）年宣言した。「さしのべた手をその信条とした『世界の水平運動』の一端を今日われわれの手で受け継ごうではないか」と。

各地の同和地区実態調査と人権意識調査

人権に関する県民意識調査

報 告 書

（平成２０年９月実施）

宮崎県 県民政策部 人権同和対策課

調査の概要

1　調査の目的

平成15年9月に「人権に関する県民意識調査」を実施し、その調査結果等を参考に、平成17年1月に「宮崎県人権教育・啓発推進方針」を策定し、人権教育及び啓発の総合的かつ効果的な推進を図っている。

前回調査から５年経過することから、社会情勢の変化に伴う最近の県民意識の変化を把握し、今後の人権施策を実施していく上での必要なデータを収集するため、今回改めて調査を実施した。

2　調査項目

次の項目を内容とし、全２９問とした。（前回調査は全２７問、同和問題に関連して２問追加）

（１）　人権一般について
（２）　女性の人権
（３）　子どもの人権
（４）　高齢者の人権
（５）　障がいのある人の人権
（６）　同和問題
（７）　外国人の人権
（８）　ＨＩＶ感染者やハンセン病患者等の人権
（９）　犯罪被害者の人権
（10）　インターネットによる人権侵害の問題
（11）　人権問題への取組み

3　調査方法

（１）　調査地域　宮崎県内全域
（２）　調査対象　宮崎県内に居住する20歳以上の3,000人
（３）　抽出方法　無作為抽出
（４）　調査方法　郵送
（５）　調査期間　平成２０年９月１日から３０日

4　回収状況

		平成20年度			（前回：平成15年度）		
		発送数	回答数	回答率	発送数	回答数	回答率
全体		3,000	905	30.2%	10,000	4,155	41.6%
	男性	1,408	381	27.1%	4,645	1,549	33.3%
	女性	1,592	472	29.6%	5,355	2,275	42.5%
	どちらともいえない	－	1	－	－	－	－
	無回答	－	51	－	－	331	－

- 1 -

（部分）

平成14年度

同和対策実態調査

報 告 書

平成14年12月

佐 賀 県

発刊にあたって

本報告書は、平成１４年７月１日現在で実施した「同和対策実態調査」の結果を取りまとめたものです。

県では、同和問題の早期解決を図るため、昭和４４年の同和対策事業特別措置法施行以来、関係諸施策の推進に努めてまいりました。

その結果、住宅、道路等の生活環境の改善など、物的な面につきましては一定の成果を見ているところであります。

一方、同和対策関係事業の根拠法である「地域改善対策特定事業に係る国の財政上の特別措置に関する法律」が本年３月末で失効いたしました。

「同和対策実態調査」は、同和対策対象地域の生活環境、就労、教育等の実態を把握し、今後の佐賀県における同和行政のあり方を検討するための基礎資料を得ることを目的として実施したものです。

この実態調査にあたって、御協力をいただいた世帯の方々、調査員、関係市町村及び関係各位に対し、深く感謝の意を表する次第です。

平成１４年１２月

佐賀県環境生活局長　古 川 隆 吉

平成17年度

福岡県同和地区生活実態調査

報告書

福　岡　県

まえがき

平成８年地域改善対策協議会意見具申において「生活環境の改善をはじめとする物的な基盤整備がおおむね完了するなど着実に成果をあげ、様々な面で存在していた較差は大きく改善された。しかし、高等学校や大学への進学率にもみられるような教育の問題、これと密接に関連する不安定就労の問題、産業面の問題など、較差がなお存在する分野がみられる。」と述べられています。

そこで、本県ではこのたび、旧地域改善対策特定事業に係る国の財政上の特別措置に関する法律（昭和６２年法律第２２号）第２条第１項に規定する地域内の関係世帯について、「同和地区生活実態調査」を実施し、ここに報告書をまとめました。

この調査の実施にあたって、御協力いただいた県民の皆様及び各市町村職員の方々並びに調査の集計・分析に多大な御尽力をいただきました山本登研究室に対しまして、心からお礼申し上げます。

平成１８年９月

福岡県保健福祉部人権・同和対策局長

人権問題と県民の意識

―平成１５年度人権についての県民意識調査結果から―

鹿児島県

はじめに

２１世紀は，「人権の世紀」と言われておりますが，現在においても，女性，子ども，高齢者，障害者の人権や同和問題，ＨＩＶ感染者，ハンセン病元患者，外国人の人権などさまざまな人権問題が存在しています。

鹿児島県では，このような人権問題の解決を図るため，平成１１年に「相互の人権が尊重され，人権という普遍的文化が息づく心豊かな郷土鹿児島の実現」を基本理念とする「人権教育のための国連１０年」鹿児島県行動計画を策定し，人権教育・啓発施策の推進に取り組んでいるところです。

このような中，これまで人権教育・啓発施策推進にあたり指針としてきました「人権教育のための国連１０年」鹿児島県行動計画が平成１６年末で終期を迎えますことから，これに替わる新たな計画を策定することとしており，今回，この計画策定にあたり基礎資料とするために，県民の皆様のご協力をいただきながら「人権についての県民意識調査」を実施したところです。

県においては，この調査結果を新たな計画策定に役立ててまいりたいと考えております。

終わりに，調査にあたりましてご協力をいただきました県民の皆様をはじめ関係者の方々に対しまして厚くお礼申し上げます。

平成１６年３月

鹿児島県環境生活部長　仮屋　基美

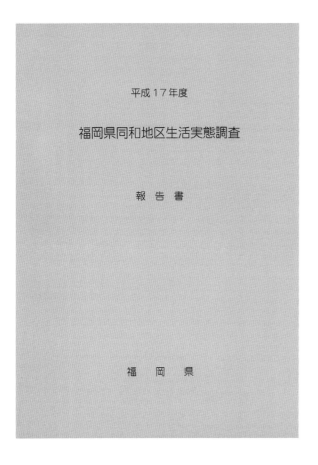

平成７年度

大分県同和対策実態調査

―生活実態調査報告書―

大　分　県

はじめに

同和問題の解決にあたっては、昭和４４年の同和対策事業特別措置法制定以来今日まで、各種の施策が積極的に展開されてまいりました。

こうしたなか、国においては地域改善対策の効果を測定し、同和地区の実態や国民の意識等について把握することを目的として、平成５年度に「同和地区実態把握等調査」を実施いたしました。

本県においても、これまでの同和対策事業の成果を測定するとともに問題点の把握を行い、今後の同和行政の推進に資するため、平成７年度に「大分県同和対策実態調査」（生活実態及び意識調査）を実施いたしました。

本報告書は、国が実施しました「平成５年度同和地区実態把握等調査」の大分県に関するデータを本県独自で集計・分析したものと、本県が実施しました「大分県同和対策実態調査」を集計・分析し、取りまとめたものであります。

今後、この調査結果を同和問題の早期解決のための貴重な資料として、役立ててまいりたいと考えております。

最後になりましたが、報告書作成にあたりいろいろとご指導、ご意見をいただきました大分県同和問題実態調査実行委員会の委員の方々や集計・分析をお願いいたしました大分県同和問題調査研究会（代表　吉良伸一　大分県立芸術文化短期大学助教授）並びに調査にご協力いただきました県民の皆様や市町村をはじめ関係各位に対し心からお礼申し上げます。

平成９年２月

大分県福祉生活部長　小　野　進一郎

人権問題に関する県民意識調査

結果報告書　概要版

平成２４年３月

福岡県

はじめに

福岡県では、様々な人権課題の解決と人権が尊重される社会の実現を目指して、「福岡県人権教育・啓発基本指針」を策定し、人権教育・啓発に関する施策を総合的に推進しているところです。

しかしながら、同和問題をはじめ、女性、子ども、高齢者、障害者等に対する偏見や差別が依然として存在するとともに、インターネットによる人権侵害や、犯罪被害者、性的少数者などへの新たな人権問題も発生しています。また、昨年３月 11 日に発生した東日本大震災による原発事故では、被災地からの避難者に対する宿泊拒否や学校でのいじめなども報告されております。

県では、こういった社会情勢も踏まえ、今後の人権教育・啓発を進める上での基礎資料とするため、「人権問題に関する県民意識調査」を実施しました。この冊子は、その調査結果の主要な部分を取りまとめたものです。

県内自治体における人権教育・啓発の場において御活用いただき、また、県民の皆さんが人権問題を考える参考にしていただければ幸いです。

本調査に御協力いただいた県民の皆さまに御礼申し上げますとともに、調査の監修と本冊子の企画・作成にあたり御尽力いただいた中川喜代子　奈良教育大学名誉教授に深く感謝申し上げます。

平成 24 年3月

福岡県福祉労働部人権・同和対策局長　橋本 利巳

■目次

■調査の概要……1
1　人権全般……2
2　同和問題……7
3　女性の人権……13
4　子どもの人権……15
5　高齢者の人権……17
6　障害者の人権……19
7　外国人の人権……21
8　ＨＩＶ感染者・エイズ患者の人権……23
9　ハンセン病患者・回復者等の人権……24
10　インターネットによる人権侵害……25
11　ホームレスの人権……26
12　北朝鮮拉致被害者等の人権……27
13　刑を終えて出所した人の人権……28
14　犯罪被害者等の人権……29
15　性的少数者の人権……30
（公財）福岡県人権啓発情報センター……33

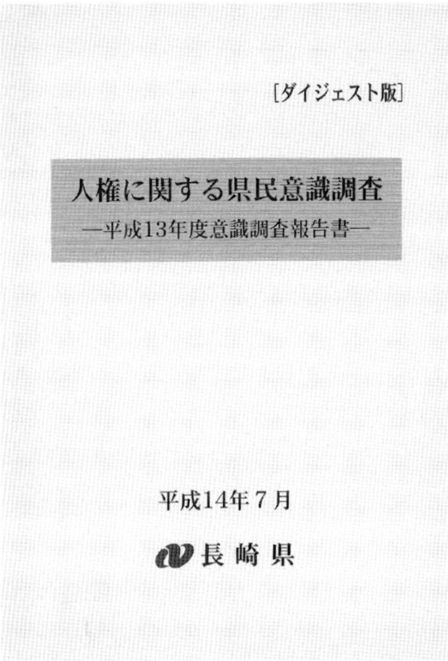

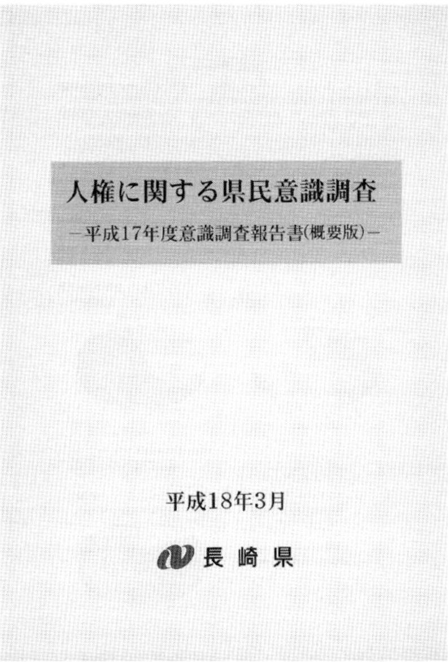

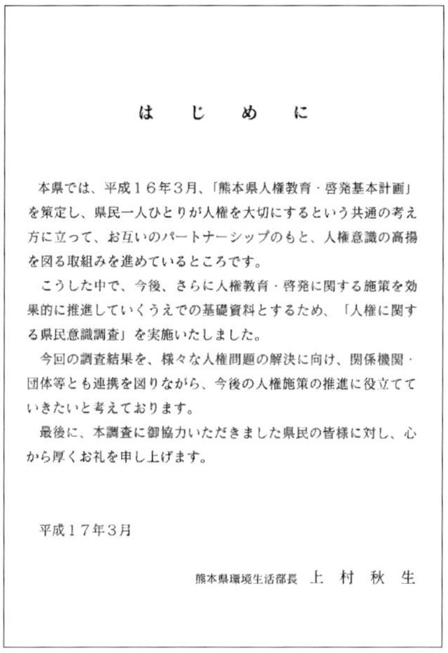

はじめに

本県では、平成１６年３月、「熊本県人権教育・啓発基本計画」を策定し、県民一人ひとりが人権を大切にするという共通の考え方に立って、お互いのパートナーシップのもと、人権意識の高揚を図る取組みを進めているところです。

こうした中で、今後、さらに人権教育・啓発に関する施策を効果的に推進していくうえでの基礎資料とするため、「人権に関する県民意識調査」を実施いたしました。

今回の調査結果を、様々な人権問題の解決に向け、関係機関・団体等とも連携を図りながら、今後の人権施策の推進に役立てていきたいと考えております。

最後に、本調査に御協力いただきました県民の皆様に対し、心から厚くお礼を申し上げます。

平成１７年３月

熊本県環境生活部長　上　村　秋　生

同和地区とは、歴史的社会的理由により生活環境等の安定向上が阻害されている地域（同和対策事業特別措置法第１条）をいう。全国規模の部落実態調査は、厚生省が1958（昭和33）年に実施したものが戦後初。本格的な全国調査となると、63年に同和対策審議会による「同和地区全国基礎調査」と「類型別精密調査」が挙げられる。以降、全国規模の調査は、67年、75年、85年、93年にそれぞれ実施されている。また、運動団体による部落実態調査も各地で取り組まれており、84年には、部落解放同盟による全国規模の調査が行われている。

69年に、同和対策事業特別措置法が制定され、同和対策事業が本格化するにつれ、行政による部落実態調査が全国各地で行われるようになった。とりわけ、80年代にはいると、大きく変化したといわれる部落の実態を把握するとともに、それまで行われてきた同和対策事業の成果と問題点を明らかにしようとする動きがさらに増大した。

意識調査とは、被差別部落内外の人々が部落問題に対してもっている意識（関心、感情、知識、理解、態度、意見など）に関する調査である。戦後では、54年に和歌山県で実施された「陋習実態調査」が最初であろう。75年以降は、同和教育と啓発活動の成果を確かめ、そのあり方を検討する目的で、各地で意識調査が急速に広まった。全国的な意識調査は、85年に実施された総務庁調査がある。２回目は、93年で47都道府県から抽出された２万4,080人を対象に行われた。

九州各地でも、同和地区実態調査や住民意識調査が行われ、同和教育や啓発活動に生かされている。

同和地区学力調査

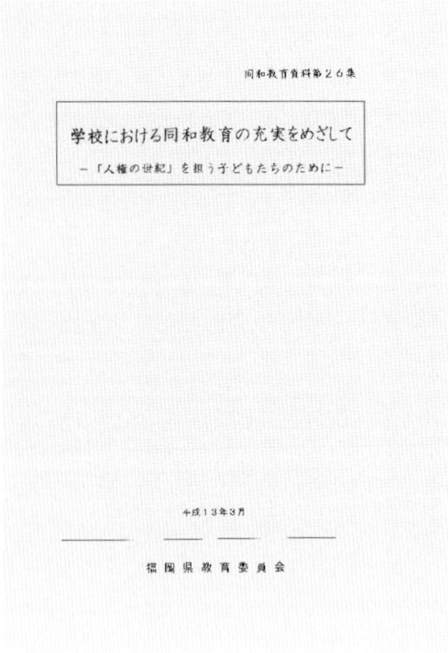
同和教育資料第２６集

学校における同和教育の充実をめざして

－「人権の世紀」を担う子どもたちのために－

平成１３年３月

福岡県教育委員会

各自治体で実施された部落の小中学生の学力調査は、学年の進行につれて低学力が深刻化すること、なかでも生活困窮層で学力の落ち込みが激しいこと、社会経済的条件に加えて文化的・社会的要因（保護者の養育態度・行動や教育観、本人の自尊感情など）が学力と関連することが明らかになった。また、過去の調査と近年の調査の比較から、高校進学率格差は一定少なくなったものの、大学進学率は地区外の半分であり、課題が残っている。さらには格差社会の中で部落内外の学力格差はあまり縮小していないようである。

の連携、学校・家庭・地域社会の連携、学校教育と社会教育の連携等々の発想もこのような同和教育の中で生まれ、大切にされてきたものです。

このようにして蓄積された同和教育の方法とその成果は、当然のことながら同和地区児童生徒に限らず、様々な児童生徒が提起する課題に気付き、その解決をめざす教育活動へと拡がりを見せるとともに、すべての児童生徒の学力と進路の保障及び人権尊重の精神の育成をめざす取組へと深まっていきました。

2　同和教育実態調査と「今後の同和教育推進について─指針─」

同対審答申及び福岡県同和教育基本方針の策定以後の様々な施策や事業の実施によって物的な基盤整備や教育条件整備が進展し、経済的な理由による長欠・不就学の問題は大幅に解消しました。また、同対審答申以前は全国平均の約半分だった同和地区生徒の高等学校進学率は地域改善対策奨学資金制度の整備ともあいまって、９割を超えるようになりました。大学進学率は漸増傾向にあります。就労状況においても、若年齢層を中心に、安定化する傾向にあります。

● 同和教育実態調査

しかし、福岡県同和教育基本方針の策定から 20 年後の平成２（1990）年に県教育委員会が実施した同和教育実態調査では、同和地区児童生徒と地区外児童生徒との間に依然として学力の格差があることや、児童生徒の学力実態と生活実態及び自己認識の在り方との間には強い相関関係があることなどが明らかになりました。

このような実態に対して、『同和教育実態調査報告書』（平成４年）は、「学力保障への課題」としておおむね次のように指摘しています。（概要）

ア　子どもたちの学力を高めるためには、子どものセルフイメージの形成をあらゆる教育の場で総合的に追求しなければならない。
　(ｱ) 積極的な「行動への意欲」を育てること。
　(ｲ) 肯定的な「将来への展望」を持たせること。
　(ｳ) 子どもの個性を尊重し、それを保障する取組を課題としていくこと。
イ　学校・教師に求められているものは、「楽しい学校」づくりである。
　(ｱ) 従来の授業内容・方法などを見直し、指導方法の改善を図ること。
　(ｲ) 学級における仲間づくりの質を高め、人権教育の充実を図ること。
　(ｳ) 子どもとの信頼関係を深め、保護者との連携を図ること。
　(ｴ) 地区の子どもたちの持っている力量を伸ばすこと。
ウ　家庭や地域社会の教育力を高めることが要請されている。
　(ｱ) 家庭が「快い居場所」、「心の安住の場所」であるようにすること。
　(ｲ) 子どもの自己存在感を深めるための家庭での働きかけが必要であること。
　(ｳ) 家庭の教育環境づくりをめざし、学校や地域がお互いに協力しながら教育力を高めていくこと。
エ　教育行政は、子どもたちの学力保障に重大な責任を持っている。
　(ｱ) 学力の低位な子どもの存在について、子ども自身や親の姿勢の責任に転嫁してはならないこと。
　(ｲ) 否定的なセルフイメージの形成がなぜ起こるのかを教育行政の立場からもとらえ直すこと。
　(ｳ) 学校・教師が、学力の低位におかれた子どもたちに十分目が向けられるような条件整備と配慮を行うこと。
　(ｴ) 学校・家庭・地域社会と教育行政とが目的を一つにして、相互信頼を基調に、それぞれの役割と任務を明確にして、一層取り組んでいくこと。

この結果を踏まえ、県内の６中学校区を指定した「学力向上研究推進校区事業」（平成５～７年度）を実施しました。この校区事業では次の５点を方法とした研究実践を進め、その成果を『学力向上研究推進校区事業実践報告書』にまとめました。

○　教育委員会、学校、PTA、地域住民の代表等で構成する校区学力向上研究推進委員会を設置し、それぞれが有機的な連携を図りながら、組織的に行う研究・実践

○　ティームティーチングを中心とする個に応じた授業の工夫・改善

○　個人カルテ等を活用する教育相談

○　家庭教育講座等を中心とする家庭・地域の教育力の向上や学習支援の研究

○　子どもたちの自主性を生かした子ども会活動の創造

また、県教育委員会は、人権尊重の精神を育成するために、平成４年度に「同和教育副読本作成の基本構想」を策定し、県内の教職員、学識経験者、児童文学者、画家、関係機関・団体等の協力をえて、本県の実態に即した同和教育副読本（『かがやき』全５冊）の作成事業を実施しました。

● 「今後の同和教育推進について—指針—」

平成９（1997）年、県教育委員会は、本県におけるこれまでの同和教育の成果と課題を整理して「今後の同和教育推進について—指針—」を策定しました。「指針」では、学校における同和教育の現状について次の３点の認識を示しています。

○　同和地区生徒の高等学校進学率における県平均との格差は、現在までの 20 年間にわたって約７ポイント程度低いまま推移していると同時に、大学・短大への進学率においては県平均の三分の一という状態である。さらに、高等学校中退率では、ここ数年の県平均が約２％であるのに対して、同和地区生徒は約５％となっている実態がある。

○　同和教育実態調査では、同和地区児童生徒の学力は、地区外児童生徒と比較してかなりの程度低いことや、同和地区児童生徒の学力の向上のためには、学校の取組だけではなく、家庭・地域の教育力を高め、基本的生活習慣の形成や家庭での学習習慣等に関する課題の解決も必要であることが明らかとなった。

○　学校における差別事象が毎年繰り返し起きていること、あるいはいじめが多発している現状をみたとき、基本的人権尊重の精神を高めるという点では、課題を残しているといわざるを得ない。

さらに「指針」では、このような課題の解決に向けた方策として次の３点を示しました。

○　同和地区児童生徒の基礎学力の確保と学力の向上を図る学力保障の取組を、各学校において引き続き積極的に進めていかなければならない。この学力保障のための取組は、児童生徒に知識や技能を教え込む教育から、児童生徒の興味・関心を高め、個性を発揮して意欲的・主体的に学ぼうとする力を育てる教育への転換を図らなければ、十分に効果をあげることはできない点に留意する必要がある。

○　部落差別をはじめ人権侵害の実態に学ぶとともに、全教科・全領域での同和教育の推進のもとに、同和問題を人権問題という本質から捉え、すべての学校において問題解決に向けての実践力を育成するための人権教育をさらに充実させる必要がある。

そのためには、同和問題・人権問題についての知識を教えるだけではなく、自他の人権を大切にするための態度やスキル（調査・情報活用力、コミュニケーション能力、非攻撃的自己主張等の技能）が身につくよう学習活動の工夫改善を図らなければならない。

○　教職員の共通の基本認識のもと、校長を中心として一体となって取り組むことが重要である。また、校内における同和教育研修の内容や方法を工夫して教職員の感性を磨き、同和問題に対する認識及び指導力を高め、同和教育がさらに豊かなものになるようにする必要がある。

（出典 福岡県教育委員会 平成13年3月発刊 同和教育資料集 第26集より抜粋）

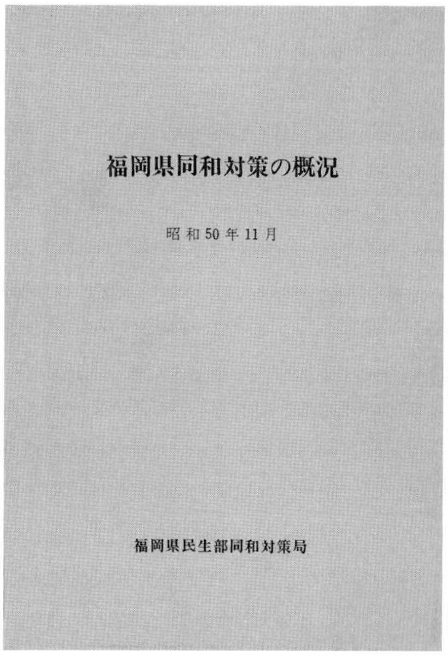
福岡県同和対策の概況

昭和50年11月

福岡県民生部同和対策局

Ｉ同和対策の沿革

昭和28年厚生省は、戦後はじめて地方改善事業として、同和地区に隣保館を設置するための補助として約1,300万円を計上しました。

福岡県も、これと時を同じくして民生部社会課を窓口として環境改善事業に着手しましたが、その後の沿革は次のとおりです。

○同和対策関係年表

年月日	福　岡　県
昭和	
28.	民生部社会課で同和地区の環境改善事業に着手
34.	教育委員会で同和対策事業を実施
35.	農政部・建築部で同和対策事業を実施
36.12.7	同和対策審議会第１回総会開催 内閣総理大臣から同和対策審議会に対し、「同和地区に関する社会的及び経済的諸問題を解決するための基本方策について諮問
37.	同和地区精密調査を実施
38.1.1	同和対策審議会が同和地区全国基礎調査を実施
40.8.11	同和対策審議会会長から内閣総理大臣に対し「同和地区に関する社会的・経済的諸問題を解決するための基本方策」について答申 （いわゆる同対審答申）
41.4	総理府の附属機関として同和対策協議会を設置
42.1.1	全国同和地区実態調査を実施
44.4	福岡県同和地区調査を実施
45.3	福岡県同和教育基本方針を策定
45.4	福岡県同和対策長期計画を策定
47.4	同和対策室を同和対策局に昇格させ、その下に調整課・指導課を設置 福岡県同和対策事業推進懇談会を設置
48.4	教育委員会に同和教育室を設置
49.4	教育委員会の同和教育室を同和教育課に改称

狭山事件を考える市民・住民の会

『無実を叫びつづけ、冤罪を晴らすまで闘い抜くという石川さんの気迫を受け止め、一日でも早く再審が実現し、無罪判決を勝ち取るため、石川さんの無実の根拠となる証拠を学習し、より多くの人々に「冤罪50年」を問いかける市民運動を展開していきましょう。』（久留米市市民の会）

■狭山事件 住民の会　28都道府県127団体（2006年5月現在）

都道府県	市町村（地域）	名　称
福　岡	添田町	狭山問題を考える添田町民の会
	小郡市	狭山事件を考える小郡市民の会
	浮羽町	浮羽町「狭山事件」を考える住民の会
	山田市	狭山問題を考える山田市民の会
	筑後市	筑後市・「狭山問題」を考える市民の会
	京都行橋地区	狭山事件を考える京都行橋住民の会
	福岡市	狭山事件を考える福岡市民の会
	広川町	狭山問題」を考える広川町民の会
	久留米市	狭山事件を考える久留米市民の会
	甘木朝倉地区	「狭山問題」を考える甘木・朝倉住民の会
	桂川町	狭山事件を考える桂川町住民の会
	北野町	「狭山問題」を考える北野町民の会
	田川市	狭山事件を考える田川市住民の会
	碓井町	狭山事件を考える碓井町住民の会
	古賀市	狭山事件を考える古賀市住民の会
	筑紫地区	えん罪と狭山事件の真相を考える筑紫地区住民の会
	川崎町	川崎町「狭山住民の会」
	筑穂町	狭山事件を考える筑穂町住民の会
	立花町	狭山事件を考える立花町住民の会
	豊前市、築城町等	狭山事件を考える豊前築上地区住民の会
	香春町	香春町「狭山事件」を考える住民の会
	北九州市	狭山事件を考える北九州市民の会
	〔連絡会〕	福岡県狭山事件を考える住民の会ネットワーク
大　分	日田地区	狭山事件を考える日田地域住民の会
	大野郡	狭山事件を考える大野郡民の会
	臼杵・津久見	狭山事件を考える臼津市民の会
	玖珠郡	狭山事件を考える玖珠郡住民の会
	宇佐郡	狭山事件を考える宇佐郡市住民の会
	東国東郡	『狭山事件』を考える東国東住民の会
	竹田市・直入郡	狭山事件を考える竹田直入住民の会
	別府市	狭山事件を考える別府市民の会
長　崎	長崎市	狭山事件を考える長崎市民の会
	北松浦地区	「狭山事件」を考える北松の会
	佐世保市	狭山事件を考える佐世保市民の会
佐　賀	佐賀市など	狭山事件を考える佐賀地区住民の会
	唐津市など	狭山事件を考える唐津東松浦地区住民の会

都道府県	市町村（地域）	名　称
熊　本	山鹿市	狭山事件を考える山鹿市民の会
	熊本市	くまもと「狭山事件」を考える住民の会
	荒尾市	狭山と人権を考える荒尾住民の会
宮　崎	宮崎市	狭山事件を考える宮崎住民の会
	延岡地区	狭山事件を考える延岡地区住民の会
	小林市など	狭山事件を考える小林地区住民の会
	えびの市	狭山事件を考えるえびの市民の会
鹿児島	鹿児島市	狭山事件を考える鹿児島住民の会
	宮之城町	狭山事件を考える宮之城町住民の会
	隼人町	狭山事件を考える隼人町住民の会
	奄　美	狭山事件を考える奄美住民の会
	大口市	狭山事件を考える大口市住民の会
	入来町	狭山事件を考える入来町住民の会
	徳之島（３町）	狭山事件を考える徳之島住民の会
	国分市	狭山事件を考える国分市住民の会
	鹿屋市	狭山事件を考える鹿屋市住民の会
	高尾野町	狭山事件を考える高尾野町住民の会
	姶良町	狭山事件を考える姶良町住民の会
	日置地区	狭山事件を考える日置地区住民の会
	阿久根市	狭山事件を考える阿久根市住民の会
	高尾野町	狭山事件を考える高尾野町住民の会
	出水市	狭山事件を考える出水市住民の会
	菱刈町	狭山事件を考える菱刈町住民の会
	沖永良部	狭山事件を考える沖永良部住民の会
	樋脇町	狭山事件を考える樋脇町住民の会
	曽於地区	曽於地区狭山事件を考える住民の会
	種子島	狭山事件を考える種子島住民の会
	南薩地区	狭山事件を考える南薩地区住民の会
	吉松町	狭山事件を考える吉松町住民の会
	与論島	狭山事件を考える与論島住民の会
	溝辺町	狭山事件を考える溝辺住民の会
	牧園町	狭山事件を考える牧園住民の会
	指宿地区	狭山事件を考える指宿地区住民の会
	〔連絡会〕	鹿児島県狭山事件を考える住民の会ネットワーク

1969（昭和44）年部落解放同盟中央本部に石川青年救援対策本部を設置。対策本部を中心に「石川一雄君を守る会」が発足。このような流れの中で、石川一雄さんの冤罪を晴らす（狭山事件を解決する）、差別とは何かを学ぶ、司法のあるべき姿を考える、石川一雄さん夫妻を支援するなどの柱を立てて活動を展開する運動団体として出発。北は北海道から南は鹿児島県まで各地に県・市町村レベルでの市民・住民の会が組織されている。九州では2006（平成18）年現在70の市民・住民の会が活動している。狭山事件の再審を求める中央集会などに積極的に参加し、草の根運動を進めている。

反戦・反核の闘い（平和フォーラム）

［部落解放同盟福岡連合会蔵］

［部落解放同盟福岡連合会蔵］

［部落解放同盟福岡連合会蔵］

［部落解放同盟福岡連合会蔵］

［部落解放同盟福岡連合会蔵］

部落解放運動は、反戦平和、不戦反核、軍事基地反対、ナイキミサイル配置反対など多くの平和運動と共闘してきた。これは「戦争こそ最大の差別である」や「戦争で犠牲になるのは女性や子ども老人」と考え、広く訴えてきたからである。また、子どもの権利条約、国際人権規約（高等教育の漸次無償化）女性差別撤廃条約、人種差別撤廃条約などの批准運動にも取り組んできた。その結果、女性や子どもの権利が少しずつ守られるようになってきたのは解放運動の成果である。

X. 自治体と連携した部落解放運動

「人権教育のための国連10年」と各自治体の行動計画

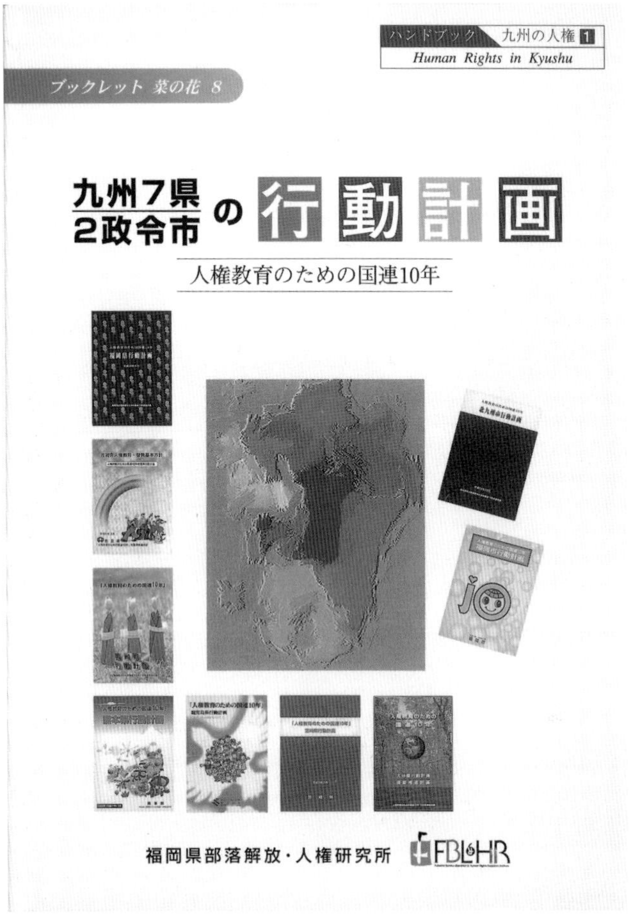

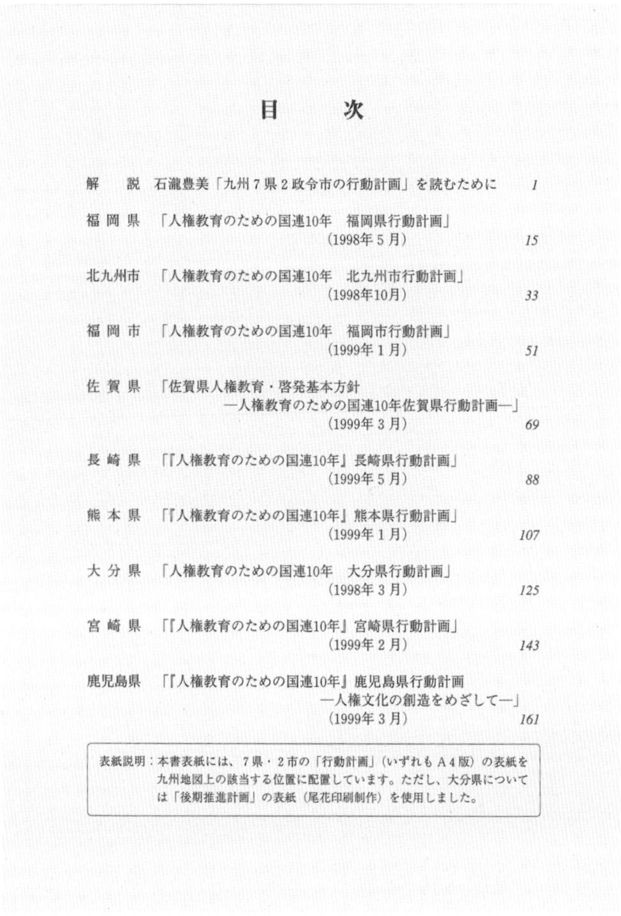

目　次

解　　説　石瀧豊美「九州７県２政令市の行動計画」を読むために　*1*

福 岡 県　「人権教育のための国連10年　福岡県行動計画」（1998年５月）　*15*

北九州市　「人権教育のための国連10年　北九州市行動計画」（1998年10月）　*33*

福 岡 市　「人権教育のための国連10年　福岡市行動計画」（1999年１月）　*51*

佐 賀 県　「佐賀県人権教育・啓発基本方針 ―人権教育のための国連10年佐賀県行動計画―」（1999年３月）　*69*

長 崎 県　「『人権教育のための国連10年』長崎県行動計画」（1999年５月）　*88*

熊 本 県　「『人権教育のための国連10年』熊本県行動計画」（1999年１月）　*107*

大 分 県　「人権教育のための国連10年　大分県行動計画」（1998年３月）　*125*

宮 崎 県　「『人権教育のための国連10年』宮崎県行動計画」（1999年２月）　*143*

鹿児島県　「『人権教育のための国連10年』鹿児島県行動計画 ―人権文化の創造をめざして―」（1999年３月）　*161*

表紙説明：本書表紙には、７県・２市の「行動計画」（いずれもＡ４版）の表紙を九州地図上の該当する位置に配置しています。ただし、大分県については「後期推進計画」の表紙（尾花印刷制作）を使用しました。

九州７県・２政令市はいずれも1998年（平成10年）３月から99年５月までの間に行動計画を策定しています。

なお、九州各県の市町村については、

・　福岡県
　65市町村において「人権教育のための国連10年推進本部」を設置し、52市町村において行動計画を策定
・　佐賀県
　７市１町１村において行動計画を策定
・　長崎県
　２市において横断的組織を設置し、行動計画を策定
・　熊本県
　５市13町２村及び１郡市（広域：１市４町３村）において横断的組織を設置し、４市14町２村及び１郡市（広域：１市４町３村）において行動計画等を策定
・　大分県
　全58市町村において推進本部を設置、56市町村において行動計画を策定
・　宮崎県
　２市において行動計画を策定
・　鹿児島県
　１町において推進本部を設置

と、まとめられています。

国連は1994（平成６）年12月23日の第49会期総会において1995年～2004年を「人権教育のための国連10年」とすることを決議、同時に「人権教育のための国連10年行動計画」を採択。冷戦後も民族紛争の激化、ネオ・ナチ勢力の台頭などにみられる人権状況の悪化、差別の深刻化という状況の中で、世界的に人権教育の展開が、強く求められたことによる。

日本国内においては、全同教、日教組、部落解放同盟が96年３月23日に「国連10年」の推進連絡会を結成しての政府への働きかけや、市民運動などの結果、日本政府は97年７月４日に「人権教育のための国連10年」国内行動計画を発表した。その後、各自治体レベルでの行動計画が策定されてきた。

「部落解放基本法」制定要求運動

■部落解放基本法案概念図

宣言法的部分 （法案第1、4条）	① 部落問題解決の重要性 ② 部落問題解決の意義 ③ 部落問題解決の基本的方策
事業法的部分 （法案9、11条等）	① 実態的差別をなくすための施策の必要性 ② 実態調査を踏まえた計画的な事業実施 ③ 国と市町村の協力
教育・啓発法的部分 （法案第5条）	① 部落問題に関する正しい認識の確立と人権意識の向上 ② 教育・啓発・広報・文化活動等多様な手段の活用
規制・救済法的部分 （法案第7、8条）	① 悪質な差別行為の法的規制のための法整備 ② 人権委員会の設置など効果的な救済のための法整備
組織法的部分 （法案第10、13、14条）	① 国や地方公共団体での推進体制の整備 ② 学識経験者による部落解放対策審議会の設置

1985（昭和60）年５月24日、部落解放基本法制定要求国民運動中央実行委員会（会長：大谷光真浄土真宗本願寺派門主）総会が東京・憲政記念会館で開催され、部落解放基本法の実現をめざすことが決定された。法案は、宣言法的部分、事業法的部分、教育･啓発法的部分、規制･救済法的部分、組織法的部分の５つの部分から構成されている。

部落解放基本法の制定が求められた基本的な理由は、部落問題の解決が最重要課題であり、国をあげてその問題の解決に取り組む必要があることを示し、その解決にあたって、事業法だけでは不十分であって、各種分野の施策を総合的に実施していく必要があることを明確にしようとした点にある。部落解放基本法は、「特措法」が期限切れになるので、その代替案として、85年に初めて提案されてきたものではない。

一方、世界人権宣言や国際人権規約、さらには人種差別撤廃条約などの国際的な差別撤廃、人権確立の流れの研究が深められてきた。そのなかで、①悪質な差別の禁止、②差別の被害者に対する効果的な救済、③劣悪な実態の特別施策による改善、④教育・マスコミ・文化による差別意識の撤廃等が差別撤廃の共通の方策であることが明らかにされてきた。

部落解放基本法の制定を求める運動は、第４期の運動として展開されている。

1995年11月29日　第2波部落解放基本法制定行動（［福岡県連］

部落解放基本法を求める九州地区大学人の集い［福岡県連］

1985年9月12日　部落解放基本法制定行動鹿児島出発［福岡県連］

1993年4月23日　部落解放基本法全国キャラバン鹿児島県団結式［福岡県連］

部落解放基本法制定要求北九州市実行委員会［福岡県連］

部落解放全九州研究集会から人権社会確立全九州研究集会へ

部落解放研究第一回全九州集会の開催に当って

部落解放同盟九州ブロック会議
議長　松　本　英　一

部落解放研究第一回全九州集会に参加された皆さん、本当に御苦労様でした。九州各地から、初めての試みであるこの集会に、こんなに沢山御集まりいただきまして、主催者として、心から御礼申し上げます。

部落解放研究の全国集会は、今年ですでに七回を数え、年々盛大になって居り、こうした研究集会をもっときめ細かく各地域で開くということは私達の長い間の課題でありました。それがやっと今日実現したわけで、これも部落の皆さんは勿論のこと、その準備と組織化に力をさいていただいた関係各位の御蔭であると、感謝申し上げる次第であります　なかでも、特に、福岡県、市、或は自治労、教組、県同教等の諸団体にはひとかたならぬ御世話をおかけしましたが、ここで改めて御礼を申し上げたいと思います。

扨て、この研究集会は、「部落問題をみんなのものへ」というテーマで、開かれるわけですが、どうか参加者の皆様の優れた経験・教訓にみちた活動等を充分交流していただき、大きな成果をおさめ得る、意義ある集会にしていただきますよう御願い申し上げます。

初めての試みであり、色々な点で不充分なことが多いと思いますが、どうか皆様の手によって、こうした面を補なっていただき、画期的な集会にしていただくよう重ねて御願いし、主催者側を代表しての御挨拶といたします。

一九七三年五月七日

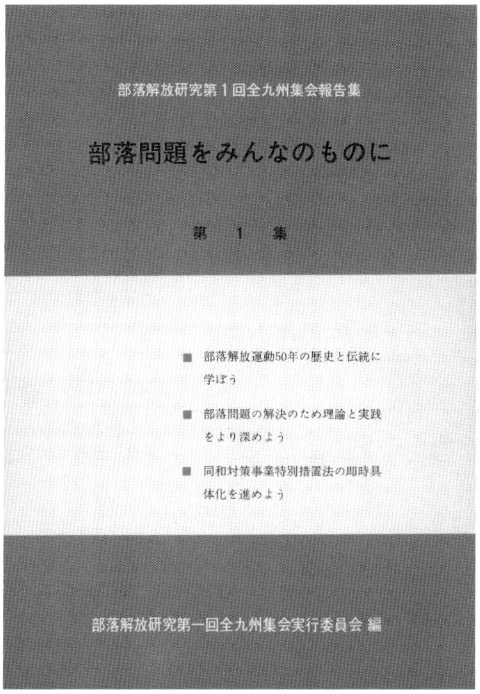

部落解放同盟九州地方協議会実行委員会主催の全九州規模の研究集会。1975（昭和50）年に第１回研究集会を福岡市で開催。本集会は、九州における部落解放運動の発展、同和対策事業特別措置法制定以後の部落問題への関心の広がりにこたえ、部落問題にかかわる人々の実践・研究の交流の場として開催されている。

2008（平成20）年より、人権社会確立全九州研究集会と名称変更され、4,000 ～ 5,000人規模の集会となっている。

「人権教育・啓発推進法」の制定

「人権教育・啓発推進のための法律」実現全国集会（2000年4月、東京）［提供　解放新聞社］

人権擁護推進審議会は、人権教育・啓発に関する答申に人権教育・啓発の重要性を言及し、「行財政措置」の必要性を指摘した。このことを受けて、部落解放基本法制定要求国民運動中央実行委員会や自治体等から「法的措置」が必要だとして政府・国会に対する働きかけが行われた結果、2000（平成12）年12月人権教育及び人権啓発の推進に関する法律（「人権教育・啓発推進法」）が制定された。この法律は、「部落解放基本法案」の「教育・啓発の法的部分」が実現したものとして評価できる。

この法律は、附則をあわせ11条から成り立っている。第１条に、社会的身分をはじめとする差別や人権侵害を撤廃するために人権教育・啓発に取り組むことを目的として、以下国や地方公共団体の責務（財政上の措置を含め）、国民の責務を謳っている。

2002（平成14）年３月人権教育・啓発基本方針が閣議決定され、2002年度以降、毎年『人権教育・啓発白書』が出されている。

高等学校部落解放研究会

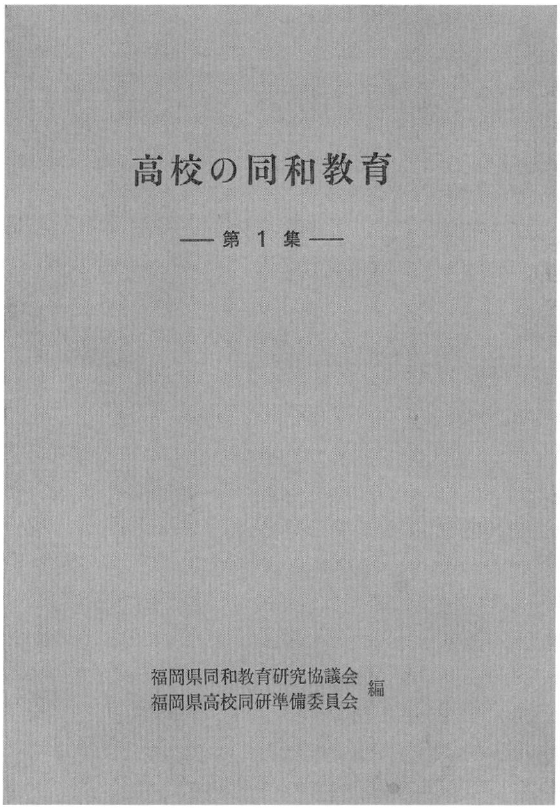
高校の同和教育

──第 1 集──

福岡県同和教育研究協議会
福岡県高校同研準備委員会 編

I. 序にかえて

県下の高等学校は今，「差別」にゆれようとしている。この傾向は，数年前より当然予想されていたことではあるが，具体的には昭和45年度から特に顕著になったといえる。来年度は恐らく，相当数の学校が「差別」にゆれ，「部落問題」のために，一時的にも立往生するであろうことがかなり明らかである。

ところで，県下における高等学校同和教育の不毛ともいえる現状は，かねてから問題とされていた。福岡県同和教育研究協議会（以下，県同教という）は，数年前よりこのことを重視，「高等学校における同和教育を語る会」を呼びかけて来た。県教委も一昨年あたりから校長等の管理層を中心として啓蒙的研修を実施してきた。県教委は昨年度秋，県同教，部落解放同盟福岡県連合会（以下，解同県連という。）により，高等学校日本史教科書（山川出版，要説日本史，167P～168P。精選日本史教授資料，223P。標準日本史地図(吉川弘文館)，高等日本史精図(帝国書院)の「穢多」「非人村」の記載について差別性の指摘を受けた後，にわかに問題点についての解説的講習会を開いた。しかし，それくらいで，同和教育の実践に踏み切れるほど，高等学校の現場は部落問題への理解と課題を明確にしてはいない。昭和31年，福岡市長選挙における差別事件。同32年，福岡市同研の誕生。同36年の県同教の結成。以来次第に県下の同和教育の輪は拡がり，昨秋の第22回全国同和教育研究大会には全国8.000の人々を迎え，まがりなりにも大会を運営するまでの力量となったが，残念ながら県同教に高等学校部門の組織化はなされていないし，大会への高等学校教師の参加も義務制のそれには比ぶべくもなかった。一部の学校で一部の人々による，極めて真剣な取り組みは高く評価されるべきだが，広島，京都，大阪，奈良などの他府県に比して全く恥ずかしい限りである。

なぜであろうか。まず，数年前まで，未解放部落の子どもたちの高等学校進学率が極めて低く，一部の部落上層を除いては部落大衆にとって高等学校は手のとどかない存在であった。これは，高等学校教育にとって，非常に不幸なことであった。具体的問題の提起をうけることがないため，問題の所在に気づくことなく，その上，高等学校教師のもつエリート意識と，進学中心にならざるを得ないような選別の教育体制の中で，ともすれば，教育の原点に迫る実践とは程遠い歩みにならざるを得なかったのである。

[部落解放同盟福岡県連合会蔵]

[部落解放同盟福岡県連合会蔵]

部落解放研究会「通称：解放研、部落研」は、高校を中心とする学校内における文化サークルの一つである。学校で人権・同和教育を推進していくうえで重要な役割をもっている。生徒の部落問題に対する意識は、社会意識の影響を受けて多くの場合否定的である。生徒の意識変革は、教科学習と、自主的活動を通してなされていく。これまでの部落問題学習が教科に偏ったために、いわゆる知識としての部落問題になりがちであった。高校「部落研」は、地域の解放奨学生組織の活動とのつながりや、学校の同和教育推進委員会などとの連携を重視し、部落出身生徒を核に、部落外生徒と連帯して生徒会全体が部落問題に取り組むことをめざしている場合もある。福岡県では、高校奨学金制度の改善を実現した実績もある。しかし、九州各県ではバラツキがあり一層の充実をはからねばならない。

解放保育・就学前保育

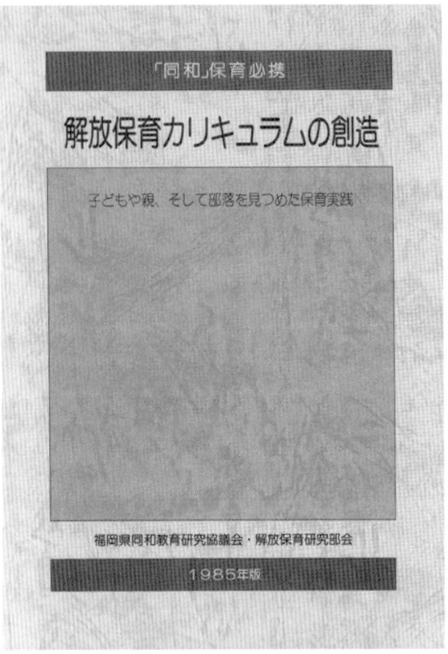

教育と運動の連帯のなかで

福岡県同和教育研究協議会
会長　林　力

「運動と教育の分離」「教育の中立性」ということばが、解放教育への批判として投げかけられる。そして、部落の人々と手を握ろうとしない教育労働者(教師や保母たち)を心ひそかにくすぐってくれる。そんな人たちの実践は、必ずといってよいほど、被差別の現実から遠い勧善懲悪型の干涸びた、道徳律と観念論に支配されていく。

考えてみるがよい。部落大衆の自覚的な立ち上り（部落解放運動）のないところに、部落の解放をめざす教育運動が成立し発展していったという歴史が、どこにあるというのか。さらに、部落解放運動そのもののもつ教育的側面、つまり人間変革というものと教育運動が無縁であれというのは、論理的にも実践的にもすでに破綻している。そして、教育の中立性というのは、本来、教育がときの権力支配からの独立ということであって、支配権力の意図に忠実であれということではないはずである。

だが、わたしたちの側にも間違いがある。運動と教育の連帯ということで、部落解放運動団体と「同和」教育研究団体が、単にその旗をならべること、物理的な力を寄せ合うことという考えである。被差別の現実への深い認識と、いたみへの肉迫という作業を抜きにした「連帯」なるものは、結局のところ、教育労働者の側が、被差別の人々を自らの権利を守るために利用してしまうことになりかねない。一つの差別といえる。

解放教育運動における連帯とは、学び合うこと、差別への認識を深めていくこと、そのなかで、教育労働者が自らの存在とその実践を問われていくことを抜きにして成立するものではない。

わたしたちは、県同教結成以来「部落差別の現実に学ぶ」といいつづけてきた。これは「同和」教育運動のいわば要《かなめ》である。被差別の現実と深くかかわり、そこから何を学ぶかということと共に、学びえたものを、子どもたちに、教師（保育者）集団に、地域社会に、どう返していくのか、学びえたものを土壌として、どんな花を咲かせるのかということである。「特措法十三年を経て、子どもたちがどう変ったか、地域社会をどうしようとしているのか、すこしでもいいから、その変化をさし出してくれ」、という被差別部落大衆の声は漸く高くなってきている。

こうした状況のなかで、福岡県の解放保育運動は大きな示唆と先駆的役割を果していると思う。子どもたちが小さいということは、親たち（被差別の現実）により接近しているということであり、刻々の子どもとの対応は、観念論では、どうしようもないからである。高い理念と、極めて具体的な実践をこれ程要求される場はない。

小中学校はもとより、高校、大学の教師も解放保育から学びなおす、子どもを把えなおすことなくして、教育のたてなおし、ということは至難ではないのか。

県同教に結集する保育現場のみなさんが教育と運動の結合をめざして歩いてきた実践とそのなかから生み出した「理論」に学ぶことによって、解放教育の創造を続けていきたいものである。

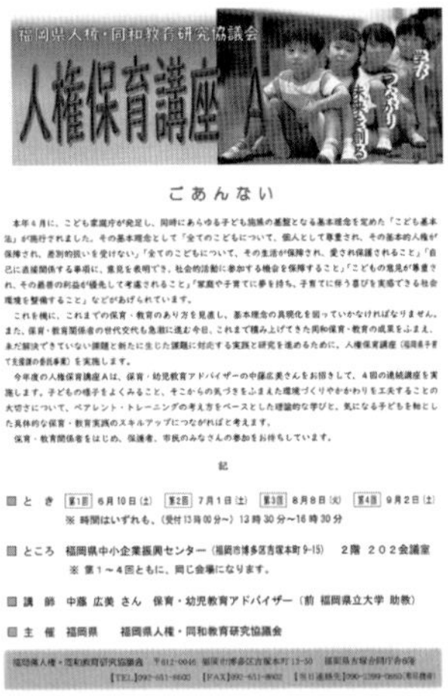
福岡県人権・同和教育研究協議会

人権保育講座A

ごあんない

本年4月に、こども家庭庁が発足し、同時にあらゆる子ども施策の基盤となる基本理念を定めた「こども基本法」が施行されました。その基本理念として「全てのこどもについて、個人として尊重され、その基本的人権が保障され、差別的扱いを受けない」「全てのこどもについて、その生活が保障され、愛され保護されること」「自己に直接関係する事項に、意見を表明でき、社会的活動に参加する機会を保障すること」「こどもの意見が尊重され、その最善の利益が優先して考慮されること」「家庭や子育てに夢を持ち、子育てに伴う喜びを実感できる社会環境を整備すること」などがあげられています。

これを機に、これまでの保育・教育のあり方を見直し、基本理念の具現化を図っていかなければなりません。また、保育・教育関係者の世代交代も急激に進む今日、これまで積み上げてきた同和保育・教育の成果をふまえ、未だ解決できていない課題と新たに生じた課題に対応する実践と研究を進めるために、人権保育講座（福岡県子育て支援課の委託事業）を実施します。

今年度の人権保育講座Aは、保育・幼児教育アドバイザーの中藤広美さんをお招きして、4回の連続講座を実施します。子どもの様子をよくみること、そこからの気づきをふまえた環境づくりやかかわりを工夫することの大切さについて、ペアレント・トレーニングの考え方をベースとした理論的な学びと、気になる子どもを軸とした具体的な保育・教育実践のスキルアップにつながればと考えます。

保育・教育関係者をはじめ、保護者、市民のみなさんの参加をお待ちしています。

記

■とき　第1回 6月10日(土)　第2回 7月1日(土)　第3回 8月8日(火)　第4回 9月2日(土)
※ 時間はいずれも、(受付13時00分～) 13時30分～16時30分

■ところ　福岡県中小企業振興センター（福岡市博多区吉塚本町9-15）　2階 202会議室
※ 第1～4回ともに、同じ会場になります。

■講師　中藤 広美 さん　保育・幼児教育アドバイザー（前 福岡県立大学 助教）

■主催　福岡県　福岡県人権・同和教育研究協議会

[部落解放同盟福岡県連合会蔵]

同和保育の研究・実践の交流を目的に全国解放保育研究集会が開催されている。1978（昭和53）年より取り組まれた。第1回・第2回集会は、全国同和保育連絡協議会が主催。第3回福岡集会より全国解放保育連絡会が主催するようになった。「連絡会」は、各府県単位での同和保育の独自の研究組織の連合体である。研究集会では、「子どもの体力づくり」「子どもと自然」「集団づくり」「解放保育入門」など12の分科会がもたれた。1990年代後半になって部落解放同盟が共催者に加わるなどのほか、分科会の構成にも変更があり、現在に至っている。

部落出身教職員の会

［部落解放同盟福岡連合会蔵］

［1992年発刊］

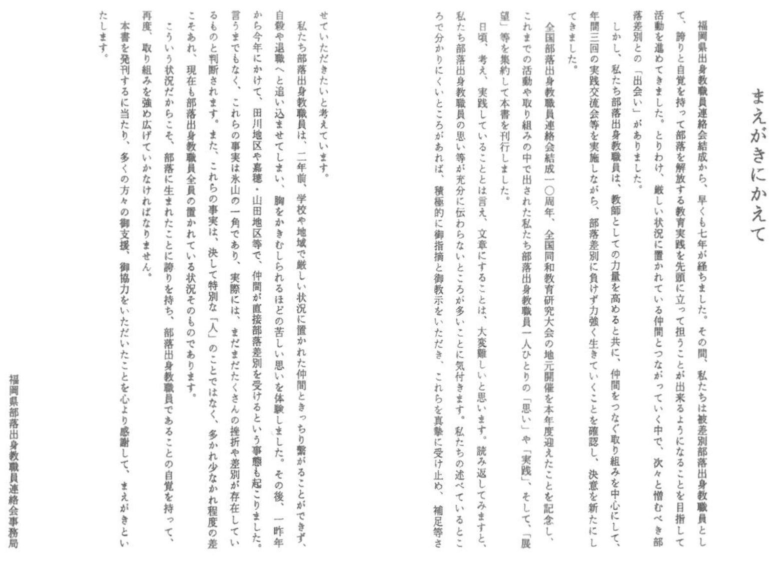

まえがきにかえて

福岡県出身教職員連絡会結成から、早くも七年が経ちました。その間、私たちは被差別部落出身教職員として、誇りと自覚を持って部落を解放する教育実践を先頭に立って担うことが出来るようになることを目指して活動を進めてきました。とりわけ、厳しい状況に置かれている仲間とつながっていく中で、次々と憎むべき部落差別との「出会い」がありました。

しかし、私たち部落出身教職員は、教師としての力量を高めると共に、仲間をつなぐ取り組みを中心にして、年間三回の実践交流会等を実施しながら、部落差別に負けず力強く生きていくことを確認し、決意を新たにしてきました。

全国部落出身教職員連絡会結成一〇周年、全国同和教育研究大会の地元開催を本年度迎えたことを記念し、これまでの活動や取り組みの中で出された私たち部落出身教職員一人ひとりの「思い」や「実践」、そして、「展望」等を集約して本書を刊行しました。

日頃、考え、実践していることとは言え、文章にすることは、大変難しいと思います。読み返してみますと、私たち部落出身教職員の思い等が充分に伝わらないところが多いことに気付きます。私たちの述べているところで分かりにくいところがあれば、積極的に御指摘と御教示をいただき、これらを真摯に受け止め、補足等させていただきたいと考えています。

私たち部落出身教職員は、二年前、学校や地域で厳しい状況に置かれた仲間ときっちり繋がることができず、自殺や退職へと追い込ませてしまい、胸をかきむしられるほどの苦しい思いを体験しました。その後、一昨年から今年にかけて、田川地区や嘉穂・山田地区等で、仲間が直接部落差別を受けるという事態も起こりました。言うまでもなく、これらの事実は氷山の一角であり、実際には、まだまだたくさんの挫折や差別が存在しているものと判断されます。また、これらの事実は、決して特別な「人」のことではなく、多かれ少なかれ程度の差こそあれ、現在も部落出身教職員全員の置かれている状況そのものであります。

こういう状況だからこそ、部落に生まれたことに誇りを持ち、部落出身教職員であることの自覚を持って、再度、取り組みを強め広げていかなければなりません。

本書を発刊するに当たり、多くの方々の御支援、御協力をいただいたことを心より感謝して、まえがきといたします。

福岡県部落出身教職員連絡会事務局

部落出身教職員としての社会的立場の自覚のうえにたち、部落解放同盟と連携し部落解放教育の正しい理解と実践について、研究並びに推進することを目的として結成。先駆的に組織化をすすめ活動した教師に中西重雄がいる。部落出身の教職員が、出身地や職場を超えて励まし合い、つながりあってともに進んでいくという願いで結実した。教師の世界の中にも差別があり、それゆえに出身を隠して生きることを強いられるという状況がある。こうした中で、部落出身教職員が部落解放の願いと自覚を促し合う活動に取り組んでいる。

Ⅺ. 人権の世紀をめざして

人権の世紀をめざして

福岡県同教機関紙／かいほう282号（2023.5.8）
2023年度福岡県人権・同和教育研究協議会 研究課題より

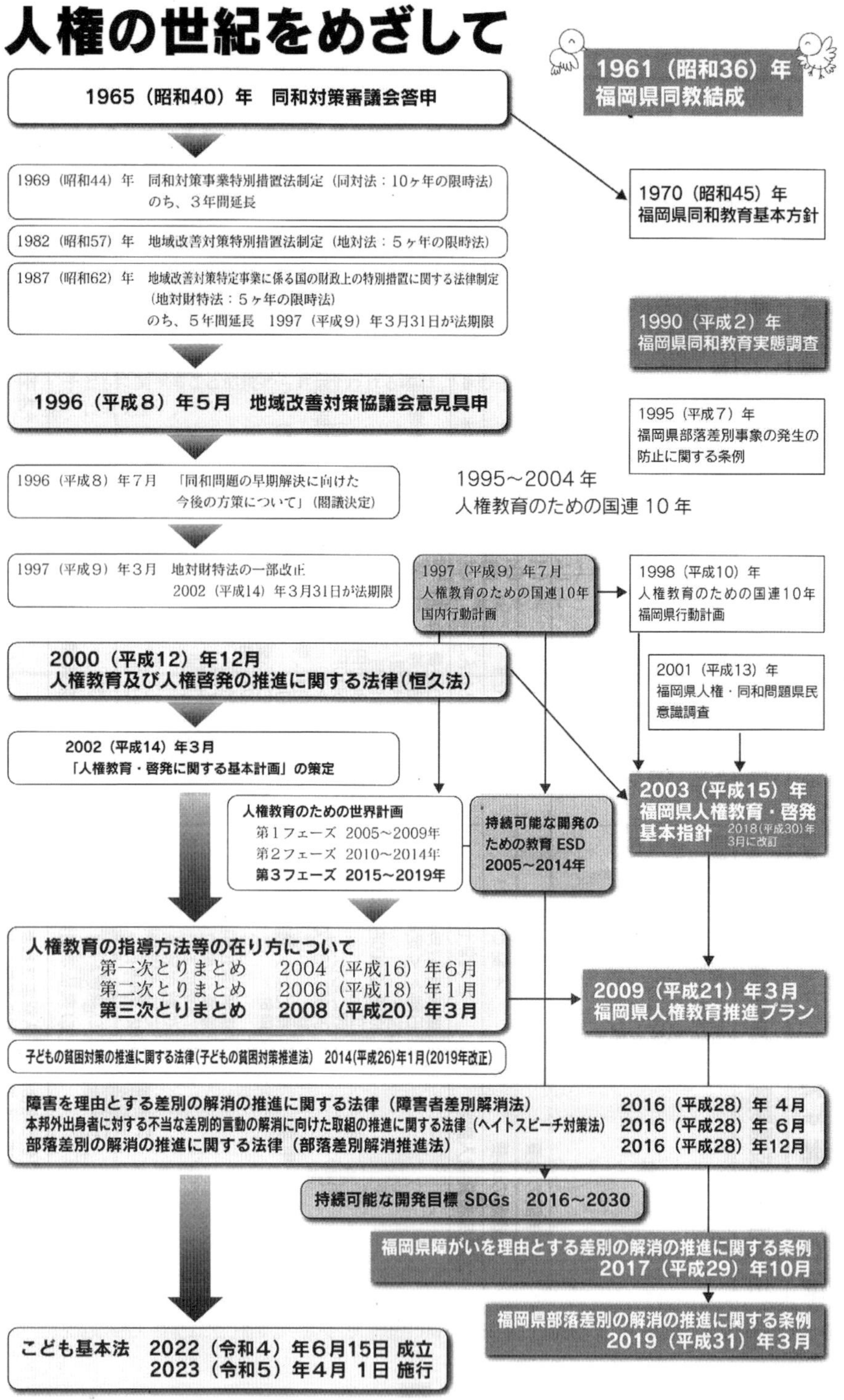

人権の世紀をめざして

福岡県人権・同和教育研究協議会は、機関紙かいほう（282号）で結成以来取り組んできた人権・同和教育を「人権の世紀をめざして」と題して、国の動き・地方の動きを年代順にまとめた。

「人権三法」の成立

障害を理由とする差別の解消の推進に関する法律（障害者差別解消法）2016（平成28）年４月成立
本邦外出身者に対する不当な差別的言動の解消に向けた取組の推進に関する法律（ヘイトスピーチ対策法）2016（平成28）年６月成立
部落差別の解消の推進に関する法律（部落差別解消推進法）2016（平成28）年12月成立

ここでは、部落差別の解消の推進に関する法律（部落差別解消推進法）に焦点を当てる。

第１条（目的）をこのように示している。

この法律は、現在もなお部落差別が存在するとともに、情報化の進展に伴って部落差別に関する状況の変化が生じていることを踏まえ、全ての国民に基本的人権の享有を保障する日本国憲法の理念にのっとり、部落差別は許されないものであるとの認識の下にこれを解消することが重要な課題であることに鑑み、部落差別の解消に関し、基本理念を定め、並びに国及び地方公共団体の責務を明らかにするとともに、相談体制の充実等について定めることにより、部落差別の解消を推進し、もって部落差別のない社会を実現することを目的とする。

第２条（基本理念）
第３条（国及び地方公共団体の責務）
第４条（相談体制の充実）
第５条（教育及び啓発）
第６条（部落差別の実態に係る調査）

そして、衆議院と参議院がそれぞれ附帯決議（略）を決議している。

衆議院法務委員会附帯決議

部落差別の解消の推進に関する法律案に対する附帯決議

政府は、本法に基づく部落差別の解消に関する施について、世代間の理解の差や地域社会の実情に広く踏まえたものとなるよう留意するとともに、本法の目的である部落差別の解消の推進による部落差別のない社会の実現に向けて、適正かつ丁寧な運用に努めること。右、決議する。

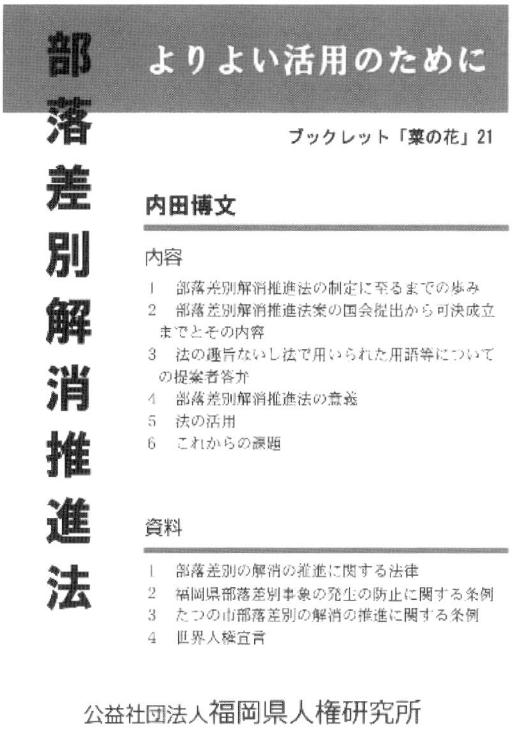

部落差別解消推進法

よりよい活用のために

ブックレット「菜の花」21

内田博文

内容

1　部落差別解消推進法の制定に至るまでの歩み
2　部落差別解消推進法案の国会提出から可決成立までとその内容
3　法の趣旨ないし法で用いられた用語等についての提案者答弁
4　部落差別解消推進法の意義
5　法の活用
6　これからの課題

資料

1　部落差別の解消の推進に関する法律
2　福岡県部落差別事象の発生の防止に関する条例
3　たつの市部落差別の解消の推進に関する条例
4　世界人権宣言

公益社団法人福岡県人権研究所

「人権三法」の成立

「障害者差別解消法」「ヘイトスピーチ対策法」「部落差別解消推進法」が2016年に一気に成立した。特に「部落差別解消推進法」は、部落差別が存在することを国が認めた画期的な法律である。そして、その法律を受けて福岡県は、2019年3月1日に「福岡県部落差別の解消の推進に関する条例」を公布・施行した。

映画「SAYAMA　見えない手錠をはずすまで」

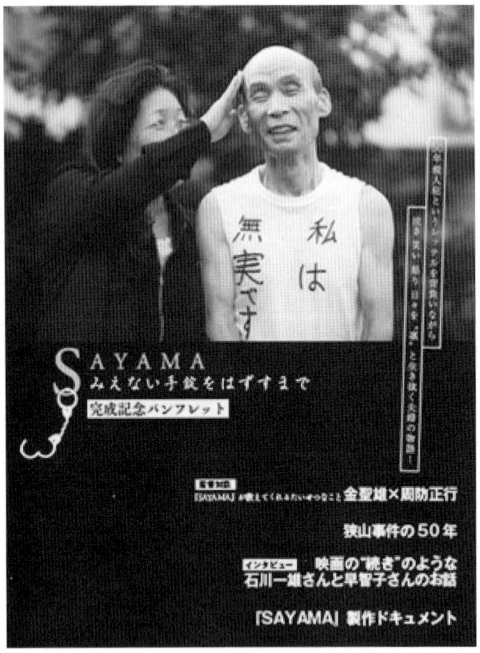

「SAYAMA　見えない手錠をはずすまで」
（2014年5月13日上映開始）

1963年5月1日に埼玉県狭山市で女子高生が殺害された「狭山事件」で、自白の強要や証拠のねつ造によって犯人とされ、現在も無実を訴え続けている石川一雄さんと、その妻の早智子さんに寄り添ったドキュメンタリー。32年間の獄中生活を強いられ、仮出獄から19年間のあわせて50年以上にわたり殺人犯のレッテルを貼られ続け、何度も棄却された再審に向けて現在も活動を続けている一雄さんと、彼を支える妻・早智子さんが、苦難の連続の中でも「不運だったが不幸ではない」と自らの人生を真っ直ぐに歩む姿を通して、生きることの美しさや幸せ、愛、友情、正義といった普遍的なメッセージを伝える。

映画　SAYAMA

映画「SAYAMA　見えない手錠をはずすまで」は、「狭山事件」で犯人とされた石川一雄さんと妻・早智子さんが再審に向けて活動を続けている日々の生活を描いたドキュメンタリー。石川さんは、1994年に仮釈放が認められたが、現在でも見えない手錠をはずす取り組みを全国の支持者と弁護団で奮闘している。

映画「破戒」上映運動

「破戒」（2022年7月8日上映開始）

明治後期、信州小諸城下の被差別部落に生まれた主人公・瀬川丑松は、その生い立ちと身分を隠して生きよ、と父より戒めを受けて育った。その戒めを頑なに守り成人し、小学校教員となった丑松であったが、同じく被差別部落に生まれた解放運動家、猪子蓮太郎を慕うようになる。丑松は、猪子にならば自らの出生を打ち明けたいと思い、口まで出掛かかることもあるが、その思いは揺れ、日々は過ぎる。やがて学校で丑松が被差別部落出身であるとの噂が流れ、更に猪子が壮絶な死を遂げる。

その衝撃の激しさによってか、同僚などの猜疑によってか、丑松は追い詰められ、遂に父の戒めを破りその素性を打ち明けてしまう。そして丑松はアメリカのテキサスでの事業を持ちかけられ、ひとまず東京へと旅立つ。

人権の世紀をめざして

映画「破戒」は、過去２度にわたって名だたる巨匠が映画化している島崎藤村の不朽の名作『破戒』を60年ぶりに映画化したもの。現代的な解釈を取り入れ主人公・丑松が、外国での事業を起こそうとして、希望を抱いて旅立つ様子を描いている。

全九州水平社創立100周年を迎えて

全九州水平社創立100周年を迎えて

全九州水平社創立100周年記念集会実行委員会（実行委員長は、公益社団法人福岡県人権研究所理事長・新谷恭明）は、2023年５月１日福岡市中央市民センターで「全九州水平社創立100周年記念集会」を開催した。服部誠太郎福岡県知事が来賓挨拶を行い、本集会の意義をオックスフォード大学名誉教授であり、（公社）福岡県人権研究所会員でもあるイアン・ニアリー氏がまとめた。

「これまでの100年とこれからの100年～部落解放運動をふりかえり、差別撤廃を展望する」～パネルディスカッションを行った。コーディネーターを（公社）福岡県人権研究所前理事長・森山沾一氏、パネリストを部落解放同盟部落解放同盟九州地方協議会議長・組坂繁之氏と佐賀部落解放研究所事務局長・中村久子氏が務めた。

解放の父・松本治一郎（1887－1966）

大光寺境内（福岡市）には治一郎の「不可侵　不可被侵」（おかさず おかされず）の碑のほか、徳川家達暗殺未遂事件で獄死した松本源太郎の墓などがある。

1931（昭和6）年から吉塚駅前で始めた炊き出し用の大釜（直径約80センチ）

生涯の友でもあった電力王 松永安左ヱ門と打ちあわせる治一郎［松本龍提供］

「旧アイヌ酋長（84才）、鉱山局岸本技師、松本 昭和17年8月24日 北海道旭川市」と写真の裏面に書かれている。治一郎は1942年2月、衆議院請願委員会で「旧土人」保護法の呼称を改めるよう進言、アイヌの人々とも交流があった。
［松本龍提供］

1950年代からは、アジアやヨーロッパの被抑圧人民・民族の政治集会や市民集会に出席し、世界の水平をめざして、国際的に活動した。特に日中友好協会の初代会長として、国交回復前から訪中し、周恩来首相などとも何度も会い、多くの友人を持ち友好に尽くしたことは良く知られている。

世界的に有名な黒人歌手ジョセフィン・ベーカーの自宅・孤児院をパリに訪問（1956年4月）
［松本治一郎史料］

昭和二十年十二月二十八日 金曜日

武裝なき平和國へ
都市は農村に分散
松本代議士談

九州共和國の構想

松本代議士

土屋に終身懲役
戰犯裁判に初の判決

執行はホール中將が決定

最善を盡した
辯護人デ中佐談

由利に死刑

消息を斷つ
南鮮引揚げ船

九州共和国構想を発表する松本治一郎［1945（昭和20）年12月28日 西日本新聞］

ストックホルム世界平和評議会に出席（1954年11月18日）
［松本治一郎史料］

冬来たりなば 春遠からじ・井元麟之（1905－1984）

1923年、労働争議のかどで東邦電機製作所を馘首。翌年、渡辺鉄工所に就職したが、秋本重治らと総同盟福岡合同労組を組織し再び解雇さる。この写真は解雇されたその日に撮ったもの。（後列左から二人目。1924年8月1日 19歳）

福岡部落史研究会副会長として、インド解放運動との交流を行ない、九州各地からの参加者があった。カジュラホのアウトカースト集落にて。（1978年11月 74歳）

松本治一郎の第1回参議院議員選挙にあたり、全国区第4位当選を勝ち取る。井元の読みは鋭く、選挙戦の後半には既に、議長工作に着手したという。（前列左から二人め。1947年4月 42歳）

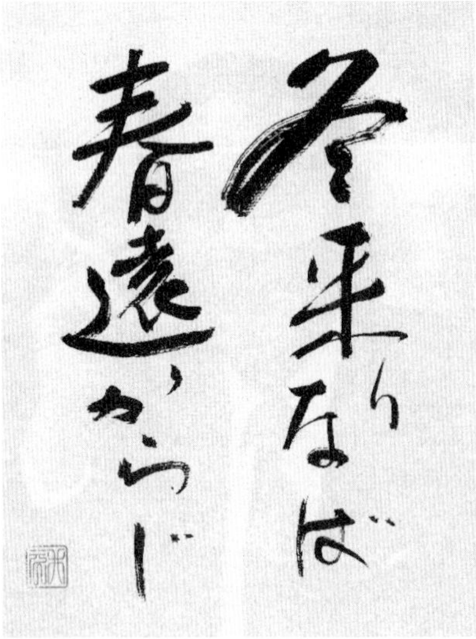

揮毫（きごう）をもとめられると、色紙にこの言葉を良く書いておられた。イギリス詩人シェリーの『西風に寄せる歌』の一節である。

1974年69歳時の写真
（撮影　上田献身）

全国水平社創立大会参加・田中松月（1900－1993）

「卒業記念　大正11年3月」中央が田中松月［田中史料］

1939年　最初の県会議員当選記念『部落解放史ふくおか』第73号

松本治一郎10周年集会で（1976年11月22日、福岡市民会館にて 77歳）

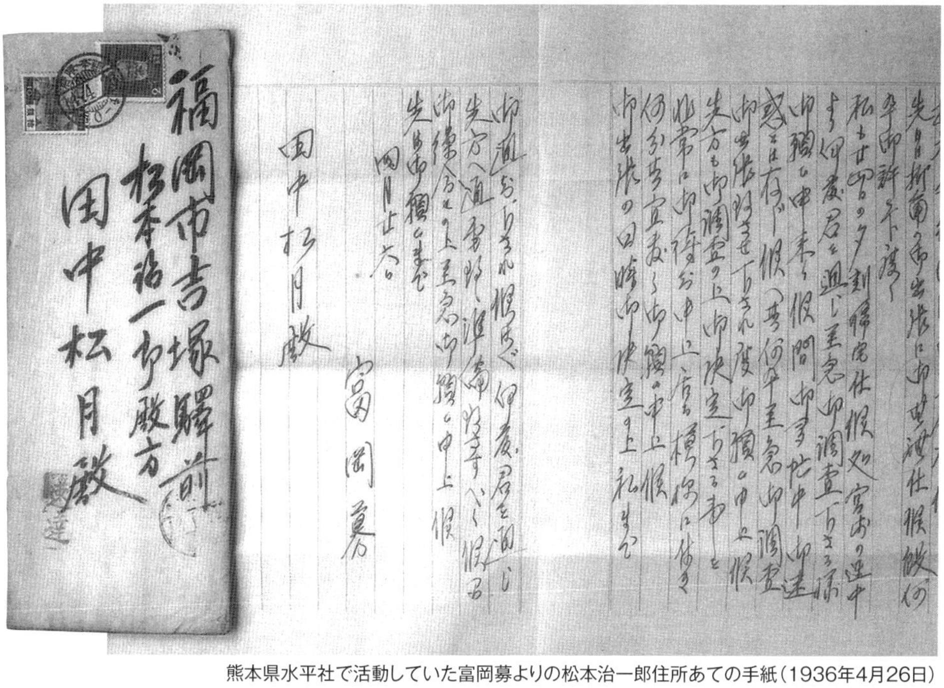

熊本県水平社で活動していた富岡募よりの松本治一郎住所あての手紙（1936年4月26日）

解放歌作詞者・柴田啓蔵（1901－1988）

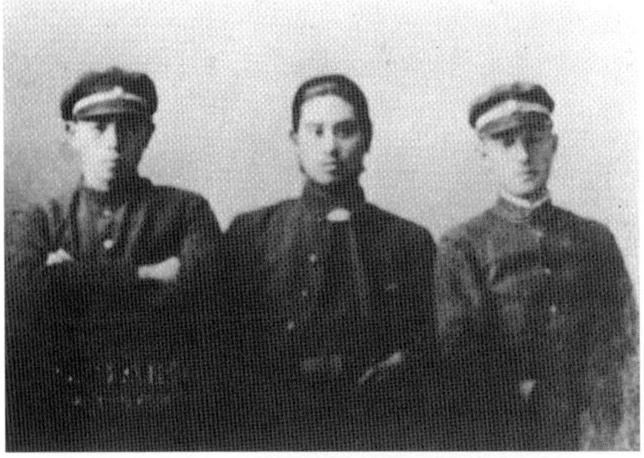

四国の松山高等学校時代（中央）
鞍手郡差別事件（小学校教師、中村村長差別事件）で検挙され、未決出獄直後松山にて。松山高校では親友影山誠一氏（右）を中心に無罪要求運動が拡がっていた。

福岡市博多区での集会で井元麟之（右）に紹介される柴田啓蔵（中央）。左側は米田富。

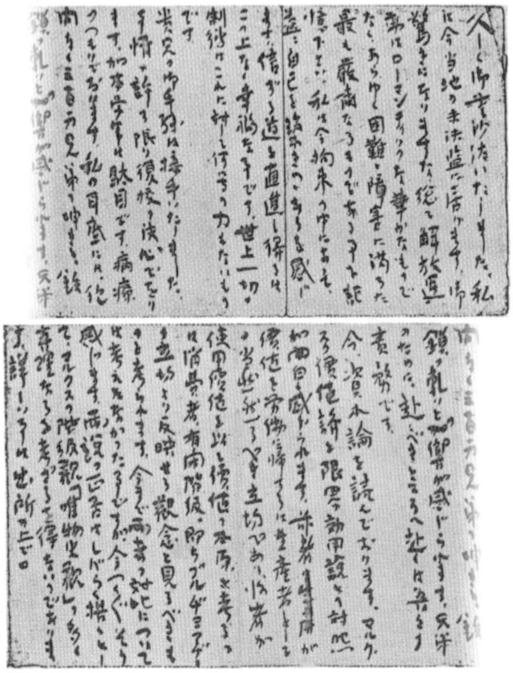

獄中からの手紙（同級生 影山誠一宛）

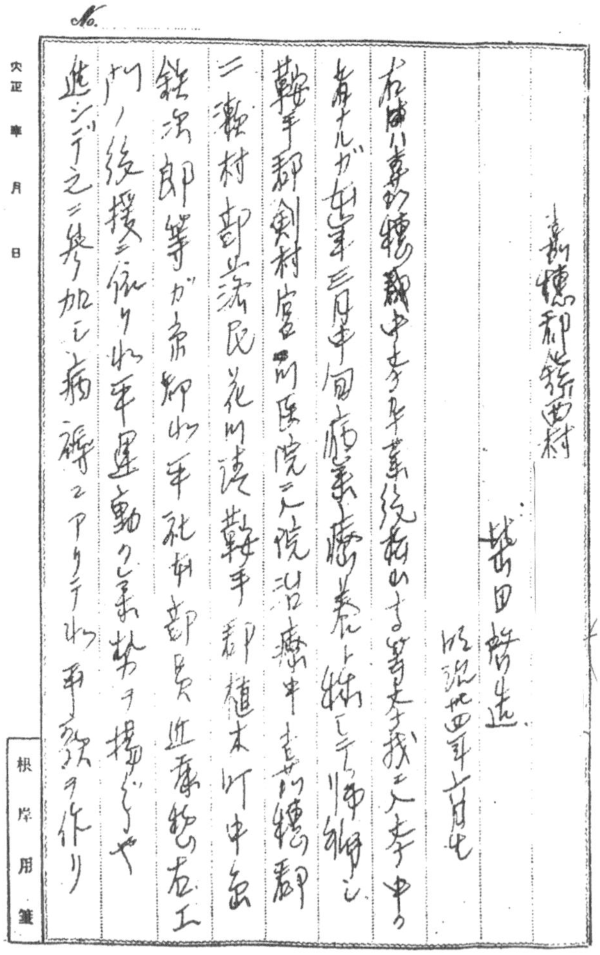

「根岸」は柴田啓蔵の松山高校時代の教授

この書類は、柴田啓蔵氏が中村村長事件で、飯塚拘置所に拘留されていると知った松山高校（旧制）の親友景山誠一氏が、生徒監の根岸教授にどうした理由で拘留されているのか質問した。学校側で把握した状況を根岸教授が景山氏に知らせてくれた資料です。

［岡本隆 史料］

1982年西鞍手水平社創立60周年祝賀会。前列左から平野末芳、和田広高、篠原茂、後列左から大野甚、田中松月、井元麟之、柴田啓蔵

生涯一筋・上杉佐一郎（1919－1996）

1930年代後半。九州鉄道（現在の西日本鉄道）入社の頃。

大阪で開かれた部落解放同盟第11回全国大会で福岡市長選挙差別事件を訴える。1956（昭和31）年10月。この事件は福岡県・九州の同和教育運動の出発点ともなった。

部落解放中央共闘会議結成大会で議長をつとめる。当時中央本部書記長8選目。
1975（昭和50）年12月15日

福岡から東京までの部落解放要求貫徹大行進の先頭に立つ。

「反差別国際運動」を1988（昭和63）年1月25日に結成。理事長となった。

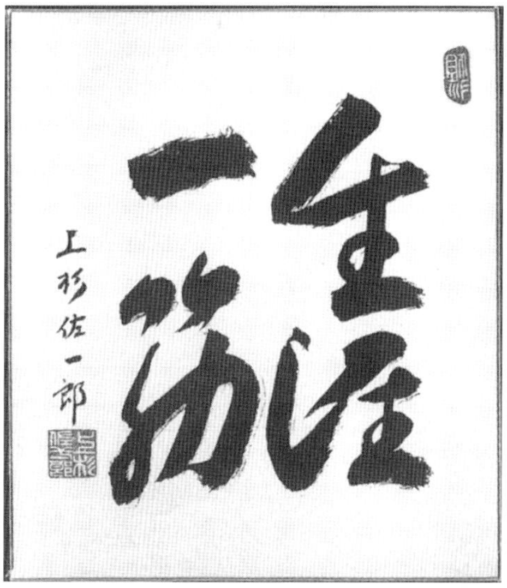

座右の銘として「生涯一筋」があり、
揮毫には「道」も良く書いた。

■年表に見る全九州水平社・部落解放運動の歴史①（1922年〜1945年）

福岡県 :(福)と表記

年	月 日	九州における部落解放運動の歩み	差別事件と全国的な部落解放運動の歩み	県・国の動きと社会情勢
1922 (大正11)	2.12 3.3 12.5 –	(福)八女郡光友村山崎中州地区公会堂建設、「報徳会」結成⑱ **全国水平社創立大会**に福岡県の田中松月が参加。柴田啓蔵は出身地の嘉穂郡で花山清、田中らと水平社運動を開始する。松本治一郎らと連絡を取りながら全国本部オルグ阪本清一郎、米田富らと共に活動⑤ 熊本市春竹町の小作人、小作料の永年引き下げを獲得⑭ 長崎県議会で部落改善について質疑⑨	2.5『よき日の為に－水平社創立趣意書－』を刊行① 3.3 **全国水平社創立大会**を京都市岡崎公会堂で開催① 3.6 (福)早良郡脇山小学校で児童間の侮辱言辞で紛議、校長らの仲裁で解決② 3.25 大分県別府市的ケ浜部落、官憲により焼き払われる⑩ 4－ 全国水平社は、東西両本願寺に対して、募財拒否運動を展開① 4－ 福岡市旧柳町で差別事件、謝罪解決⑥ 8.15 (福)早良郡原村で小作米減額要求に対し侮辱発言、小作料1割減で落着⑥ 10 (福)筑紫郡堅粕町で差別事件、仲裁により謝罪解決⑥ 11.23 (福)早良郡脇山尋常小学校で差別事件、学校対部落の紛議となる。校長、村会議員ら調停②	3.26 大分県的ケ浜焼き打ち事件に対し「至心会」が組織され、救済活動を行う⑪ 4.9 賀川豊彦、杉山元治郎ら日本農民組合創立㉝ 5.4「至心会」常任幹事篠崎蓮乗が水平社後援を受け京都青年会館で的ケ浜焼き討ち事件の真相報告会を開催。「別府・的ケ浜事件真相」が平民世界社から発行⑪ 6－ 佐野学、雑誌『解放』に「水平社運動」を発表⑪ 7.15 日本共産党創立② 9－ 熊本県郡市長会議で地方改善に関する件を指示⑭ 11.10 財団法人鹿児島県社会事業協会創設⑧ 育英奨励費 63,000円 (中等教育以上新規受給者156人)／ 地方改善事業国家予算 210,000円㉜
1923 (大正12)	3－ 4.20 4.21 4.24 4.29 4－ 5.1 5.6 5.20 6.3 6.17 6.19 6.20 7.1 7.10 7.18 8.25 8.28 8.30 9.1 9.2 9－ 9.17 9.24	(福)浮羽郡水分村前原地区公会堂建設⑱ (福)筑豊柴田啓蔵・田中松月・花山清、福岡松本治一郎・藤岡正右衛門・梅津高次郎・播磨繁男、堅粕中村浪次郎、筑紫郡和田藤助らによって県内ほとんどの部落、佐賀・熊本県にまで水平社組織が拡大⑤ 水平社宣伝演説会を(福)筑紫郡堅粕町松園で開催（参加者200名）④ 水平社宣伝演説会を(福)筑紫郡堅粕町金平で開催（参加者700名）④ 松本治一郎、全九州水平社弾圧のため予備検束 水平社宣伝演説会を(福)千代町崇福寺新町で開催（参加者600名）④ (福)宗像郡で日農主催の農民学校、労働総同盟、水平社提携して開催。水平社から中嶋鉄次郎・花山清が参加し講義を担当⑤ **全九州水平社創立大会**が福岡市東公園の博多座で開催され、九州各県から2,000名参加。拘束されていた松本治一郎を本人不在のまま委員長に選出。警官300名が出動⑤ (福)鞍手郡西部水平社大会を同郡若宮村で開催⑤ (福)嘉穂郡鎮西村潤野に支部結成、講演会開催⑤ 熊本県八代町で水平社主催の島本代議士差別発言問題報告演説会を開催。これを機に熊本市、菊池、玉名、鹿本各郡に水平社運動発展⑭ **佐賀県水平社創立大会**を佐賀市公会堂で開催。役員藤本嘉一、谷口松太郎、滝本太一郎、石田儀四郎選出（参加者500名）⑫ 「博多毎日新聞」事件7周年記念講演会福岡市豊富で開催（参加者800名）⑤ 水平社宣伝演説会を(福)筑紫郡堅粕町松園で開催（参加者400名）⑤ **福岡県水平社創立大会**を嘉穂郡飯塚町で開催、委員長に梅津高次郎を選出⑤ (福)早良郡田隈村大字免で水平社創立大会を開催（参加者130名）⑤ **熊本県水平社創立大会**を熊本市肥後相撲会館で開催委員長に宮村庄平を選出（参加者2,000名）米田富、西光万吉、藤開しづえ等出席⑭ (福)筑紫郡堅粕町金平で「解放令」記念講演会開催⑤ 水平社宣伝演説会を(福)糸島郡周船寺村大字女原で開催（参加者250名）⑤ 水平社宣伝演説会を(福)早良郡脇山村大字脇山字谷で開催（参加者160名）⑤ 水平社宣伝演説会を福岡市大字豊富で開催（参加者450名）⑤ 熊本県菊池水平社創立大会を隈府町桜座で開催⑭ 日農福岡県連が福岡市で創立大会、部落農民が結集⑤ (福)早良郡壱岐村大字城ノ原で山本作馬を中心に農民組合組織の座談会⑤ 熊本県菊池東部水平社創立大会を大津町寶座で開催（九州新聞は津田水平社と報道）⑭	1.2 (福)三池郡岩田村村民差別発言を糾弾謝罪さす② 2.13 (福)筑紫郡堅粕尋常小学校の歴史授業中「部落の生徒は西洋の三等国民」と発言、教師謝罪② 2.17 荊冠旗が決まる⑥ 3.2〜3 **全国水平社第2回大会**を京都市岡崎公会堂で開催⑥ 3.18 奈良県水平社と国粋会が衝突⑥ 3 大阪で少年少女水平社創立大会⑥ 3.24 (福)田川郡川崎村で軍隊宿舎割当差別から紛議② 3－ (福)博多東町の商業学校長が運動会に同校使用を交渉中差別発言、校長謝罪② 4.14 (福)早良郡脇山尋常小学校で差別事件、校長・村会議員調停⑥ 5.6 (福)鞍手郡中村安永村長差別事件糾弾で騒乱事件起こる② 5.7 (福)山門郡柳河町の差別発言事件② 5.21 政友会島本代議士（熊本県選出）福岡県嘉穂郡飯塚町で演説中差別発言。糾弾の結果、「大阪毎日」「大阪朝日」「福岡日日」に謝罪広告を出すことで解決⑭ 5.23〜26 島本代議士糾弾演説会 堅粕町（23・26日）、福岡市松原（25日）⑭ 6.2〜4 (福)鞍手郡中村村長事件で鞍手郡役所、福岡県庁に村長の辞職を要求② 6.9 中村村長、差別事件につき陳謝及び謝罪状提出② 9.24 熊本県菊池郡東部水平社創立大会の夜、高永差別事件が起こり公判に付される⑭ 9.27 熊本県菊池郡原水村尋常小学校及び同郡合志村竹迫尋常小学校で小学校児童による差別事件起こる。糾弾闘争の結果謝罪するが脅迫罪で10名に有罪判決⑭	一月施行改正農会法で自小作・小作総代が29％進出㉝ 2－ 佐野学、『種蒔く人』に「水平社訪問記」を発表⑪ 2.20〜23 日本農民組合第二回大会（高崎正戸参加）㉝ 3－ 日本初の国際婦人デー集会⑥ 4－ 日本共産党青年同盟結成、「赤旗」創刊⑥ 4.1 高崎正戸、阿部乙吉ら九州農民学校設立㉝ 6－ 熊本県、県民に対して「部落民に対する差別観念の非なるを自覚せしめる」を通達（県令第65号）、この頃各地で地方改善講習会を開催⑭ 九月の府県会議員選挙で新潟県で1名当選㉝ 9.1 関東大震災起る 大杉事件、亀戸事件、朴烈事件等社会主義者、朝鮮人弾圧⑥

年	月日	九州における部落解放運動の歩み	差別事件と全国的な部落解放運動の歩み	県・国の動きと社会情勢
1923 （大正12）	9.30	熊本県玉名水平社創立大会を高瀬町公会堂で開催⑭	9.28 熊本県高永差別事件の謝罪広告出る⑭	10.30 高崎正戸、阿部乙吉ら日農九州同盟会結成㉝
	10.9	熊本県鹿本水平社創立大会を来民町城北座で開催⑭		11.16 熊本県、郡役所・警察署・警察分署、町村役場に融和促進の訓令を出す⑭
	10.10	**全九州水平社第２回大会**を福岡市で開催 藤本又平（熊本）が綱領、高丘松雄（福岡）が宣言、瀧本大一郎（佐賀）が決議文を朗読。徳川一門に爵位返上勧告を協議⑤		11.24 粕屋郡農民組合設立㉝ 12.10～14 福岡県及び社会事業協会の主催で地方改善講習会を福岡市で開催。１県10名以内を推薦⑭
	10.16	（福）早良郡農民組合大会姪浜町で開催。細迫兼光、麻生久ら出席。郡下７支部748名を組織⑤		12- 日農筑紫連合会結成㉝
	10-	（福）鞍手郡で大小作争議、農民運動と水平運動の連携によって闘われ、浅原健三の労働運動と三派が結集。この日粕屋郡志免町別府、大川村大隈、糸島郡前原町泊、怡土村末永・三雲、鞍手郡吉川村乙野、早良郡田隈村、脇山村、入部村、内野村で小作争議。小作料永久３割減免要求⑤	11.1 高橋貞樹、木村京太郎、岸野重春ら全国水平社青年同盟結成⑥	この年- 高橋貞樹『特殊部落の歴史と水平運動』を発刊、発刊停止となる⑪ 育英奨励費 63,000円 （中等教育以上新規受給者156人）／ 地方改善国家予算 491,000円㉜
	12.23	（福）全筑後水平社創立大会を久留米市で開催（参加者500名）		
1924 （大正13）	2.11	宮崎県西諸県郡飯野村に「日本農民組合飯野支部」を部落の農民も参加して結成⑦		1.4 近藤光ら鞍手郡農民組合設立㉝ 1.19 日農西諸岡県連合会結成（宮崎県）㉝
	3.3	全国水平社大会第３回大会で全九州水平社を代表した松本治一郎が徳川一門の辞爵勧告を提案し可決。南梅吉（全水委員長）とともに花山清、松本源太郎が勧告委員として追求②	3.3 **全国水平社第３回大会**を京都市岡崎公会堂で開催。熊本から岩尾家貞ら参加。大会で朝鮮衡平社との連携を決議② 3.5 熊本県鹿本郡山鹿町小学校で開催された在郷軍人連合会総会後の銃剣道試合で差別発言。居合わせた水平社員が糾弾。この件が傷害罪に問われ１名有罪判決⑭	1.21 レーニン死去 2.29～3.1 日本農民組合第三回大会㉝
	3.15	熊本県水平社第２回大会を熊本市公会堂で開催⑭		
	3.19	日本農民組合九州同盟創立大会（福岡市因幡町）全九州水平社代表近藤光出席⑤		3.19 日農九州同盟会結成㉝
	3.30	**大分県水平社創立大会**を別府町豊玉館で開催委員長に島田倉助を選出（参加者700余名）⑪		
	4-	熊本無産者同盟、田代倫、磨井豊喜、竹中英太郎、岩尾猛、岩尾家貞らで結成⑭		4- 米国、日本人入国禁止を含む新移民法を可決⑥
	5.1	**全九州水平社第３回大会**を福岡市九州劇場で開催。議長に松本治一郎、副議長和田清太郎・藤岡正右衛門を選出（参加者4,000名）松本清（田川郡）が綱領、米村喜一郎（熊本）が宣言、永山眞人（佐賀）が決議、本山勉（大分）が祝辞を朗読⑤		
	5.11	熊本県郡築村の農民、日本農民組合に加入 日農郡築支部を結成「郡築争議」を展開⑭		
	5.17	熊本県水平社青年同盟結成⑭		
	5.18	福岡県婦人水平社創立大会を東公園博多座で開催。議長に西田ハル、副議長に有吉はつえを選出（参加者男子を含め1,000名）⑤		5.20 高橋貞樹『特殊部落一千年史』を著す。即日発行禁止となる⑩
	5.25	福岡県水平社演説会を田川郡方城村伊方の田丸勇太郎宅で開催。熊本の岩尾家貞が参加⑤		
	6.1	**福岡県婦人水平社大会開催**⑤ （福）嘉穂郡大分村水平社大会開催⑤ （福）嘉穂郡桂川村水平社創立大会開催⑤		
	6.1	**全九州水平社機関誌「水平月報」創刊**（1928年まで月刊で発行）⑤	6.14 熊本県鹿本郡三玉村で差別事件起きる⑭ 6.20 **全水機関誌「水平新聞」発刊**②	
	7-	大分県水平社同人がソウルの衡平社革新同盟本部で解放運動と交流⑪	7.9 辞爵勧告委員松本源太郎、佐藤三太郎がピストル・刀を持っていたということで、ピストルを渡したという理由から松本治一郎が逮捕され、徳川公爵暗殺事件としてデッチ上げられる⑥	
	8.27	全九州水平社協議会開催⑥		8- 大分県知事が郡市長会議の席上、融和運動推進のための機関設置の必要性を指示する⑩
	9.2	（福）早良郡水平社創立大会（西新町）⑤		
	9.5	熊本県郡築争議（第一次）調停成立。以後第二次、第三次と続く⑭		
	9.16	（福）筑紫郡八幡村水平社創立大会⑤	9.23 徳川家達「暗殺未遂」事件容疑の松本治一郎保釈出獄。翌24日博多駅前で一万人の歓迎集会⑥	
	10.12	**全九州水平社臨時大会**を福岡市で開催⑤ 日農鹿児島県姶良郡連合会結成⑧	9.24 徳川家達「暗殺未遂」事件で拘留中の松本源太郎、市ヶ谷刑務所で獄死	10- 早良郡農民組合設立㉝
	11.23	（福）柳川水平社大会を柳川劇場で開催。参加者400名、熊本の岩尾家貞、末永時行らが参加し演説⑱	10.11 福岡市外箱崎浜で福岡県水平葬⑥	11.15 早良農民組合設立㉝
	11-	日本農民組合福岡県連合会結成大会、全九州水平社代表近藤光出席。糸島郡農民連合会結成⑯	12.1～2 警視庁スパイ事件で平野小剣、南梅吉の同人待遇停止、本部役員の総辞職⑥ 12.1～2 全水本部を大阪に移転②	12.1 **小作調停法施行**㉝ 12.3 大分県「親和会」設立⑩ 12.11 高崎等日農九州同盟会設立㉝
	この年	宮崎県西諸県郡飯野村に部落農民参加の日本農民組合飯野支部「小作調停法」の県内第１号として取り上げられ「小作料２割減額」要求に対し「１割減」で勝利解決⑦	12- 『西部戦線』（三角同盟の機関紙的性格を持つ）第１号発刊される⑩	12- 日農糸島連合会、日農浮羽連合会結成㉝ 粕屋郡農民組合設立 この年日農筑紫、浮羽、朝倉、三井、山門、遠賀、田川、築上、京都各郡連合会結成 育英奨励費 94,500円 （中等教育以上新規受給者254人）／ 地方改善国家予算 522,500円㉜
1925 （大正14）	2.25	全水青年同盟、（福）筑紫郡堅粕町松園浄福寺で治安維持法反対、群馬県事件真相発表大講演会開催⑤	1.17 群馬県佐波郡世良田村差別事件② 2.11 （福）久留米市鳥飼在郷軍人分会の非常時出動演習で差別事件⑥	1.28 有馬頼寧、衆議院予算委員会で部落問題と世良田村事件について質問②

年	月日	九州における部落解放運動の歩み	差別事件と全国的な部落解放運動の歩み	県・国の動きと社会情勢
1925 （大正14）	3.21 3.27 4.24	**全九州水平社第４回大会**を福岡市で開催⑤ 治安維持法反対等を決議 （福）早良郡樋井川婦人水平社大会⑤ 熊本県九州水平社第３回大会を熊本市で開催。参加者2,000名⑭	5.7～8 **全国水平社第４回大会**を大阪市中之島公会堂で開催。規約改正案・宣言は特別委員会に付託される② 5.20 福岡県青年同盟員・岩尾家貞公務執行妨害で福岡刑務所に下獄② 5.22 佐賀郡本匠村で区長選挙際に差別発言12月19日付けで謝罪文を郵送⑫ 7.19 長崎高等商業学校経済問題講演会「ユダヤ人問題、あわせて日本国内における部落差別」が熊本市船場町九州新聞社ホールで開かれるが、講師の教授武藤長蔵の差別発言事件⑨	2.1 有馬頼寧の指導により「全国融和連盟」結成、事務所を内務省に置く⑥ 2.27～28 日本農民組合第四回大会 3- 有馬頼寧「国民融和に関する決議」を衆議院に提出① 3.29 **普通選挙法成立** 4.22 **治安維持法制定** 四月農会総代選挙で3,681名当選㉝ 5.10 大分県親和会、地方改善事業功労者を表彰⑪ 5.16 融和事業大会を東京で開催。大分からは13名が参加、大分代表が「中学校以上ノ卒業者ニ対シテ就職ノ途ヲ講スルコト」を提案⑪ 5.17 日農嘉穂連合会結成㉝ 7.1 全国水平社、中国革命に対する日本帝国主義の干渉反対を決議⑥
	9.20 10- 10.15 11.22 12.4 12.9 この年	松本源太郎の友人浜嘉蔵、徳川邸に侵入放火（1927年大連で逮捕され懲役15年に服す）⑤ （福）松原青年同盟、藤野製綿所闘争支援⑤ （福）故松本源太郎墓碑法要費に女原水平社５円、板持水平社６円、怡土村水平社２円、五反田水平社５円拠出④ 福岡県本部委員、午後２時より加布里村岩本の一般民へ講演を開催④ 熊本電気株式会社の糾弾演説会が開催される⑭ 徳川家達事件で松本治一郎、佐藤三太郎に懲役４ヶ月判決。布施辰治、三輪寿壮らが弁護⑥ （福）原田製綿所女子争議を全九州婦人労働協会（金平を中心とする婦人労働者の組織）が松原青年同盟、婦人労働組合評議会と協力して取り組み、勝利⑤ **全九州水平社は全国水平社九州連合会**と**改称**。同時に佐賀・熊本が独立したが、各県水平社は協力体制を堅持⑤ 宮崎県西諸県郡飯野村村会議員選挙に部落から立候補し１名当選⑦	8.1 （福）山門郡三橋村の差別事件で糾弾した部落民数名が「殴打」「障害」を加えたとされ４名が有罪判決⑱ 8.16 熊本県水平社武藤教授差別発言に関わり警察官糾弾市民大会を熊本市公会堂で開催⑭ 10.7 熊本県玉名郡月瀬村で魚行商人の差別事件。森川伊勢松らが謝罪要求したことが脅迫罪に問われ１名に有罪判決⑭ 10.10 （福）早良郡原村で雇人の差別待遇に抗議し、同村水平社が糾弾⑥ 11.9 （福）三潴郡大川町で差別事件、八女郡水田村で差別事件⑱ 12.9 （福）早良郡姪浜天満屋で観劇中差別発言、謝罪ビラ500枚を提供解決⑥ 12.12 （福）京都郡行橋町で差別事件糾弾の結果謝罪解決⑥ 12.20 （福）八女郡広川村で差別事件糾弾の結果謝罪解決⑥ 12.23 （福）筑紫郡千代町で水平社員に対する差別事件。糾弾の結果謝罪状提出で解決⑥	7- 大分県親和会、中央融和事業協会から「人類教化史上より観たる差別観念の運命」と「社会事業家の要性」を各700部購入し市町村役場・小学校・有志等に無料配布⑪ 8- 全国水平社内でアナーキスト対ボルシェビキ論争激化⑥ 9- 日農佐賀県連結成（三養基連合会改称）㉝ 9.23 中央社会事業協会の部落改善部（1922）を改め中央融和事業協会を創設② 10.4 大日本地主協会創立㉝ 10.28 東京芝協調会館で日本学生社会科学研究会を中心に各無産団体連署の軍事訓練反対の決議文を発表。陸軍・文部省に抗議。大阪・神戸・岡山・名古屋・九州でも同様の動き② 11.22 日農鹿児島県連結成㉝ 12.1 浅沼稲次郎ら農民労働党結党（即時解散）㉝ 一月から六月までの市町村議員選挙に小作人組合から1,312名当選。九月から十月までの府県会議員選挙で鹿児島県冨吉栄二、福岡県赤坂伊之吉、古賀弁吉ら18名当選。㉝ 育英奨励費　126,000円 （中等教育以上新規受給者232人）／ 地方改善国家予算　554,000円㉜
1926 （大正15） （昭和元年）	1.8 1.10 1.20 1.25 2.6 2.28～3.3 3.28 4.3～20 4.18 4.25 5.1 5.9 6.30	（福）金平で軍事教育批判大演説会開催⑤ 水平社青年同盟の（福）松原地区会長井元麟之ら10数名が福岡歩兵24連隊に入隊、井元ら連隊内差別を摘発、軍隊内における差別を糾弾、部落出身兵を組織して闘う⑤ 無産青年同盟熊本県支部設立総会を開催⑭ （福）大井水平社創立大会開催⑤ （福）松原、松園、金平水平社　24連隊機関銃隊に抗議⑤ 熊本市電従業員の争議に85名参加⑭ 佐賀県水平社第２回大会を佐賀市公会堂で開催⑫ 福岡で「軍事教育反対同盟会」組織、無産階級の立場から本質を暴露⑤ （福）筑紫郡堅粕町、東邦電力堅粕工作所職工98名賃上げを要求して争議。争議団本部を松園に置く⑤ （福）糸島郡水平社大会を前原町老松座で開催⑯ （福）三井郡小郡村水平社創立⑱ 全九州水平社、「水平月報」第19号で農民運動の団結を呼びかける （福）朝倉郡水平社第４回大会を甘木町郡公会堂で開催② （福）自治正義団創立 全水本部と福岡連隊との交渉決裂。全水本部、全国に徹底的糾弾の檄をとばす。 この頃、福岡県水平社青年同盟金平支部、松園支部、差別問題解決まで青年訓練所、青年団、処女会脱会を決議⑤	1.12 （福）早良郡壱岐小学校児童差別事件、父母の謝罪で解決⑥ 1.29 （福）八女郡上広川村岩松寺住職差別。糾弾の結果、発言を取り消して解決⑥ 2.2 （福）企救郡足立村の競馬場で口論中差別事件、謝罪により一応解決⑥ 2.3 （福）三潴郡浜武村で部落児童に対する差別事件。保護者謝罪で解決⑥ 2.12 （福）山門郡柳川町の県立高等女学校で生徒の差別事件。糾弾により謝罪解決⑥ 4.9～10 岩尾家貞・田中松月、久留米・八女・福島方面の差別事件調査⑱ 5.2～3 **全国水平社第５回大会**を福岡市で開催。綱領の一部を改正「明確な階級意識の上にその運動を進せしむこと」「全日本農民組合同盟に対する態度の件」等を決定、水平社教育方針可決。鈴木田世志郎、岩尾家貞、村本仙蔵、清住政喜、清住留次、富岡募らが各種役員を担当① 5.16 福岡連隊で差別事件⑥	2.24 全国融和連盟起案「部落問題の国策確立に関する建議案」及び請願書を議会に提出② 3.5 杉山ら労働農民党結成㉝ 3.10～12 日本農民組合第五回大会㉝ 4.8 **労働争議調停法公布**㉝ 4.11 北沢新次郎ら全日本農民組合同盟結成㉝ 5.1 暴力行為等処罰に関する法律制定㉝ －日本農民組合福岡県連合会が、全国農民組合福佐連合会（左派：全国会議派）、全国農民組合福岡県連合会（中間派：総本部派）日本農民組合九州連合会（右派）に分裂⑩

年	月日	九州における部落解放運動の歩み	差別事件と全国的な部落解放運動の歩み	県・国の動きと社会情勢
1926 (大正15) (昭和元年)	7.1	水平社青年同盟松原支部、青年訓練所に積極的に入所、内部から軍隊教育と闘う方針決定、青年訓練所班10名を組織④	5.28 福岡水平社支部代表者会を開き福岡歩兵24連隊内差別事件につき連隊へ厳重抗議と差別根絶を要求⑥	7.16 高崎ら全日本農民組合九州同盟会結成㉝ 7.28 佐賀県社会事業協会「融和部」設立⑫
	7.15	福岡県婦人水平社大会を福岡市金平公会堂で開催①	5.31 松園慈広寺で第１回福岡連隊差別真相報告演説会開催⑥	
	7.27	(福)金平で全九州水平社執行委員会開催。福連事件の経過報告を受け、連隊の約束破棄の責任を追及し、応じない場合には立会演説会の申し込み。県下一斉糾弾演説会、真相報告ビラの印刷配布等、大衆運動による糾弾方針決定⑤	6.2 金平大光寺で第２回福連差別真相報告演説会開催⑥ 6.4 福岡水平社青年同盟の指導する善導寺村小作争議で地主を糾弾⑥ 6.17 松原松源寺で第３回福連差別真相報告演説会開催⑥	
	8上旬	再び福岡連隊内で差別事件発生⑤		
	8.17	松原公会堂で福岡連隊当局糾弾演説会⑤		
	10.10	水平社九州連合会拡大委員会開催②		10.17 日本農民党結党㉝
	10.15	第１回福連事件対策委員会を開催。松本治一郎を委員長に決め具体策を協議⑤	10.7～14 (福)糸島雷山地区の福連演習宿舎忌避事件⑯	10.22 全国水平社、労農支持連盟発足①
	10.17	福連当局に対し10月20日に九州劇場での両者立会演説会開催と出席の申し入れ。18日連隊側拒否⑤		
	10.20	連隊側の出席拒否で「福連事件真相報告演説会」として開催された席上、10月７日～14日糸島郡雷山地域の福連演習における連隊宿舎忌避事件が報告され満場の怒りをかう⑤		11.3 労働農民党大会、全水の差別糾弾権を支持⑥
	10中旬 ～下旬	演習の行われる福岡県西部、佐賀県一帯に連隊宿舎忌避事件の大宣伝会。佐賀・熊本の各水平社一斉に宣伝。糾弾行動開始⑤		
	10.30	日本労働組合評議会九州評議会で福連糾弾支援決議⑤		
	11.3	労働農民党主催「福岡連隊差別問題批判演説会」を福岡記念館で開催⑤		
	11.12	福岡連隊差別糾弾闘争に対し「連隊爆破陰謀」事件として松本治一郎、藤岡正右衛門（福岡県水平社委員長)、木村京太郎（全国水平社常任理事）ら10数名検挙②	12.1 熊本県玉名郡腹赤村の牧島カン、水平社に対し差別発言。謝罪状を掲載⑭	12.9 日本労農党結成㉝ 育英奨励費 112,000円 (中等教育以上新規受給者264人）／ 地方改善国家予算 585,500円
1927 (昭和２)	1.1	「我等が決死の思ひをこむる福岡連隊当局糾弾の軍資金」として熊本県玉名郡坂下水平社は金４円、熊本市春竹水平社は金10円を九州連合会本部に送る⑭	2.22 第52帝国議会で「部落問題国策確立に関する決議」可決⑥	1- 日農宮崎県連結成㉝ 1.5 南梅吉ら日本水平社設立② 2- 全日本農民組合結成
	2.12	福岡連隊事件新聞記事解禁、全国水平社機関誌「水平新聞」に事件の真相の陰謀暴露⑤	2.23 熊本市春竹水平社の岩尾猛、糾弾事件で在監中病気となり保釈出獄中であったが21才で死去⑭	2.20 日本農民組合第六回大会㉝
	3.9	徳川家達「暗殺未遂」事件で松本治一郎下獄②		
	4.12	福岡連隊真相発表大会を熊本市で開催⑭	7- (福)加布里村長が小学校父兄会において納税問題で五反田・赤坂部落を名指して差別講演を行う。ただちに水平社と日農による糾弾闘争②	3- 衡平社中央委員会で「水平社に謝意を表す件」を決議⑪
	4.18	長崎県水平社創立の賛否を問う動議が出される		
	4.26	**全九州水平社第５回大会**を福岡市で開催、青年同盟組織促進の件等を可決②		3.1 日本農民組合から全日本農民が分裂㉝
	6.6	福連事件福岡地裁公判で検事求刑通りの判決（松本治一郎・和田藤助懲役３年６ヶ月、藤岡正右衛門・木村京太郎ら９名懲役３年、高丘吉松懲役９ヶ月）11名即時控訴⑤	10.17 佐賀県水平社が糾弾結果を長崎県水平社に連絡⑫ 10.31 長崎県水平社が糾弾結果を佐賀県水平社に連絡⑨	3.6 鈴木文治ら日本農民組合総同盟創立㉝ 3.15 三・一事件㉝
	6.10	熊本市春竹水平社の清住政喜、福岡連隊事件で福岡刑務所に収容、免訴後病気療養中であったが、死去（22歳）⑭	11.19 北原泰作二等兵、軍隊内差別撤廃を叫んで、名古屋練兵場における天皇観兵式で天皇に直訴⑥	7.30 帝国公道会、同愛会と合体させられ中央融和事業協会となる。全国融和連盟は解消② ９月～10月　府県会議員に農民組合関係立候補者113名のうち16名当選㉝
	7.6	徳川家達「暗殺未遂」事件で収監されていた松本治一郎出獄⑤	12.3～4 **全国水平社第６回大会**を広島市寿座で開催。代議員200名、傍聴者3,000名参加。福岡連隊事件、北原泰作直訴問題等を協議①	
	9-	３府27県で普通選挙法による府県議会議員選挙。筑紫郡より藤岡正右衛門らが立候補（落選）⑤		育英奨励費 189,000円 (中等教育以上新規受給者279人）／ 地方改善国家予算 617,000円㉜
1928 (昭和３)	2.20	第１回普通選挙法に松本治一郎未決の獄中から労農党で立候補（落選）⑥		2.20 普通選挙第一回衆議院選挙無産党山本宣治、鈴木文治ら８名当選㉝
		福岡県青年同盟第７回大会報告演説会開催。弁士として和田、西岡、茨、西田ら治安維持法撤廃を要求（参加者600名）⑤	5.26～27 **全国水平社第７回大会**を京都で開催。一部地方不参加、第二日目冒頭、暴漢の乱入を理由に解散させらる 朝鮮衡平社代表連帯の挨拶①	3.15 日本共産党とその影響下の無産団体に大弾圧① 4.20 日本農民組合第七回大会㉝
	5.1	長崎市のメーデーに長崎水平社から参加⑨		5.19 大分県学務部長、市町村長へ融和促進移管する件の通牒出す⑪
	6.5 ～6	**長崎県水平社創立大会**を長崎市青年会館で開催⑨	6.13 別府「毎夕新聞」の差別記事に大分県水平社が糾弾闘争⑩ 7.15 熊本県飽託郡図画村図画湖における酒宴で差別発言、糾弾した３名が暴行罪に問われ有罪判決⑭ 7.27 (福)鞍手郡水平社、貝島鉱業人事係の差別発言に対し貝島炭坑社長を糾弾⑰ 8- 「別府毎夕新聞」の差別記事に対し大分県水平社が糾弾⑩	5.25 日本農民組合と全日本農民組合が合同し全国農民組合創立㉝ 5.26 熊本県、支庁・警察署・市役所・町村役場・公私立学校に融和促進の訓令を出す⑭ 5.27 杉山ら全国農民組合結成㉝ 7.5 中沢弁次郎ら全日本農民組合結成㉝ 7.22 鈴木茂三郎ら無産大衆党結成㉝ 7.24 大分県親和会・中央融和事業協会共催で別府市で講演会開催⑪ 7- 「融和時報」第140号大分県親和会版一面に「満蒙開拓青少年義勇軍を送り出せ」の記事が載る⑩

年	月日	九州における部落解放運動の歩み	差別事件と全国的な部落解放運動の歩み	県・国の動きと社会情勢
1928 （昭和３）	8.12	全国農民組合福岡・佐賀合同会（福佐連合会）開催。部落の活動家多数が参加⑤		8.12 重松愛三郎ら全農福佐連合会結成㉝ 8.28 斉藤熊本県知事「解放令」発布記念日にラジオ放送で県民諧和の実現を強調。熊本県「昭和会」設立。県下12ヶ所で融和事業講演会を開催⑭ 9.10 福岡県「親善会」設立⑱
	10.1	熊本県水平社大会を伊倉町大光寺で開催⑭		10.28 野口彦一ら筑後農民組合創立㉝
	10.18	福岡連隊事件デッチ上げで有罪確定⑤		11.3 全国融和デー実施、大分県ではパンフレット「融和の栞り」「国民諧和に就て」を県下各方面に配布⑪ 11- 大分市の笹野音吉が中央融和事業協会より功労者として表彰される⑩ 12.15～16 全国融和団体連合大会開催⑥ 育英奨励費 189,000円 （中等教育以上新規受給者252人）／ 地方改善国家予算 617,000円㉜
1929 （昭和４）	1.1	「水平新聞」発禁（12月復刊）⑤	1.1 長崎市岡町で同人三人に対して差別発言。12月に撤廃講演会を喜楽座で開催⑨	二月の衆議院選挙で農民組合から山本宣治ら２人当選㉝ 3- 山本宣治暗殺される⑥ 3.3 全国農民組合第二回大会㉝
	4.16	４・16事件、全水本部派12名検挙される。中嶋芳喜・西村二門・惣門小太郎・中島松雄・茨金治郎・西田ハル（以上福岡）梅津弥七・清塚才次郎（以上群馬）山口恒郎（三重）福井由数（大阪）三重の上田音市は病気のため自宅監禁⑭	11.4 **全国水平社第８回大会**を名古屋市で開催。一切の賤視差別をなくせよ、差別糾弾の自由を獲得せよ、奪われた生活権を奪還せよ、部落民の戦線統一せよを中心スローガン①	4.1 鹿児島県社会事業協会「融和部」設立② 4.16 第４次共産党事件、佐野学が上海で逮捕される（４・16事件）
	5.10	松本治一郎福岡連隊爆破デッチ上げ事件で下獄⑤		
	6.26	大分県日田郡水平社創設大会を開催⑪		5- 融和団体「大分県東国東郡親和会」が結成される⑩
	この年	全国農民組合（全農）大分県連合会結成⑪		10- 世界恐慌始まる⑥ 11.1 労農党結成 育英奨励費 189,000円 （中等教育以上新規受給者286人）／ 地方改善国家予算 684,600円㉜
1930 （昭和５）				二月の衆議院選挙で片山哲ら５名当選㉝ 2- 第１回鹿児島県融和事業協議会開催⑧
	3.15	**全九州水平社連合会大会**を福岡市記念館で開催。組織確立、政治部確立を決定。大会後、徳川事件で獄死した松本源太郎墓前にデモ。夜、松原公会堂で演説会開催②		3.14 中央融和事業協会が「五ヶ条の御誓文」発布の日を「国民融和日」と定める⑩
	4.16	（福）北豊前農民組合を藤本幸太郎らが企救郡で結成㉑		3- ロンドン軍縮条約 4.9～11 全国農民組合第三回大会
	6.16	福連事件で下獄した藤岡正右衛門、肺結核で仮出獄⑥	6.20「日田朝日新聞」糾弾闘争が全水本部・九州連合会・福岡県水平社のオルグの指導の下展開⑩	5.3「大分県東国東郡親和会」結成⑪ 5- 川崎メーデー騒擾事件①
	6.27	全水九州連合会松原支部「博多毎日」事件を記念し福岡市松源寺で時局講演会開催⑥		6- 大分市南伊勢隣保館で融和事業講習会懇談会及び活動写真会が開催される⑩
	7.2	福連事件の藤岡正右衛門没、7.10 水平葬⑤		7.5 林英俊ら北豊前農民組合結成㉝ 7.20 全国大衆党結党㉝ 7.24 大分県親和会、中央融和事業協会と共催で融和講習会を別府市で開催⑪
	9.8	全水九州連合会、第１回委員会を金平公会堂で開催。松本治一郎執行委員長代理・闘争基金徴収等を協議②	9.4 岡山県三保小学校差別事件でピオニール結成①	10.3 米価暴落㉝ 10.27 台湾で反日の蜂起（霧社事件） 11.14 浜口首相狙撃
	9.8	福岡県富士製綿の争議に水平社、労農大衆と共闘	9.17（福）朝倉郡甘木町で差別事件おきる。甘木署に「恐喝」容疑で井元麟之・元山ら検束。これに対し税金不納・同盟休校で闘う（甘木事件）⑥	11- 第３回鹿児島県方面委員会において融和問題を協議⑧
	9-	（福）田川郡金田町の部落で区有林マグサ刈りの刈費不払いの生活権奪還の闘いを起こし80戸の部落全員が３日３晩800名を超える動員で村役場を包囲②	12.5 **全国水平社第９回大会**を大阪四天王寺公会堂で開催。代議員126名、傍聴者300名参加①	この年- 農業恐慌 育英奨励費 189,000円 （中等教育以上新規受給者335人）／ 地方改善国家予算 588,708円
1931 （昭和６）				1.15 熊本県昭和会、九州・山口各県の融和事業団体協議会を熊本市公会堂で開催。生業資金増額要求・国の融和団体費増額要請・部落民の社会的進出・部落寺院等を協議⑭
	1.16	全農福佐連合会の福岡市松園支部、小作料共同支払いによる３割減額を貫徹②		1.16～17 熊本県、融和事業中堅青年講習会を飽託郡日吉村大慈禅寺で開催⑭ 1.27 片山哲ら日本農民組合結成㉝ 1- 日本農民組合結成① 2- 日本労働組合評議会結成①
	2.11～25	（福）堺利彦農民労働学校第一期を行橋町で開催		2.5～6 全国融和団体連合大会で経済更正運動を提唱②

年	月 日	九州における部落解放運動の歩み	差別事件と全国的な部落解放運動の歩み	県・国の動きと社会情勢
1931 （昭和６）	3 - 4．3 12. 10 12. 25	（福）朝倉郡夜須町でマグサ山入会権の要求を中心とした西田事件起きる。部落に対する区のさまざまな差別、大規模な生活権奪還の闘争を展開。小作米、区費の不納、各種団体からの脱会を決議。井元麟之を中心に早良・粕屋の同人にも呼びかけ警官隊と衝突したがほとんどの要求を勝ち取る⑥ 福連事件で下獄の西岡、茨、下田の３名仮出獄② **全国水平社第10回大会**で九州連合会が「全水解消意見」を提出⑥ 福連事件で下獄していた松本治一郎仮出獄⑥	3．3　全水10周年記念行事を各地で開催① 3．6　婦人水平社議長西田ハル、「4．16事件」で１年半懲役の判決を受け、下獄をデモで歓送⑥ 3．9　少年水平社で活躍した山田孝野次郎死去（25歳）⑥ 3 -　第59帝国議会で「融和事業の徹底に関する建議案」可決② 6．10 全国融和婦人連盟結成⑥ 7．16 熊本県鹿本郡大道村及び阿蘇郡黒川村で差別事件起きる。熊本県昭和青年連盟員がその非を諭し、当事者の理解を得て円満解決⑭ 8．19 福岡市松園伏見町藤野製綿所女工解雇反対闘争を全水九州連合会が支援していたが、工場側が争議団本部に差別文書を送り問題が激化。会社糾弾の大衆闘争に発展⑥ 12. 10 **全国水平社第10回大会**を奈良県桜井町で開催。出席支部30、代議員69名、「全水解消論」で激論①	2．14　3．7～9　全国農民組合第四回大会政党支持問題で事実上分裂 6．2～5 九州・沖縄・山口各県社会事業大会を長崎市公会堂で開催。部落の経済問題等融和事業についても協議される② 6 -　鹿児島県各地で社会事業研究会開催、県融和事業部が産業奨励施策を開始⑧ 7．5　全国労農大衆党結成㉔ 7．5　全国労農大衆党結党㉝ 7．16 熊本県昭和青年連盟、熊本県昭和会主催の第２回社会問題講習会の受講生76名により設立される。事務所は熊本県庁社会課内⑭ 7 -　大分県下毛郡阿蘇湯ノ谷温泉で「熊本県青年連盟」が開催される。⑪ 9．18 **満州事変** 9．18 関東軍参謀ら満州事変を作為する（15年戦争始まる） 10. 26 大分県親和会、日田郡で副業講習会を開催⑪ この年　府県会議員選挙で農民組合から２名当選㉝ 育英奨励費　180,650円 （中等教育以上新規受給者375人）／ 地方改善国家予算　527,204円㉜
1932 （昭和７）	1．5 3．3 3 - 5．20 9 -	全九州連合会支部代表者会議、福連事件松本治一郎他６名出獄慰安会を兼ねて開催。出席者190名、支部確立の件、本願寺募財に関する件等を可決② **全水九州連合会第10回水平デー運動**を展開、演説会を福岡市東公園で開催⑥ 全水中央委員会議長松本治一郎「出獄に際して全国の同志諸君におくる」の声明を発表⑥ 長崎県浦上町大光寺説教所で福岡連隊事件水平社社員出獄歓迎演説会開催⑨ 福佐連合会の運動の高揚、13支部580名に拡大その大部分が部落を基盤としていた⑩	1．8（福）田川郡金川村で友清事件おこる②	1．28 上海事変 2．19 衆議院選挙に農民組合より杉本元次郎当選、無産政党当選者五名㉝ 2 -　全農京築委員会設立㉝ 3．1　満州国建国宣言 3．5～11 大分県親和会、東国東郡で家庭経済講演会（みそ・醤油造り）を開催⑪ 3．20 全国農民組合第五回大会 4．16 菊竹六皷が福岡日日新聞に５・15事件について「あえて国民に問ふ」を発表 5．10～12 九州・山口社会事業大会を熊本市公会堂で開催⑭ **５・15事件** 5．15 犬養首相暗殺 7．24 社会大衆党結成 7．24 社会大衆党結党㉝ 8．19 大分県親和会、県下各地で映画上映して融和親善を強調⑪ 9．15 満州国承認、国が計画的に満州移民の募集開始⑩ 10. 17 田原春次ら全農福岡福岡県連結成㉝ 10. 30 日本農民組合北九州連合会結成㉝ 育英奨励費　162,585円 （中等教育以上新規受給者313人）／ 地方改善国家予算　1,974,484円 ((内応急施設費（時局匡救）1,500,000円)) ㉜
1933 （昭和８）	2．1 2 - 2 - 3．3 3．4 3 - 4．12 5．1 6．20	全水第11回大会開催のため、本部を福岡市に一時移転。「闘争ニュース」発行し準備中、戸切の脇坂栄、平田富雄ら逮捕⑥ （福）糸島郡内農村各部落で共同して一斉に小作料減額闘争を闘う⑯ 北豊前農民組合が井手尾争議（耕作権保障）を闘う㉑ **全国水平社第11回大会**を福岡市九州劇場で開催 長崎の磯本信雄を全水中央委員に選出⑨ 大分県西国東郡高田町に小作争議が起こり「全農」中津支部が支援活動⑪ 福岡市内12部落の代表34名、８年度施設費獲得のため対市交渉① 水平社が中心となって、福岡県で初めての街頭メーデー（どんたくメーデー）を実施、200名で金平を出発、途中で300名にふくれる① 高松差別裁判闘争に対し、福岡から吉竹浩太郎（22日）北原泰作・井元麟之（27日）を現地オルグに送る⑥	3．3　**全国水平社第11回大会**を福岡市で開催。代議員３府11県から158名。ファシズム・社会ファシズム反対闘争、消費組合の組織促進等を可決し、部落民委員会活動方針提起。この大会の帝国主義絶対反対のスローガンを掲げ官憲から撤去を命じられる⑬ 5．25 香川県の部落青年山本雪太郎、久本米一（市）両名の結婚誘拐容疑事件公判② 6．28 部落民代表者会議を香川郡鷺田村馬場で開催。戸主会、在郷軍人会、青年団、消防組、婦人会、処女会等の各団体代表で糾弾闘争委員会を組織。讃岐昭和会（融和団体）の策動を封じる② 8．28 全国部落代表者会議を大阪市天王寺公会堂で３府21県126名の代表、傍聴者約500名参加で開催①	3．14 国民融和日。大分県社会課はリーフレットを県内に配布し、大分市で講演会、各地で座談会開催⑪ 3 -　国際連盟脱退 3 -　全国農民組合第六回大会 5．1　第15回メーデー大阪大会で部落問題を取り上げる⑥ 6 -　滝川事件 6．10 佐野学・高橋貞樹、同時に転向表明⑪ 7 -　神兵隊事件⑥ 米穀統制法、農村負債整理組合法公布、軍需インフレ始まる 8 -　労働総同盟、罷業統制規則を決定

年	月日	九州における部落解放運動の歩み	差別事件と全国的な部落解放運動の歩み	県・国の動きと社会情勢
1933 (昭和8)	9.25 10.1 11.7 12.15 12- 12.24 12.29	第1回請願行進隊激励演説会を東公園博多座で開催。全農唐津支部、福佐連合会、福岡県連、大分県連、社会大衆党八幡支部等代表演説⑤ 第2回高松差別裁判判決取消請願行動隊激励演説会を福岡市東中洲県公会堂で開催⑤ 元全水九連常任、茨与四郎死去、12日松園浄福寺で水平、労農合同葬(会葬者1,000名)⑤ 高松差別裁判請願行進報告演説会を(福)金平大光寺で開催(参加者300名)⑤ 高松差別裁判取消要求請願運動のため松本治一郎が大分県下で演説会を開始⑪ 宇佐郡長洲町にピオニール(無産少年団)を結成⑪ 綾部倉吉が全水大分県連機関誌「水平線」第一号を発刊⑪	10.4～5 高松差別判決取消行進隊代表17名、大阪控訴院長、検事長に面会し抗議陳情② 10.19 請願隊3府19県代表40余名東京に到着。連日司法省、大審院等に抗議、検事総長に非常上告陳情、内務・大蔵両省に地方改善施設事業につき陳情② 10.26 請願行進隊主催の労働者農民無産階級の代表を迎え、答礼会を浅草山谷堀会館で行う① 11.20 差別裁判糾弾委員会「要求貫徹闘争方針(第二段の闘争戦術)」を決定。税金不納同盟、児童同盟休校、徴兵忌避同盟、改善施設獲得同盟等の大衆組織で闘うことを訴う① 12.24 大分県宇佐郡長洲尋常高等小学校で差別事件起こる。水平社少年団結成。同校で全国水平社大分県連合会準備会による糾弾闘争⑩ 12- 宇佐郡内の尋常高等小学校で20数件の差別事件が発生。町内に水平社少年団を結成。同校で全国水平社大分県連合会準備会による糾弾⑩	12.18 全国農民組合分裂し皇国農民同盟設立㉝ 12.20 東京着の請願隊フアッショ反対抗議書をもってドイツ大使館に抗議⑥ 12- 熊本県融和教育研究会設立⑭ この年- 鹿児島県樋脇村経済更正地区委員会設立⑧ 育英奨励費 162,585円 (中等教育以上新規受給者398人) ／ 地方改善国家予算 2,374,484円 ((内応急施設費(時局匡救) 1,800,000円)) ㉜
1934 (昭和9)	1.1 1.4 2.6 6- 7.17 この年	「全国水平社ニュース」臨時号、大分・熊本両県の活動を報告⑪ 全水熊本県連合会は松本治一郎を迎え菊池村で全県下部落代表者会を開催⑭ 全水熊本県連第3回大会を熊本市で開催 参加者500名、部落改善施設要求、闘争方針等決定、終了後演説会⑭ (福)田川郡金川村で三井鉱山に対する鉱害復旧闘争を闘う。御用技師が天災だと判定したため苗代田にたたき込み、部落の男がほとんど検挙される(鉱害闘争のはしり)⑥ 全水福岡県連合会松原支部再建大会(参加者240名)⑥ 大分県西国東郡矢立明神社の神殿の改築にあたって部落が費用の一部を負担して氏子となる⑩	1.12 第3回全水中央委員会開催② 1.27 大分県警特高課は労働運動・農民運動・水平運動家を治安維持法違反で県北を中心に、綾部倉吉等70名検挙⑩ 4.13～14 **全国水平社第12回大会**を京都市岡崎公会堂で開催。全国部落調査、農民戦線統一運動支持・差別糾弾闘争可決。闘争方針大綱あら「日本資本主義の特殊性と部落民の本質並にその状態」は官憲の検閲で削除される⑬ 8.28 全国水平社本部「解放記念日」に当たって融和主義との対決を訴える⑥ 11.17 熊本県伊倉町北方部落で警察の差別恐喝事件、藤本巡査の事実否認に対し、北方部落は全水熊本県連、九州連合会の指導のもとに糾弾闘争⑭ 11.23 佐藤陸軍中将の差別論文に対し水平社が糾弾⑥ 11- 熊本県御船署で警察官の差別事件⑭ 12.30 熊本県菊池郡菊池村における永年の行政差別に対し、新任巡査歓迎会からの排除を機会に福島助役・村行政差別糾弾闘争始まる。全水総本部の支援を得て村行政差別撤廃を実現⑭	3.11 全国農民組合第七回大会 3.14 国民融和の日。大分県は三カ所で講演会。リーフレット配布⑪ 4.25 司法省、思想検事を設置㉝ 6.17 大分県・大分県親和会共催で融和事業大会と親和会総会開催⑪ 6.18 大分県親和会、別府市で融和事業講習会を開催⑪ 7.1 全国水平社「部落委員会活動について」を発行。直ちに発禁⑥ 8.5～9 中央融和事業協会、比叡山で融和事業指導者講習会を開催。近畿、中国、四国、九州22府県より103名参加。講習終了後参加者は「比叡山会」を組織し融和教育の拡充を図る事を申し合わせる⑭ 11.18 日本労働組合全国評議会結成㉝ この年- 熊本県昭和会、入会権に絡む差別事件を調査斡旋し、入会権を与える事で解決⑭ 育英奨励費 162,585円 (中等教育以上新規受給者449人) ／ 地方改善国家予算 1,794,484円 ((内応急施設費(時局匡救) 1,000,000円 地方改善事業(風水害関係) 220,000円)) ㉜
1935 (昭和10)	2.5 2.17 3.14 3.17 3.24 4.12 4.16 6.16 7.15 9- 10.18	水平社熊本連合会、地方改善費交付洩れに抗議し、全部落に抗することを要求⑭ 全水福岡県連合会早良大会開催(参加者500名)⑤ 九州連合会委員会が金平公会堂事務所で開催され糸島から18部落の代表が参加⑯ 全水福岡県嘉穂郡地区大会開催、佐藤中将事件、施設獲得闘争等決議② **全九州連合会大会**を熊本市公会堂で開催。代議員280名傍聴者1,000名、警備隊300名。旱魃・被害部落民救済に関する件、部落改良施設獲得闘争に関する件、融和運動排撃に関する件等可決② 全水九州地協、久留米第12師団、熊本第6師団に対して軍隊内差別事件につき糾弾抗議⑤ 全水福岡県連および熊本県連代表、師団長代理浦少将らと熊本市偕行社で会見② 全水福岡県連合会松原支部、松原小学校で「博多毎日」事件20周年記念犠牲者慰霊祭開催⑥ 全水福岡県連合会早良地区協議会第2回委員会を田隈村西脇公会堂で開催。水害対策、青年部確立、農民組合との連携等につき協議決定⑥ 県議会選挙で福岡花山清、熊本宮村又八が当選⑬ 久留米工兵隊差別事件の摘発兵士が全水福岡県連に訴え、同県朝倉郡では地区委員会を開き、県連代表とともに12師団本部に抗議②	1.2 熊本県御船署豊田巡査泥酔のうえ、上益城郡白旗村で映画上映中差別暴言⑭ 1.13 全水熊本県連合会、白旗村に冨岡募、井元麟之らを派遣し、県連指導の下に城南地区部落代表者会議及び豊田巡査即時懲戒免職要求大会を開催。100名参加、同巡査転勤で解決⑭ 1.20 全水第1回中央委員会を大阪市西浜市民会館で開催② 1.25 全水糾弾委員泉野、松田、井元ら上京、佐藤陸軍中将に会見糾弾の結果、「萬朝報」に謝罪広告、在郷軍人会機関誌「戦友」に経過報告及び謝罪文掲載、陸軍当局に差別撤廃の進言などを約束させる② 1.28 佐藤中将糾弾那珂大会開催(徳島県那珂寒岡町)② 2.18 熊本県菊池郡隈府村西覚寺で西本願寺布教師が差別説教を行う。水平社菊池支部有志の抗議で謝罪、一応の決着を見る⑭ 5.4～5 **全国水平社第13回大会**を大阪市栄第一小学校で代議員187名傍聴者1,000名で開催。京都市漆葉社会課長糾弾、佐藤中将糾弾、部落改善費増額要求運動を提唱。綱領の一部改正「特殊部落民」を「被圧迫部落大衆」と訂正①	2.22～23 全国融和事業協会＜融和事業の総合的進展に関する件＞協議㉔ 8.22～23 第3回融和団体連合大会開催、「融和事業完成10ヶ年計画」(農村部落中心)について協議し決定⑥ 9月から10月府県会議員選挙社会大衆党ほか無産各派から稲富稜人ら38名当選㉝

年	月 日	九州における部落解放運動の歩み	差別事件と全国的な部落解放運動の歩み	県・国の動きと社会情勢
1935 (昭和10)	10. 23 11. 28 この年	(福)糸島郡深江村で、小作争議勝利報告会開催。50名参加し全水県連、全農、福佐連合会が講演⑯ 全国水平社(福)糸島郡長糸支部創立、全国農民組合福佐連合会にも加入⑯ 全国水平社福岡県連合会糸島地区大会が前原町で開催（参加者800名）⑯ 日田郡Ｎ村祭りへの参加・天満社の世話ができるようになる⑩ 大分県の水平社運動は自然消滅の状態になる⑩	９月上旬　熊本県鹿本郡田底村で同村巡査の差別事件起こる。糾弾により署長陳謝及び同巡査の陳謝・転勤で解決⑭ 10. 15 (福)前原町板持区田崎部落は同区有地の一分住民占有に反対し全区民の共有権を主張し、共有財産の平等権を獲得⑯ 10. 27「九州日々新聞」差別連載小説掲載 全水熊本県連糾弾⑭ 12. 25 邑井貞吉の講談「中江兆民（東京中央放送局より全国中継)」中の差別事件に対し、全水東京府連抗議②	10. 23～26 中央社会事業協会＜融和の総合的進展に関する要綱＞など支持を決議㉔ 11- 融和時報大分県親和会版150号にＮ村「小地区整理事業」の記事が載る⑩ 12. 5 全農福佐連合会書記局治安維持法違反で全員検挙㉝ この年　全国農民組合第八回大会 育英奨励費 162,585円 (中等教育以上新規受給者382人) ／ 地方改善国家予算 1,234,484円 ((応急施設費(時局匡救) 680,000円))
1936 (昭和11)	２. 21 ４. ７ ５. 20 ９-	衆議院選挙に松本治一郎が福岡１区から立候補し得票14,439票第３位で当選。第69回議会で部落問題、華族制度の廃止を質問⑤ **全水福岡県連合会大会**を福岡市記念館で開催、部落内日常活動方針徹底、部落産業経済振興施設要求、反ファッショ戦線統一等決議② 松本治一郎、華族制度改廃に関する質問書を提出、追求。地方改善費1,000万円支出を要求⑥ 福博電車ストライキで水平社社員が中心的役割を果たす⑥	３- 全国水平社第14回大会を４月27・28日埼玉県川越市で開催予定のところ、県当局の弾圧により中止（２. 26事件のため）㉓ ３. 13 水平社長崎支部、『現代大衆文芸全集』（平凡社）に差別記事があるとして本部に連絡⑲ ５. 20 佐世保で靴修繕中の水平社社員に差別言辞	１～２- 鹿児島県部落経済更正研究協議会開催⑧ １. 15 全国農民組合第九回大会 **２・26事件** ３. 24 メーデー禁止 ４. 22 大分県親和会、中堅女子青年指導者講習会を開催⑪ ５- 融和事業年鑑参考編「水平運動の推移とその闘争」発禁 ６- 中央融和事業協会、全国融和事業協議会を開催⑥ 10- 鹿児島県第１回中堅婦人指導者講習会開催⑧ 12- 大分県融和教育委員会設立⑩ 長崎県でも融和団体「長崎県誠心会」発足⑨ 育英奨励費 162,585円 (中等教育以上新規受給者419人) ／ 地方改善国家予算 1,245,022円㉜
1937 (昭和12)	１. 13 ２. 24 ４- ７. 16 ８. 28 ９. 25 ９. 30 この年	松本治一郎、加藤勘十、黒田寿男連署による「反ファッショ質問書」を寺内内相に送付② 第70回議会で松本治一郎、定足数をめぐり、南条徳男委員を追求② 松本治一郎衆議院選挙に当選⑬ 全水福岡県委員会、福岡市融和会承認と役員承認の件を決定⑥ 松本治一郎、解放記念日にあたり「社会正義と融和運動」と題しラジオ講演⑬ 福岡市融和会設立、理事に福岡連合会から播磨繁男、北原泰作、安本才次郎、吉竹浩太郎が参加⑬ 全水パンフ「非常時における全国水平運動」作製、各支部、融和団体に配布② 大分県宇佐郡八幡社において、同社境内の石垣を寄進すると同時に石段を八幡社内に移転し氏子となる⑩	３. ３ **全国水平社第14回大会**を東京協調会館で開催。融和事業完成10ヶ年計画反対、三重県朝熊の山林解放闘争支援、兵士家族の生活国家保障、出版・映画・演劇の差別糾弾、要求綱領決定等可決① ９. 12 全水、日中戦争拡大に対応して「非常時における運動方針案」を決定し、戦争協力を肯定①	２. １ 大分市南大分小学校で県下初の「融和教育研究会」が開催される⑩ ３. 11 長崎県南来郡小浜町で融和教育指導者講習会（３日間)、同年６月同地で融和事業協会、８月雲仙で融和教育指導者講習会⑨ ４. 30 衆議院総選挙、社会大衆党37名、日本無産１名当選㉝ ５. 31～６. ４ 中央融和事業協会、文部省・内務省と共催で融和教育指導者講習会を文部省内で開催⑭ ６. ５ 中央融和事業協会主催「融和教育研究協議会」開催。78名が参加、融和事業に対する教育者の態度等を協議⑭ **７・７日支事変勃発** ７. ７ 盧溝橋で日中両軍衝突（日中戦争の発端） ８- 大分県北海部郡臼杵町出身のＹ氏大分県親和会第13回総会で表彰を受ける⑩ 10. 12 南京大虐殺 12. 15 人民戦線事件第一次検挙400名㉝ この年- 北海部郡臼杵町で「融和促進協議会」を開催し、毎月17日に「部落常会」を開催⑩ 育英奨励費 182,585円 (中等教育以上新規受給者417人) ／ 地方改善国家予算 1,214,348円㉜
1938 (昭和13)			２. ７ 全国水平社中央委員会「時局即応」声明発表⑬ ３. 23 関東水平社解散⑥	１. ６ 小山亮ら日本農民連盟結成㉝ １. 14 大分市親和会が発足⑪ １- 拓務省、満蒙開拓少年義勇軍の送り出しを決定。大分県では１月14日から募集を開始。義勇軍の割当て人数と入所数が決まる⑩ １. 31 長崎県雲仙で社会事業講習会、同年３月小浜で融和事業協議懇談会開催⑨

年	月日	九州における部落解放運動の歩み	差別事件と全国的な部落解放運動の歩み	県・国の動きと社会情勢
1938 （昭和13）	7.25 8.10 9.9	松本治一郎、田中松月等「物資統制に対する対策懇談会」を開催⑬ 全糸島地区幹部会開催。差別問題につき協議の結果全国水平社の支持にもとずき協調主義により取り扱うことを決定、各支部に通知⑯ 全水福岡連合会、在福の日刊新聞記者を招いて融和懇談会開催⑬	5.22 長崎県南高来郡北串で皮革製造申請中に差別発言⑨ 6－ 全水拡大執行委員会で綱領を変更⑥ 9－ 全国水平社「非常時における運動方針案」発表⑬ 11.23 **全国水平社第15回大会**を大阪市浪速区栄第一小学校で開催。銃後部落運動、行動綱領決定、皇軍慰問、現地視察代表派遣、軍事関係の差別根絶、差別糾弾方法等可決①	2.6 杉山ら大日本農民組合創立（全国農民組合から改称）㉝ 4.1 国家総動員法公布（5月5日施行） 5.30 大分県満蒙開拓青少年義勇軍が出発（394名）⑪ 6－ 国民融和促進という名目で戸籍面での族称廃止される⑬ 7.9～22 中央融和事業協会、融和事業遂行のため九州でも開催⑭ 7－ 融和時報第140号大分県親和会版の一面に「満蒙開拓青少年義勇軍を送り出せ‼」の記事が掲載される⑩ 7－ 東国東郡部落の中に教員住宅が完成、訓導が住み込み、駐在指導を行う⑩ 8.1 農地調整法施行㉝ 8.13～ 中央融和事業協会、更正訓練 9.14 講習会を九州でも開催② 10－ 国民精神総動員運動 10.12～21 厚生省、日中戦争による失業対策のための事務打合会を開催 この年－ 融和時報第144号大分県親和会版に「満州移民を総合的にすすめる」記事が掲載される⑩ 育英奨励費 182,585円 （中等教育以上新規受給者451人）／ 地方改善国家予算 1,925,930円㉜ （（地方改善応急施設費（動物関係）678,800円））
1939 （昭和14）	1.7 1.8 2.7 3.14 5.16 8.1 9.22 12.4 この年と翌年	全国水平社福岡県連合会が福岡県社会課、福岡県特高課、福岡県保護観察所、福岡県憲兵分隊と融和懇談会を開催② 福岡県連合会支部代表者会で田中松月が「融和団体との連携に関する件」を提案⑬ 松本治一郎、衆議院予算第二分科会で「失業対策応急施設費や転業資金、応急施設費などの改善費大幅増額、融和機関の刷新」を要求⑬ 福岡市融和会「五箇条御誓文宣布記念」融和懇談会に福岡県連合会から8名参加⑬ 松本治一郎、社会大衆党福岡支部と共同主催により、県下17カ所で興亜議会報告時局批判演説会開催（12日まで）⑥ 第74回議会における部落改善問題および新運動方針徹底のため「全水ニュース」3,000部発行① 田中松月、社会大衆党より福岡県議会議員に当選⑬ 田中松月、通常県議会で「国民融和ノ問題ニ関スル件」質問⑬ 田中松月は福岡県親善会の嘱託と理事になる⑬	1.9 京都府天田郡上豊富村応召歓送式で差別事件② 8.28 京都市伏見区桃山の報徳会講演会で国民精神総動員連盟幹事の中村正一の差別講演② 8.28 第16回全国水平社大会を決定したが「聖戦下第三段階に際し国民一層の自覚緊張協力一致を要する折柄」から中止⑬	1.15 長崎県雲仙で社会事業講習会、同年2月長崎市で融和教育指導者講習会開催⑨ 6.1 全国融和事業協会、厚生省開催② 7.24 大分県と大分県親和会共催の関係小学校長、中堅訓導対象の融和教育指導者講習会を開催⑪ 9.1 ドイツ軍ポーランド進撃を開始して第二次世界大戦始まる 10－ 価格統制法、地代家賃統制法、国民徴用令、小作米統制法、米穀配給統制法等公布① 11.29 農地制度改革同盟創立㉝ 12－ 鹿児島県融和教育研究部設立⑧ この年－ 大分県西国東郡の部落に教員住宅が完成、訓導が住み込みで指導を行う⑩ この年－ 融和時報第157号大分県親和会版に「満州移民の送り出しを再検討せよ」に見出しで部落民の満州移民をすすめる記事が掲載される⑩ この年－ 融和時報第118号大分県親和会版に臼杵町の「融和委員会開催＝併せて作業場建設の様子」も掲載される⑩ この年－ 融和時報第148号大分県親和会版に臼杵町出身のＹ氏の日中戦争からの帰還が掲載される⑩ 育英奨励費 192,585円 （中等教育以上新規受給者449人）／ 地方改善国家予算 1,631,389円 （（内地方改善（動物関係） 158,800円）） （（地方旱害救済 225,750円））㉜
1940 （昭和15）	1.14 3.7 3.28	全国水平社福岡県連合会代表者会議「市町村融和機関設立」「部落共同化運動促進」等協議⑬ 市会議員播磨繁男が福岡市議会で「地方改善事業に対する市当局の姿勢を追求」『部落解放史ふくおか』 福岡県連合会拡大執行委員会で松本治一郎の新党結成参加を決定⑬	1.16 差別発言に対し佐賀県水平社と全国水平社に発言者から謝罪文提出 4.3 全国水平社の一部「部落厚生皇民運動全国協議会準備会」開催⑥ 2.27 衆議院本会議で庄司一郎代議士、演説中に差別発言⑬ 3.14 松本治一郎、「国民融和ニ関スル緊急質問」を衆議院本会議で行う⑬ 3.31 田中松月ら9名が新党準備全国代表者会に参加⑬ 7.8 田中松月、井元麟之ら中央融和事業協会と第1回連絡員委員会を開催⑬ 7.15 田中松月、井元麟之ら中央融和事業協会と第2回連絡員委員会を開催⑬	2.13 長崎県南来郡小浜で融和教育指導者講習会開催⑨ 2.14 総動員中央連盟との協力の下に精神動員強調融和事業協議懇談会を開催② 3.8～14 長崎県1市8町7村で「国民融和強調週間講習会協議会」開催⑨ 3.14 国民融和日記念式ならびに大分市親和会総会を大分市で開催⑪ 4.3 部落厚生皇民運動全国協議会準備会を大阪市中之島公会堂で開催。12府県40余名参加②

年	月 日	九州における部落解放運動の歩み	差別事件と全国的な部落解放運動の歩み	県・国の動きと社会情勢
1940 （昭和15）	9.28 9.28	全国水平社福岡県連合会は皇道翼賛青年連盟の溝口勇夫を招いて「新体制運動を中心とする」研究座談会を開催⑬ 大政翼賛会福岡県支部顧問に松本治一郎が就任	8.4 全国水平社緊急拡大中央委員会で「最も重要なる案件」を審議⑬ 8.7 井元麟之ら「大和国民運動試案」を内務省と警視庁で説明、了解を求める⑬ 8.28 **全国水平社第16回大会**を東京の協調会館で開催。部落問題完全解決体制樹立、挙国総動員の大和運動へ国体の真姿顕現皇道国家建設、君民一如、赤子一体、天業翼賛を掲げる① 9.8 大和報国運動第1回懇談会を松本治一郎、井元麟之、田中松月ら中央融和事業協会と開催⑬ 9.19 大和報国運動第2回懇談会を開催⑬ 9.28 松本治一郎、井元麟之、田中松月ら大和報国運動の「誓」を作成⑬ 11.3 松本治一郎、井元麟之ら大和報国運動発足大会に参加① 11.3 全国水平社の一部「部落厚生皇民運動全協議会準備会」を大阪で開催① 12.10 全国水平社臨時中央委員会を全国融和団体連合大会に参加予定の井元麟之、田中松月らで開催⑬	5.29 雲仙で九州地方融和事業協議会を開催 7.6 社会大衆党解党㉝ 7.16 日本農民組合総同盟解散㉝ 8.15 大日本農民組合解散㉝ 8.28 全水左派、「部落厚生皇民運動」を提唱し、第1回大会を大阪で開催⑥ 9.15～10.24 中央融和事業協会「資源調整指導員錬成講習会」を開催し、満州移民を推進⑪ 10.12 大政翼賛会結成、総裁近衛文麿 10.12 大政翼賛会発会式㉝ 11- 長崎県融和教育研究会設立⑨ 12.10～11 全国融和団体連合大会を奈良県で開催② 12- 中央融和事業協会を同和奉公会と改める この年- 大分県下毛郡内の部落に教員住宅が建設され6年間指導を行う⑩ この年- 鹿児島県で部落厚生皇民運動発足⑧ 育英奨励費 187,585円 （中等教育以上新規受給者428人）／ 地方改善国家予算 1,405,639円㉜
1941 （昭和16）	1.9 5.28～29 10- この年	大和報国運動が福岡で懇談会を開催。井元麟之、田中松月らが参加⑬ 大日本青少年団の熊本での説明会に北原泰作が講師として参加⑬ 徳川「暗殺」陰謀事件の浜嘉蔵17年ぶりに出獄⑥ 松本治一郎“三祝ハッピ”で軍国主義に抵抗「元気でゆけ、元気で働け、元気で帰れ」と励ます⑥ 日本新興革統制株式会社（社長松本治一郎）が人夫に福岡・熊本・長崎・鹿児島他17府県、原皮集荷人に長崎・大分・福岡・熊本他13府県、製造業者に福岡県他7府県を指定⑬	1.16 松本治一郎が大政翼賛会事務総長の有馬頼寧と「部落問題の解決を目指して」会見⑬ 7.28 日本新興革統制株式会社の社長に松本治一郎、大阪支社長に井元麟之が就任⑬ 8.3 「大和報国運動」を「大和報国会」と改称⑥ 11.2 全国水平社代表者会議を東京で開催① 12.21 内務省「言論、出版、集会、結社等臨時取締法」を施行、水平社関係団体を思想結社と認定し取り締まり方針を決定②	1.14 中央融和事業協会が大政翼賛会に「国民融和運動ニ関スル件」、内務大臣に「差別言動処置ニ関スル件」を陳情⑬ 1.19 大分県融和教育研究会設立⑩ 1.27 大和報国運動全国協議員会議が東京で開催⑬ 1.28～29 全国融和事業協議会で「融和事業新体制の確立に関する件」を協議② 3.9 大和報国運動群馬県本部結成大会に松本治一郎、井元麟之ら出席⑬ 3.12 大和報国運動関西協議会に井元麟之ら出席⑬ 3.31 大和報国運動高知県本部結成に松本治一郎ら参加⑬ 5.5 大和報国運動第1回全国推進委員大会が開催。松本治一郎、井元麟之、田中松月、田原春次ら参加。松本治一郎が講演し全国水平社解散を否定⑬ 5.17 熊本県鹿本郡来民村の満州開拓団先遣隊11名渡満（吉林省扶餘県五家村）⑭ 6.25 中央融和事業協会、同和奉公会と改称⑬ 8.21「大和報国会」が「大日本興亜同盟」に加盟② 8- 文部省「国民同和への道」を発表⑪ 10.20 大分県親和会が「同和奉公会大分県本部」と改称⑪ 12.8 日本軍、真珠湾を奇襲し、太平洋戦争に突入する 12.8 **太平洋戦争勃発** 育英奨励費 187,585円 （中等教育以上新規受給者数不明）／ 地方改善国家予算 1,505,460円㉜
1942 （昭和17）	1.20	同和奉公会福岡県本部顧問に松本治一郎、理事に田中松月・田原春次・花山清、協議員に播磨繁男・井元麟之・吉竹浩太郎が就任⑬	1.20 言論、出版、集会、結社等臨時取締法を全国水平社に適用し**全国水平社消滅**⑥	1.6 大和報国会婦人部発足大会に有馬頼寧、井元麟之、田原春次ら出席⑬ 1.12～18 同和促進運動指導者研究協議会が全国5カ所で開催⑬ 1.22 大日本青少年団が名古屋で文化推進地区青少年特別指導懇談会に北原泰作が講師⑬

年	月日	九州における部落解放運動の歩み	差別事件と全国的な部落解放運動の歩み	県・国の動きと社会情勢
1942 （昭和17）	4．30 12．11	松本治一郎、翼賛政治体制協議会から推薦を受け衆議院議員福岡第一区で２位当選⑬ 福岡県の時局即応体制強化同和事業懇談会で田中松月が「本事業を同和奉公会の仕事とせず大政翼賛会の手に為さしむる必要がある」と訴える⑬	2．26〜28 同和事業調査委員会が開かれ田中松月らが参加⑬ 12．2〜3 同和奉公会第２回中央協議会に田中松月、田原春次ら参加。田中は「関係官庁との連携強化の件」、田原は「海外発展国家に積極的協力の件」を提案⑬	1－ 学徒動員命令 大日本翼賛壮年団結成① 2．5 松本治一郎「旭川市内旧土人保護ニ関スル請願」に対し「旧住民トセラレタラドウカト思フ」と述べる⑬ 3．24 松本治一郎が「大東亜民族協和ノ基本国策樹立ニ関スル建議案」を提出（全国水平社解散の条件）⑬ 3．30 大和報国会解散⑪ 3．30 翼賛選挙（非推薦85名当選）㉝ 7．15 時局対策臨時委員会に田中松月が委嘱される⑬ 11．10〜11 同和奉公会第１回中央協議会に田中松月ら参加⑬ 11．28 大政翼賛会は事務総長名で「大政翼賛会と同和奉公会との関係に関する件」を各府県及び６大都市支部長に出す⑬ この年－ 大分県海部郡下北津留国民学校で「同和教育研究発表会」開かれる⑩ この年－ 大分県の３つの国民学校が指定され、同和教育を担当する教員が配置され、地区での活動することが認められる⑩ 同和事業国家予算 1,474,310円㉜
1943 （昭和18）	7．30 8．26	大日本食肉技術員連合会に福岡市他６府県の代表者が集まる⑬ 大日本食肉技術員連合会が日本食肉統制株式会社と農林省、厚生省などに巡回指導講習会の補助金公布を陳情⑬	2．8 松本治一郎が「人口国策強化徹底ノ緊急方策トシテ結婚調整委員会設置ニ関スル建議案」を衆議院に提出⑬ 6．14 松本治一郎八日会（反東条内閣の立場）の発起人の一人となる⑬	1．16 大分県下毛郡鶴居国民学校で「同和教育研究発表会」が開催⑪ 3－ 大日本言論報国会結成 5．6 日本靴修理業組合連合会が結成。代表者米田富⑬ 5．11 同和奉公会が資源調整事業指導員講習会を開催⑬ 5．15 コミンテルン解散決議 6．10解散 5．20 連合艦隊司令官山本五十六戦死 5－ 全国融和事業大会開催⑪ 6－ 大日本労務報国会結成 8．3 岡山県津山市の部落で４名が軍隊召集忌避で検挙される⑬ 同和事業国家予算 1,453,460円㉜
1944 （昭和19）	11．28	田中松月が通常県会で「同和問題ト戦力増強ニ関スル件」質問『川向（一）』	5－ 松本治一郎、政府や大政翼賛会指導の国民総決起運動地方連絡会議に常任世話人として参加⑬ 9．10 松本治一郎「言論取締諸法ニ関スル建議案」を30名の議員とともに衆議院に提出⑬ （6．15，8．20 八幡市、10．10 那覇市、10．25 大村市、11．15 大牟田市、11．21 熊本市などに空襲）	7－ 朝鮮で徴兵令実施 7－ 学童集団疎開実施要項発表 11．29 厚生次官が同和奉公会会長に「時局ニ鑑ミ服務刷新ニ関スル件」を通達⑬ 同和事業国家予算 1,401,179円㉜
1945 （昭和20）	3．27 6．8	松本治一郎ら九州選出国会議員が国民義勇隊結成のため会合⑬ 松本治一郎、福岡県国民義勇隊の顧問に就任⑬	（1．22 奄美諸島、3．17 枕崎市、3．18 鹿児島市・熊本市、3．27 小倉市・大刀洗・熊本市、4．8 鹿児島市、4．21 大分市・鹿児島市、4．26 加治木、5．5 指宿、5．7 宇佐市、5．8 大分市、5．12 鹿児島、5．13 熊本県西合志、6．17 鹿児島市・熊本市、6．18 大牟田市・荒尾市、6．19 福岡市、6．29 延岡市、7．1，7．10，8．5 熊本市、8．8 大牟田市・八幡市、8．10 大分市、8．11 加治木市・久留米市などに空襲）	4．30 同和事業関係者懇談会を東京で開催⑬ 8．6 原爆投下のため広島市内の部落焼失 8．9 原爆投下のため長崎市内の部落も焼失 ソ連参戦 同和事業国家予算 1,372,955円㉜

■年表に見る全九州水平社・部落解放運動の歴史②（1945年～2000年）

※敗戦後の出典は省略しました

年	月日	九州における部落解放運動のあゆみ	差別事件と全国的な部落解放運動のあゆみ	県・国の動きと社会情勢
1945 （昭和20）	9－ 9．25	田中松月、井元麟之、宮本秀雄、岩田重蔵、吉竹浩太郎、尾崎政雄、大野甚ら松本治一郎とともに福岡における運動再開を協議 無産新党結成のための打ち合わせに松本治一郎、田原春次、田中松月、稲富稜人ら100名が福岡大光寺に結集	8－ 朝田・松田・北原・上田ら三重県志摩で運動再開を協議 9．4〜5 松本治一郎、臨時帝国議会で「戦災者救済ニ関スル質問」を書面で提出 10－ 松本治一郎、井元麟之、朝田、松田、北原ら部落解放全国委員会の構想をたてる 11．2 日本社会党結党	**8．15 無条件降伏・敗戦** 8．17 来民開拓団、中国人の「襲撃」にあい連絡員宮本貞喜１人を残して275名全員自決 9．4〜5 戦争終結の経緯を説明する臨時帝国議会開催 9．22 松本治一郎、田原春次らと日本社会党結成準備会を開催 10．10 同和事業関係職員事務打合会を東京で開催

年	月日	九州における部落解放運動のあゆみ	差別事件と全国的な部落解放運動のあゆみ	県・国の動きと社会情勢
1945 (昭和20)	11.24	日本社会党福岡県支部連合会結成大会。委員長松本治一郎、書記長田中松月を選出。党県連本部を松本事務所に置く	11.30 松本治一郎帝国議会で「政府の部落問題に関する姿勢」を問う 12.1～3 日本共産党第4回大会で「被圧迫部落の解放問題」についてテーゼを発表	10.24 同和事業関係職員事務打合会を大阪で開催 10- 国際連合成立、第一次農地改革
1946 (昭和21)	3- 4.10 12.24	松本治一郎公職追放反対運動起る 新選挙法による総選挙で田中松月が当選 **部落解放全国委員会福岡県支部連合会結成**、初代委員長野田貫造 **部落解放全国委員会熊本県支部連合会結成**、初代委員長宮村庄平 熊本県菊池村農地委員選挙に冨岡募当選、委員長に就任	1- 全水幹部、融和運動家らが集い、全国部落代表者会議発起人会を開く 2.19 京都で全国部落代表者会議を23府県240名が集まって開催（召集状には「全国水平社」と記す） **部落解放全国委員会結成なる** 12.15～17 **部落解放緊急第2回全国大会開催**	1- 天皇人間宣言 財閥解体、日本労働組合総同盟結成大会 2.2 奄美大島が米国軍政下に入る 2- 日本農民組合結成 3.1 メーデー復活、第一次吉田内閣 3.14 同和奉公会解散 6- 厚生省各都道府県に「同和事業に関する件」を依頼 11.3 **日本国憲法公布（翌年5.3施行）**
1947 (昭和22)	2.20 4.1 4.20 4.25	熊本県農地委員選挙で冨岡募が選出される 解放委員会中央委員会の会計に熊本の冨岡募が就任 松本治一郎参議院選挙全国区で第四位当選、参議院副議長に就任 衆議院選挙に熊本の宮村又八・中田哲が立候補。宮村又八が当選	4.1 **部落解放全国委員会機関誌「解放新聞」創刊** 4.2 長崎靴工業協同組合及び長崎市西彼靴修理工業共同組合あての差別謝罪状が長崎日日新聞に掲載される⑨ 4.20 糸島差別糾弾闘争	2.1 ゼネスト、GHQより中止させられる 4- 6・3制教育実施 5- 片山内閣成立
1948 (昭和23)	2.2 6.19 6-	奄美群島が本土から行政分離、米国海軍軍政下に置かれる⑳ 奈良県参議院補欠選挙に熊本仏教学院卒の部落解放奈良県連合会顧問藤枝昭信が当選 解放委員会福岡県連「福岡県における都市的同和対策地区の自立更生事業に関する計画書」を作成	1.21 松本治一郎「カニの横ばい」を拒否 5.9 **部落解放全国委員会第3回全国大会**を奈良で開催。熊本の冨岡募が会計監査、松永丈平が中央委員 10.16 愛媛県宇和島市・八幡神社祭礼の差別事件で暴力団が部落を襲撃	1.6 東京の有楽座で新劇「破戒」を上演。片山首相・松本治一郎ら観劇 2.12～27 大阪朝日会館で「破戒」公演 5- 軽犯罪法制定 9- 昭和電工事件 10.1 部落問題研究所を京都に設立。機関誌『部落問題研究』を発刊 11.30 映画「破戒」（松竹）と「王将」（大映）封切り 11- 第二次吉田内閣成立
1949 (昭和24)	1.25 3.15 9.24	松本治一郎、「大和報国運動本部役員」という名目で吉田首相の働きかけにより公職追放される。第2次で田中松月、井元麟之等も追放される 不当追放反対闘争福岡県委員会「松本治一郎氏等に対する不当追放の真相」発行 解放委員会九州ブロック会議を開催。松本治一郎追放取消、青年行動隊の編成などを決議	2.7 解放委員会、不当追放取消闘争に立ち上がる 4.30 **部落解放全国委員会第4回全国大会**を東京で開催	1- 衆議院選挙で共産党大量進出 4- 責善教育が和歌山県各地で始まる 7- 三鷹・松川・下山事件 10- 中華人民共和国成立 12- 『日本評論』12月号に「部落の民・いわゆる特殊部落を訪う」を掲載
1950 (昭和25)	3.3 4.3 4.30	解放委員会九州地区協議会、ブロック会議を福岡市大光寺で開催。松本追放反対、部落解放国策要請について討議 松本治一郎不当追放取消要求請願行進全九州人民大会開催。約5,000名のデモ後26人の請願隊を東京に送り出す 松本治一郎公職追放反対の中央ストライキに熊本県より西本竹茂ら参加	2.7 解放委員会不当追放取消要求、部落解放、国策樹立の一大請願運動を決定 3.15 解放委員会中央本部、松本追放抗議の闘争宣言を発表、部落解放国策樹立要請を政府に申出る 4.8 **部落解放全国委員会第5回全国大会**を東京で開催 4.28 松本治一郎不当追放闘争本部ハンストを決議 10.13 松本治一郎を除いて10,090名の追放解除	4.1 浄土真宗本願寺派が同朋会を結成 5.5 解放委員会の田中織之進代議士等ら衆参両議員の3分の2以上の松本治一郎追放解除の署名を持ってGHQの担当者と会う
1951 (昭和26)	4.30 6.20 8.6 8.21	福岡県連推薦候補杉本勝次郎県知事、熊本県桜井三郎当選 熊本県連で電気料金値上げ反対の署名運動始める 松本治一郎の公職追放解除を勝ち取る 松本治一郎民主陣営復帰人民大会を福岡市東公園で開催。5,000名参加し、単独講和・再軍備反対、世界恒久平和の確立等を決議 この年、福岡県で部落実態調査を実施	3.4 **部落解放全国委員会第6回全国大会**を京都で開催 10.1 京都に部落問題研究所設立 10.10 **部落解放全国委員会第7回全国大会**を岡山で開催 12- NHKラジオ「社会探訪」で部落問題を放送 12.13 オールロマンス事件。差別行政反対闘争へ発展（京都）	5.1 血のメーデー事件 10- 警察予備隊を保安隊に改組 この年- 日本人文学会、社会的緊急調査で「少数同胞の問題」を研究
1952 (昭和27)	1.1 3.15 5.7 12.8	松本治一郎、アジア社会党大会出席でビルマ訪問 熊本県連は熊本大学と連携してテラマイシンによるトラホームの集団治療に成功 全国解放委員会大分県連合会を別府市北小学校で開催 インド等アジア旅行を前にした松本治一郎に選挙違反容疑の妨害が加えられる	2.27 西川和歌山県議員差別発言事件。県内に糾弾闘争広がる 3.2 解放委員会、全国水平社創立30周年記念大会を京都市労働会館で開催 6.23 広島県佐伯郡吉和中学校で教師の授業が問題化（吉和中学校差別事件）	6.27 文部事務次官が「同和教育について」通達 7.21 破防法公布 この年- 奄美群島十島村が日本復帰
1953 (昭和28)	1.14	解放委員会九州地区協議会、九州ブロック会議を熊本市春竹町で開催。 松本治一郎を参議院選挙に推薦 福岡・熊本・佐賀で大水害。部落被害甚大につき、福岡県連に水害対策本部設置	3.21～22 **部落解放全国委員会第8回全国大会**を兵庫で開催 5.6 **全国同和教育研究協議会結成**、翌日第一回大会開催。	3.5 スターリン死去 4- 厚生省が戦後はじめての地方改善費として1,300万円計上（隣保館設置） 7.21～25 世界教員会議（ウィーン）で日本代表団が部落問題を報告 7.27 朝鮮戦争休戦 12.25 **奄美大島が日本復帰**
1954 (昭和29)		解放委員会福岡県連合会開催 解放委員会九州地区青年婦人会議を福岡市大光寺で開催	3.2 福岡県連が結婚差別事件を契機に三橋町差別行政を糾弾	

年	月 日	九州における部落解放運動のあゆみ	差別事件と全国的な部落解放運動のあゆみ	県・国の動きと社会情勢
1954 (昭和29)	9－ 11.5 12.16 12.22	福岡市馬出「みんな歌う会」誕生 松本治一郎委員長ソ連訪問、ストックホルム世界平和会議に出席 (福)板付基地接収第３回土地収容委員会開催 福岡市馬出「みんな歌う会」第１回部落巡回、第10回全国大会参加のためのカンパ活動	5.22～23 **部落解放全国委員会第９回全国大会**を大阪市で開催 10.18 福岡市農政課長差別事件	12　第一次鳩山内閣成立
1955 (昭和30)	1.29 10.9	福岡県連、民青連代表を迎え大文化祭を開催 福岡県連第９回大会を福岡市消防会館で開催	8.27 **部落解放全国委員会第10回大会**を大阪市で開催。**部落解放同盟と改称**、綱領・規約を改正	8.6 第１回原水爆禁止世界大会（広島）
1956 (昭和31)	2.13 8.18 11.25	福岡地裁、松本治一郎委員長の板付基地返還訴訟に対し、原告の主張を認める 部落解放九州ブロック会議を別府市で開催 松本治一郎、朝鮮民主主義人民共和国を訪問し金日成と会見	3.21～22 部落解放第１回全国婦人集会を京都市で開催 7－ 部落解放同盟中央本部、青婦対策会議を開催 8.27 第２回日本母親大会を東京都で開催。部落の母親多数参加 9－ 福岡市長選挙で高丘候補に対する差別ビラ 10.2～3 **部落解放同盟第11回全国大会**を大阪中之島中央公会堂で開催。一般方針案、民主団体との共闘方針案平和運動方針案を討議。福岡市長選挙事件その他を決議 10.4 第２回全国青年婦人会議を長久寺で開催	6－ 新教育委員会法公布 10－ 砂川闘争激化、政府強制測量打ち切りを決定 日ソ国交回復、文部省、教科書検定強化のため教科書調査官任命 12－ 石橋内閣成立
1957 (昭和32)	4－ 9.21 10.10	福岡市同和教育研究会結成 福岡県連が第１回婦人集会を福岡市社会教育会館で開催 福岡県連大会を社会教育会館で開催	1－ 部落解放同盟常任中央委員会開催 7.25 部落解放同盟第１回全国青年集会を小豆島で開催 12.5 **部落解放同盟第12回全国大会**を大阪市中央公会堂で開催	2－ 岸内閣成立 9－ 総評・日教組、勤務評定反対統一行動 10.4 ソ連人工衛星打ち上げ成功
1958 (昭和33)	3－ 11.22	**部落解放同盟熊本県連合会再建** 部落解放同盟九州ブロック会議を熊本県隈府菊池ホテルで開催	1－ 部落解放同盟、政府と各党へ「部落解放国策要望書」を提出 9.24～25 **部落解放同盟第13回全国大会**を東京で開催	10.17 内閣に同和問題閣僚懇談会設置
1959 (昭和34)	1.3 1.5 1.24 2－ 4－	「戦争と失業に反対する国民大行進」九州隊、大牟田を出発 福岡県連、行進に二日市から参加 福岡県連第12回大会を福岡市中央公民館で開催。安保改定反対などを決議 (福)糸島郡同和教育推進協議会結成 福岡県統一地方選挙で部落解放同盟推薦候補全員当選 参議院選挙で松本治一郎当選 **部落解放同盟佐賀県連合会第１回大会**開催。初代委員長に浜本百太郎氏選出 福岡県連第３回婦人集会を筑紫郡二日市町湯町小学校で開催 (福)部落解放同盟行橋・京都地区協議会松蔭支部で識字学級開始	2－ 部落解放国策樹立の請願書を衆参両院議長に提出 3－ 第11回解放運動犠牲者合葬追悼集会挙行（於無名戦士の墓） 3.24 部落解放第４回全国婦人集会を鳥取市遷喬小学校で開催 8.8 部落解放同盟第３回全国青年集会を京都近衛中学校で開催 全日本同和対策協議会開催 9－ 政府、「同和」対策モデル地区決定（35年度計画13億円余、その他の部落対策予算11億9,600万円） 12.8～9 **部落解放同盟第14回全国大会**を大阪市大手前会館で開催	3－ **安保改正阻止国民会議結成** 4－ 文部省に同和教育指定校、建設省に不良住宅清掃事業の予算計上 9－ 総評・日教組、勤評反対統一行動 この頃から炭鉱の閉山が始まる 9－ 最高裁判所、松川事件の差し戻しの判決
1960 (昭和35)	2.23 3.23 3.31 4.22 4.24 5.9 5.10 5.16	福岡県連第14回大会を福岡市中央公民館で開催 三井・三池の強制就労に抗議し、福岡県連緊急動員、ピケ強化 三井労組久保氏の組合葬挙行、解放同盟バス10台でデモ行進 三井三池の第二組合が差別ビラ「第一組合＝暴力団・特殊部落」を配布。 福岡県連合会、徹底糾弾を決め、市町村ごとに総決起大会を開催. 糾弾闘争委員会を設置 福岡県連、三池第二組ビラ糾弾闘争に協力を訴える要請書を各府県連・支部に発送 部落解放同盟主催、三池労組・総評・社会・共産共催、三池第二組合差別糾弾総決起大会を三川鉱ホッパー傍で40, 000名で開催。大会宣言案採択集会後デモ、第二組合執行部は行方をくらます。抗議団代表に対し大牟田警備本部が差別待遇 福岡県連、福岡県警に抗議文提出 三池第二組合が三役辞任問題で合同会議を大牟田市銀星映画館で開催。福岡県連田原委員長・上杉書記長出席、差別ビラ抗議を説明し労働者の統一を訴える **部落解放同盟佐賀県連合会結成**	5.3 部落解放同盟本部緊急常任委員会を京都開催。三池第二組合糾弾闘争の全国的展開決定、部落解放同盟中央委員会福岡県連で開催 5.10 全日本同和会を東京虎ノ門社会事業会館で結成 8.27 部落解放同盟第４回全国青年集会を岡山市出石小学校で開催 9－ 三池第二組合、三役辞任を部落解放同盟に通知し陳謝 9.10～11 **部落解放同盟第15回全国大会**を東京虎ノ門社会事業会館で開催。 10.20 故浅沼社会党委員長党葬に松本治一郎委員長ら参列、弔辞を述べる 12－ (福)田川市職安の差別事件起きる。田川地協、市の労働行政を追求	4－ 農林省に農山漁村同和対策事業の予算計上 8.13「同和対策審議会設置法」公布 この年－ 文部省「同和」教育諸集会、団体育成、「同和」教育調査指導として、各40,000円が初めて委嘱
1961 (昭和36)	3.9	(福)田川郡上清炭鉱事故で多数の部落出身者をふくむ71名が死亡	3.2 **部落解放同盟第16回全国大会**を京都会館で開催。10月に120万人動員で部落解放国策樹立大行進を行うとの運動方針を採択	

年	月日	九州における部落解放運動のあゆみ	差別事件と全国的な部落解放運動のあゆみ	県・国の動きと社会情勢
1961 (昭和36)	5.27 8〜9 9.11 この年	**福岡県同和教育研究協議会設立** 福岡市従連、全電通春日原特電分会、九州鋼鉄コンクリート労組が請願運動に共闘 筑豊炭鉱地帯の行政交渉に自治労結集 部落の完全解放・政暴法粉砕・生活と権利を守る会九州総決起集会を福岡市役所前で開催 「部落解放要求貫徹請願運動」西日本隊、福岡市を出発。 第2回部落解放同盟佐賀県連合会大会を開催	3.3 全国水平社創立40周年記念祭を京都会館で開催 3.25 部落解放同盟訪中使節団出発。団長松田喜一 3.28 部落解放第6回全国婦人集会を福岡市大博劇場で開催 3- 高知市の長浜部落を中心に教科書無償支給を要求。教科書不買運動起こり「教科書をタダにする会」結成。教科書を買わない者については教委の責任で支給を約束。無償要求者1,700名に達する 5.3 部落解放同盟訪中使節団帰国 7.2 部落解放同盟第2回中央委員会開催。請願運動の名称を「部落解放要求貫徹請願運動」と改称 8.28 部落解放要求貫徹全国代表者会議開催 8- 国労門司地本、佐賀大会で請願運動共闘決議 10.10 部落解放要求貫徹請願行進、東京着	8- 松川事件、全員無罪判決 10- 全国一斉学力テストに対し各地で反対運動おこる 11.1 政府、同和対策審議会委員を決定 11.7 内閣同和対策審議会第1回総会を首相官邸で行う
1962 (昭和37)	2.8 3.20 5.6 5.13 6.15 10.14 10- 12.2 この年	福岡県連大動員で対県交渉 福岡県連第4回婦人集会を開催 福岡県連第15回大会を開催 佐賀県連第3回大会開催 福岡県高千穂製紙組合が首切り、部落出身労働者を分裂させ、230名首切りをおしつける 総評九州拠点共闘会議の大集会が開催され解放同盟も参加 **第1回福岡県「同和」教育研究大会開催** 「首切り失業に反対し、県民の生活を守る福岡県大集会」を飯塚市で開催。解放同盟福岡県連も参加 第3回部落解放同盟佐賀県連合会大会を開催	3.4 **部落解放同盟第17回全国大会**を大阪市吹田市民会館で開催部落解放第7回全国婦人集会を高知市追手前高校で開催 4- **全国同和教育研究協議会機関誌「同和教育」創刊** 4- 部落解放同盟中央本部を大阪市天王寺区鳥ケ辻同和会館内へ移転 6- 第1回全国「同和」教育活動者会議を奈良信貴山玉蔵院で開催	3- ILO 87号条約の批准問題化 12- 中ソ論争表面化 この年- 同和地区精密調査を実施
1963 (昭和38)	3.15 3.17 5.26 7.27 9.20 9.29	北九州市長に吉田法晴当選。選挙戦の中で北九州市内100を超える部落に支部を結成 福岡県連第5回婦人集会を飯塚小学校で開催。1,500名参加 第4回部落解放同盟佐賀県連合会大会を開催 第3回福岡県青年集会開催 部落解放要求貫徹全九州総決起集会を福岡市役所前で10,000名で開催 福岡県連大会	2.28 **部落解放同盟第18回全国大会**を京都市本願寺会館で開催 3.26 部落解放第8回全国婦人集会を岡山市民会館で1,500名参加で開催 5.1 埼玉県で狭山事件起きる 5.23 狭山事件で石川一雄青年別件逮捕。マスコミ差別キャンペーン、埼玉県連、県警本部・埼玉新聞に抗議 6- 部落解放同盟婦人活動家2人を世界婦人大会に日本代表として派遣 8.10 部落解放同盟第7回全国青年集会開催(長野県)	1.1 同和対策審議会が同和地区全国基礎調査を実施 3.31 吉展ちゃん事件起きる 11.22 ケネディ大統領暗殺
1964 (昭和39)	1- 3.3 4.4 5.12 5.31 10-	第2回福岡県「同和」教育研究大会開催 **部落解放同盟第19回全国大会**を福岡県農協会館で開催 福岡県青年集会開催 下筌ダム建設反対全九州総決起集会開催 第5回部落解放同盟佐賀県連合会大会を開催 第3回福岡県「同和」教育研究大会開催	2- 松本治一郎ら25名が日中国交回復・友好運動を呼びかける 8.23 部落解放第1回全国子ども集会を京都市で開催	6- 新潟地震 10.10 東京オリンピック開催
1965 (昭和40)	6.1 7.4 10.18 10- 12- この年	(福)山野炭坑事故で部落民70余名ほか多数死亡 参議院選挙で松本治一郎連続4回当選 福岡県連第17回大会開催 第4回福岡県「同和」教育研究大会を開催 福岡市議会が同和対策審議会答申完全実施要請決議可決し佐藤首相に送付 第6回部落解放同盟佐賀県連合会大会を開催	7.23 部落解放同盟第9回全国青年集会を鳥取県庁講堂で開催 10.4 **部落解放同盟第20回全国大会**を東京で開催 11.18 第17回全国同和教育研究大会を大阪市で開催。4,000名参加	2- 北炭夕張鉱爆発 6- 日韓基本条約 8.11 内閣同和対策審議会答申出る 12- 国連、人種差別撤廃条約採択 この年- アメリカ、北ベトナム爆撃開始
1966 (昭和41)	4.27 5.14 6.1 8.11 9- 11.22 この年	福岡県連第18回大会を福岡市民会館で開催 福岡県連田川地区協議会、町交渉で答申を踏まえた部落の実態調査・町独自の進学補助などを約束させる。 松本治一郎参議院本会議で、国会永年在職議員として表彰される。 全九州総決起集会を福岡市役所前で開催「国民大行進」西日本隊出発 第5回福岡県「同和」教育研究大会を開催 **松本治一郎委員長永眠(79歳)** 第7回部落解放同盟佐賀県連合会大会を開催	2.2 多賀谷真稔代議士、衆議院本会議で部落解放の根本理念と「同対審」答申完全急速なる実施について政府を追及 3.3〜4 **部落解放同盟第21回全国大会**を大阪四天王寺会館で開催。部落解放要求貫徹「同対答申」完全実施要求闘争、平和と民主主義と生活を守る闘争、組織を拡大強化する方針決定 4.5 熊本県連宮岡委員長高木書記長、反動行政の弾圧により執行妨害と不当逮捕される 9.12 「同対審」答申完全実施要求、中央国民大集会を東京文京区公会堂で開催。部落大衆を中心に民主団体、労組、自治体関係者、政府代表も参加。5,000名参加	4- 総理府の附属機関として同和対策協議会を設置 6.24 高知県が学力テスト反対闘争で警察・検察・裁判所が解放同盟を弾圧 7- 東海村で日本初の原子力発電開始 7- 福岡県同和対策会議設置 10.21 **ベトナム反戦スト** 高知・大阪をはじめとして各地で解放同盟自からの解放要求を通して参加 12- 国連、国際人権規約採択

年	月 日	九州における部落解放運動のあゆみ	差別事件と全国的な部落解放運動のあゆみ	県・国の動きと社会情勢
1967 (昭和42)	6.11 7.16 8.27 9.6〜7 10-	部落解放第1回佐賀県研究集会を唐津で開催 第8回部落解放同盟佐賀県連合会大会開催 部落解放第11回全国青年集会を開催（唐津） 福岡県連第19回大会を開催。産炭地防衛に関する決議を行う 部落解放研究第1回熊本県集会を阿蘇町観光会館で開催 第6回福岡県「同和」教育研究大会を開催	3.3〜4 **部落解放同盟第22回全国大会**を奈良で開催 5.27〜29 **部落解放研究第1回全国集会**を大阪府高槻市で開催 10.19〜21 同対審答申完全実施要求、部落解放中央国民大行動を日比谷公園などで開催。3,000名参加 10.31 全国都道府県議会議長会を群馬県で開催。部落解放対策事業促進を決議 12- 中央本部、文部省の差別指導書についてその問題点と教育要求闘争の激化を通達	1.1 全国同和地区実態調査を実施 6- 東京都に美濃部新知事誕生 7- 朝日訴訟、最高裁判決 8- 公害対策基本法公布 10- 米首都で10万人ベトナム反戦集会 11- 国連、女性差別撤廃宣言採択
1968 (昭和43)	2.11 2.25 4.7 6.10 9.30 10-	第2回福岡県奨学生集会を福岡市教育会館で開催 福岡県連第22回田川地協大会を開催 第9回部落解放同盟佐賀県連合会大会を開催 福岡県小倉同和教育研究協議会総会を開催 福岡県連大会を開催 第7回福岡県「同和」教育研究大会を開催	1.11 法務省「壬申戸籍」の閲覧禁止を通達 1.30 福岡県連と県同教が県教委との予算交渉中、校長の「同和教育は必要ない」と殴られる事件が明らかになる 3.4〜5 **部落解放同盟第23回全国大会**を京都府立勤労会館で開催 10.16 小倉区で曹洞宗僧侶が差別発言	4- キング牧師暗殺 7- **核拡散防止条約調印** 9- 厚生省、水俣病の原因特定 この年- 国民総生産（GNPが世界2位に）
1969 (昭和44)	2.2 5.3 6.10 6.10 7.10 7.24 10- 11.15 11.21	佐賀県で全教職員を対象に同和教育研修会を3、3、4割の3ヶ年計画始まる 佐賀県連大会を唐津市隣保館で開催 福岡県連田川地区協議会、対教育庁交渉で奨学金の増額を要求 佐賀県連大会を唐津市隣保館で開催 福岡県連田川地区協議会、対教育長交渉、奨学金の増額などを要求 福岡県連委員会、「特別措置法」具体化のための当面の闘いを決定 福岡県連討論集会を福岡市農協会館で開催 第8回福岡県「同和」教育研究大会を開催 部落解放佐賀県民集会を佐賀市農協会館で開催 松本治一郎を偲ぶ会を福岡市で開催	2.10 衆議院予算委員会で八木一男議員（同盟中執）が「同和対策事業特別措置法」の制定をめぐって佐藤首相、床次総理府総務長官、福田大蔵大臣に質問 3.3〜4 **部落解放同盟第24回大会**を東京九段会館で開催。 3.29〜30 部落解放第14回婦人集会を広島県尾道市県立北高校・長江中学校で開催 3- 大阪市教組東南支部役員選挙で差別事件おこる（いわゆる矢田教育差別事件） 4.15 松本英一・亀田参議院議員、小松島不当逮捕事件を追及 6.22 部落解放センター落成（大阪） 11.2〜3 第1回部落解放奨学生全国集会を奈良県天理市天理教教会講堂で開催	2.11「建国記念の日」反対集会開催（大阪、四天王寺会館）。実行委員に部落解放同盟も参加 4.9〜10 文部省審議官、大阪・奈良の各部落を視察 5- 政府、初の『公害白書』発表 6.12「特別措置法」衆議院可決 6.20「特別措置法」参議院可決、成立 7.10 **「特別措置法」公布** 7- アポロ11号月面着陸 8.1〜10 部落解放・沖縄連帯代表者団を沖縄に派遣、アメリカ軍旅券発行を妨害 11- 佐藤・ニクソン共同声明 12- 総選挙、部落解放同盟推薦候補29名当選
1970 (昭和45)	5.16〜18 5.18 5.19 6.19 7- 8.28 10.18 11.6 11.7〜8	部落解放研究第4回全国集会を福岡市九電体育館で開催。喜屋武真栄沖縄復帰協会会長記念講演 「同対審」答申完全実施要求、「特別措置法」具体化要求、狭山差別裁判取消要求国民行動隊、福岡を出発 「国民行動隊」本隊、筑豊地区決起集会、北九州集会に参加 福岡県同教、県内使用教科書に差別内容があると県教委に公開質問状を提出 第9回福岡県「同和」教育研究大会を開催 部落解放同盟佐賀県連合会婦人部結成大会を唐津市文化会館で開催 第4回福岡県部落解放奨学生集会を福岡市城南高校で開催 **佐賀県同和教育研究会設立**を勧興小学校で開催。300名参加 **第22回全国同和教育研究大会**を福岡で開催	1.21〜22「特別措置法」具体化要求、「同対審」答申完全実施要求国民運動中央集会を部落解放同盟・自治体・議会・民主団体・教員など2,000名参加で東京久保講堂で開催 3.2〜3 **部落解放同盟第25回全国大会**を東京神田共立講堂で開催 3.29〜31 部落解放第15回全国婦人集会を高松市香川県立体育館で開催 5.26 福岡県警察川崎署、部落青年に差別捜査 6.15 国民大行動中央大会を東京日比谷公会堂で6,000名雨の中で開催 6.25 大阪府・市教委、解放教育読本「にんげん」の無償配布を開始 7.21 佐賀法務局事件糾弾行動 7.26〜27 部落解放同盟第14回全国青年集会を群馬県水上町で開催 9.24 現職警察官差別糾弾全国総決起集会 9.29〜30 部落解放要求国民運動全国代表者会を東京で開催し10省庁に中央交渉 10.24〜26 部落解放同盟第1回狭山現地調査（12月まで続行） 11.24 第4回部落解放松本治一郎記念集会を岡山県津山市で開催 12.30 NET「奈良和モーニングショー」で竹中労相再び差別発言	3- 大阪万国博覧会開催 赤軍派、よど号ハイジャック 3- 福岡県同和教育基本方針を策定 6- 政府、安保条約の自動延長を声明 7- 青い芝の会、障害児殺しを糾弾 10.26〜28 部落解放同盟上杉書記長、沖縄国政参加選挙支援のため沖縄を訪問 10- 初のウーマン・リブ大会開催 12.20 沖縄ゴザ市で反米暴動 12.30 政府の同和対策予算決定、各省要求120億円に対しわずか62億円、新規予算全て打ち切り
1971 (昭和46)	2.2 2.5 2.19〜28 3.11 3- 10- 11.13 11.16 12.6	第1回佐賀県同和教育研究大会を佐賀市で開催 第1回佐賀県同和教育研究大会を唐津市で開催 沖縄県祖国復帰国民大会に解放同盟代表25名参加 福岡県田川市議会、「狭山事件の公正裁判の要請に関する決議案」を審議、採択 福岡県大任町議会「狭山事件の公正裁判要請」を決議 第10回福岡県「同和」教育研究大会を開催 **熊本県同和教育研究会設立** 佐賀県隣保館連絡協議会発足 第2回佐賀県同和教育研究大会を開催	2.4 全国隣保館連絡協議会結成 2.6 全国水平社創立50周年集会を国立京都国際会館で開催。3,000名参加 3.1〜2 **部落解放同盟第26回全国大会**を京都会館で開催 4- 福岡県嘉穂郡稲築町の町長選で現井上町長差別発言、嘉飯地区協議会田中議長あて差別はがき舞い込む。田川・嘉飯地協差別行政糾弾を強化 8.31 部落解放国民運動中央集会	2- 京都市長選挙で革新系舟橋候補当選 沖縄全軍労解雇に反対して48時間第一次ストライキ 3- 沖縄全軍労第二次ストライキ 4.11 部落解放同盟推薦の美濃部亮吉（東京都知事）黒田了一（大阪府知事）両氏当選 6.1 全国同和地区調査を実施 6.17 沖縄返還協定調印 8- ニクソンショック 12- 国連、知的障害者の権利宣言採択
1972 (昭和47)	7.18	**部落解放同盟大分県連合会再建**	3.2〜3 **部落解放同盟第27回全国大会（京都市）**	2- 連合赤軍、浅間山荘事件 4- 米軍、北爆再開 5.15 **沖縄県発足（日本復帰）**

年	月日	九州における部落解放運動のあゆみ	差別事件と全国的な部落解放運動のあゆみ	県・国の動きと社会情勢
1972（昭和47）	10.16	第３回佐賀県同和教育研究大会を開催	5.20 狭山差別裁判取り消し要求の署名、100万人を突破	6－ 田中角栄『日本列島改造論』刊行
	10.29	**第１回熊本県同和教育研究大会を開催**		第一回国連人間環境会議、人間環境宣言採択
	10－	第11回福岡県「同和」教育研究大会を開催	12.3 佐賀県唐津市下尾差別事件事実確認会	9－ 日中共同声明調印
1973（昭和48）			3.3～4 **部落解放同盟第28回全国大会（京都市）**	1.27 ベトナム和平協定調印
			5.7～8 **部落解放第１回全九州研究集会**を福岡市で開催	2－ 円、変動相場制へ
			8.30 奥野文部大臣が差別発言	3－ 熊本地裁、水俣病公害訴訟で患者側勝訴判決
			9.11 佐賀市糾弾交渉	10－ 第四次中東戦争、オイルショック
	10.16	第４回佐賀県同和教育研究大会を開催	10.30 長崎県南高布津町で結婚差別事件がおこる 10月30日、長崎・広島・福岡３県と１市２町が確認書を取り交わす⑨	11－ 養護学校の就学義務化
	10.28	第２回熊本県同和教育研究大会を開催		国連、反アパルトヘイト条約採択
	10－	第12回福岡県「同和」教育研究大会を開催		
	12－	**部落解放同盟長崎県連合会結成**	11.29 佐賀県小城町差別事件糾弾交渉	この年－ 各地に手作り保育所誕生
1974（昭和49）			2.3 佐賀県小城市差別事件糾弾交渉	
			3.3～4 **部落解放同盟第29回全国大会（大阪市）**、被差別統一戦線をよびかける	
	4.25	佐賀県社会同和教育研究会を佐賀市で発会		5－ インド、初の地下核実験
	4.27	**部落解放同盟鹿児島県連合会結成**	8.7 日本高校野球連盟による福井県立聾学校の北陸大会参加拒否に対し、解放同盟大阪府連などが抗議	7－ 美濃部都知事、韓国人被爆者に被爆手帳初交付
	10.14	第５回佐賀県同和教育研究大会を開催		
	10.26	第３回熊本県同和教育研究大会を開催		
	10－	第13回福岡県「同和」教育研究大会を開催	10.31 石川一雄さんに無期懲役の判決	10－ 同和地区精密調査を実施
	11.20	**長崎県同和教育研究協議会結成**	11.18 八鹿高校差別教育糾弾闘争始まる	
1975（昭和50）	1.24	狭山差別裁判佐賀県総決起集会	5.27～28 **部落解放同盟第30回全国大会（東京都）**、中央本部の東京移転を決定。新委員長に松井久吉	4.30 サイゴン陥落
	2－	第１回長崎県同和教育研究集会を開催		6.1 全国同和地区調査を実施
			8.9 佐賀工業高校差別事件確認会	8－ アイヌ青年がデッチ上げ逮捕（苫小牧差別裁判）
	9.13	第４回熊本県同和教育研究大会を開催	9.6 唐津市差別事件糾弾集会	
	10.16	第14回福岡県「同和」教育研究大会を開催	10.24 中川鉄太郎作「寛政五人衆」初演（高槻市）	
	11－	第２回長崎県同和教育研究集会を開催	12.5 部落解放中央共闘会議結成	11－ **『部落地名総鑑』**の販売発覚
	12－	**宮崎県同和教育研究協議会設立**	12.9 解放同盟、部落地名総鑑差別事件で抗議声明	12－ 国連、障害者の権利に関する宣言採択
1976（昭和51）			3.3～4 **部落解放同盟第31回全国大会（東京都）**	1－ 国際人権規約社会権規約発効
	3.22	**鹿児島県同和教育研究協議会設立**		2－ ロッキード事件発覚
			3.10 佐賀県伊岐佐ダム確認会	3－ 国際人権規約自由権規約発効
	5.22	同盟休校狭山完全勝利佐賀県総決起集会	5.21 戸籍法改正案が成立	4－ 中国、第一次天安門事件
	6.23	**大分県同和教育研究協議会設立**	6.2～4 **部落解放第２回全九州研究集会**を長崎市で開催	カンボジア、ポルポト政権発足
	10.16	第５回熊本県同和教育研究大会を開催		5－ 日本てんかん協会結成
	10.23	第15回福岡県「同和」教育研究大会を開催	6.15 戸籍法改正	7－ ベトナム社会主義共和国設立
	11.15	第７回佐賀県同和教育研究大会を開催	10－ 九州産業交通就職差別事件がおこる	8－ 全国障害者解放運動連絡協議会結成
1977（昭和52）	1.9	第１回大分県同和教育研究大会を開催	3.3～4 **部落解放同盟第32回全国大会（東京都）**、組織改革のため新執行部が再任辞任。第一回松本治一郎賞に野間宏	
	2.15	第１回鹿児島県同和教育研究大会を開催		
	2.27	**部落解放同盟宮崎県連合会結成**		
	2－	第３回長崎県同和教育研究集会を開催	3.9 地名総鑑購入企業中央糾弾会	
	3.28	第１回宮崎県「同和」教育研究大会を開催	4.12 地名総鑑差別事件糾弾国民総決起集会	
	6.12	第18回部落解放同盟佐賀県連合会大会を大和町で開催	5.24 特別措置法強化延長国民集会	6－ 原水爆統一世界大会
			7.1 部落解放３大闘争勝利国民大会	8.9 最高裁判所、狭山事件の上告棄却
	10.15	**部落解放佐賀県民会議を結成**		10－ 福岡地裁、カネミ油症事件訴訟で患者側勝訴判決
		第６回熊本県同和教育研究大会を開催		
	10.17	第８回佐賀県同和教育研究大会を開催		
	10.19	第16回福岡県「同和」教育研究大会を開催		
	11.26	第２回宮崎県「同和」教育研究大会を開催		
	12.4	第２回大分県同和教育研究大会を開催	12.6 井元麟之ら福岡部落史研究会中心に訪印。ダリットと交流。	
	12.8	第２回鹿児島県同和教育研究大会を開催		
1978（昭和53）	2.10	部落解放九州ブロック共闘会議結成	2.2～4 **部落解放第３回全九州研究集会**を鹿児島市で開催	
	2－	第４回長崎県同和教育研究集会を開催		
	5.23	狭山佐賀県集会を開催	2.18 九州探偵社糾弾会	5－ 成田国際空港開港
	9.28	福岡市企業同和問題推進協議会、結成	2.27 特別措置法強化延長要求実現総決起集会	
	10.14	第７回熊本県同和教育研究大会を開催	3.2～4 **部落解放同盟第33回全国大会（大阪市）**	8－ 日中平和友好条約調印
	10.19	第17回福岡県「同和」教育研究大会を開催		
	10.23	第９回佐賀県「同和」教育研究大会を開催	3 115大学842人の大学教員、同対法強化延長に署名。	
	10.28	佐賀県狭山集会を開催		10.8 **特別措置法３か年延長決定**
	11.12	第３回大分県同和教育研究大会を開催	7.14 特別措置法強化延長要求中央行動	11－ 日米防衛協力のための指針決定
	11.25	第３回宮崎県「同和」教育研究大会を開催		11－ **人種と人種的偏見に関するユネスコ宣言採択**
	12.11	第３回鹿児島県同和教育研究大会を開催		
1979（昭和54）	2	第５回長崎県同和教育研究大会を開催	3.2～4 **部落解放同盟第34回全国大会（京都市）**	1－ カンボジア、ポルポト政権崩壊
	6.24	第20回部落解放同盟佐賀県連合会大会を開催		第二次オイルショック
	7.10	第18回福岡県「同和」教育研究大会を開催	2.29 佐賀駅構内差別事件糾弾確認会	3－ スリーマイル島原発事故
	7.15	佐賀県網の目行動学習会		6.6 **国際人権規約が批准される**
	10.13	第８回熊本県同和教育研究大会を開催	8.6 解放同盟、全国各地で反戦・平和・狭山の同盟休校	6－ **元号法公布、部落解放同盟、法成立に抗議声明**
	10.24	第４回鹿児島県同和教育研究大会を開催		
	10.25	第10回佐賀県「同和」教育研究大会を開催		
	10.27	第４回大分県同和教育研究大会を開催		

年	月日	九州における部落解放運動のあゆみ	差別事件と全国的な部落解放運動のあゆみ	県・国の動きと社会情勢
1979 （昭和54）	10.28 10- 10- 12.1	奄美地区同和教育研究協議会が沖永良部の和泊中学校で発足 第6回長崎県同和教育研究大会を開催 佐賀県部落解放推進協議会発足 第31回全国同和教育研究大会を福岡で開催	10.30 曹洞宗町田宗夫氏差別発言糾弾闘争始まる	12- 国連、女性差別撤廃条約採択 12- ソ連、アフガン侵攻
1980 （昭和55）	1.22 1.26 4.19 10.17 10.18 10.23 10.25 10- 11.20	第4回宮崎県「同和」教育研究大会を開催 狭山再審闘争勝利同盟休校貫徹佐賀県集会を開催 全国キャラバン隊佐賀県内行動 第5回大分県同和教育研究大会を開催 第19回福岡県「同和」教育研究大会を開催 第11回佐賀県「同和」教育研究大会を開催 第9回熊本県同和教育研究大会を開催 第7回長崎県同和教育研究大会を開催 第5回鹿児島県同和教育研究大会を開催	3.2～4 **部落解放同盟第35回全国大会（福岡市）** 3.26 全国解放保育連絡会、結成。 5.10 解放同盟福岡市協、県立城南高校生徒がロックバンド名を〈エタヒニン〉とした事件で確認学習会 7.14 佐賀郵便局次長差別発言糾弾会 8.7 佐賀県唐津市差別発言糾弾会	9- イラン・イラク戦争
1981 （昭和56）	1.19 8.1 10.16 10.17 10.19 10- 11.18	第5回宮崎県「同和」教育研究大会を開催 第6回部落解放西日本夏期講座を嬉野町で開催。第9回佐賀県同和教育夏期講座を兼ねる 第6回大分県同和教育研究大会を開催 第20回福岡県「同和」教育研究大会を開催 第10回熊本県同和教育研究大会を開催 第12回佐賀県同和教育研究大会を開催 第8回長崎県同和教育研究大会を開催 第6回鹿児島県同和教育研究大会を開催	1.26 佐賀県七山郵便局差別発言確認会 2.26 解放同盟、差別実態全国集約集会を開催（東京都） 3.2～4 **部落解放同盟第36回全国大会（東京都）** 6.15 唐津郵便局差別事件確認会 この年- 北九州で同和対策事業とかかわる不正事件発覚	3- 初の中国残留日本人孤児訪日 6.5 **日本、難民条約承認** 6.29 同和問題に取り組む宗教教団連帯会議（同宗連）結成
1982 （昭和57）	2.17 9.25 10.16 10.19 10.22 10- 11.12 11.17	第6回宮崎県「同和」教育研究大会を開催 第11回熊本県同和教育研究大会を開催 第21回福岡県「同和」教育研究大会を開催 第13回佐賀県同和教育研究大会を開催 第7回宮崎県「同和」教育研究大会を開催 第9回長崎県同和教育研究大会を開催 第7回大分県同和教育研究大会を開催 第7回鹿児島県同和教育研究大会を開催	3.24 解放同盟、全国奨学生活動者会議開催 4.23 佐賀県結婚差別事件糾弾学習会 10.4～6 **部落解放同盟第37回全国大会（広島市）**、新委員長に上杉佐一郎 11.22 人事院田代公平局長差別発言糾弾会 12.13 丸八真綿差別販売事件糾弾会	4.1 **地域改善対策特別措置法施行**
1983 （昭和58）	5.12 8.10 10.14 10.15 10.18 10.29 10- 11.17	部落解放同盟第38回全国大会を福岡市で開催 **佐賀部落解放研究所**を設立 第8回大分県同和教育研究大会を開催 第12回熊本県同和教育研究大会を開催 第14回佐賀県同和教育研究大会を開催 第8回宮崎県「同和」教育研究大会を開催 第22回福岡県「同和」教育研究大会を開催 第10回長崎県同和教育研究大会を開催 第8回鹿児島県同和教育研究大会を開催	2.7 解放同盟、真言宗豊山派・浄土宗・東西両本願寺に対し相次ぐ差別事件の事実確認会をもつ 5.12～14 **部落解放同盟第38回全国大会（福岡市）** 11.20 第一回全国識字経験者交流会（熱海） 11.22 毎日新聞社差別発言記事に対する糾弾会 11.26 全国部落出身者教職員連絡会結成	2- ホームレス襲撃事件（横浜） 3.28 大阪地裁、部落差別による婚約破棄を違法とし、慰謝料支払いを命じる 8.1～12 第二回人種差別撤廃世界会議開催（ジュネーブ）。解放同盟代表が参加し、国連人権委小委員会で部落問題を訴える
1984 （昭和59）	10.3 10.12 10.13 10.16 10.18 10-	第9回鹿児島県同和教育研究大会を開催 第9回大分県同和教育研究大会を開催 第23回福岡県「同和」教育研究大会を開催 第13回熊本県同和教育研究大会を開催 第9回宮崎県「同和」教育研究大会を開催 第15回佐賀県同和教育研究大会を開催 第11回長崎県同和教育研究大会を開催	3.3～5 **部落解放同盟第40回全国大会（福山市）**、軍拡路線反対、基本法制定要求等決定 6.2～4 部落解放第4回全九州研究集会を別府市で開催 10.27 **部落解放同盟第41回臨時全国大会（大阪市）**、綱領前文を改正 10.30 実態調査（1985年）実現中央行動	6.19 地対協、「今後における啓発活動のあり方について」意見具申
1985 （昭和60）	2.17 10.8 10.11 10.15 10.17 10.19 10.26 10.29 10-	部落解放同盟長崎県連合会第1回定期大会を開催 同和問題に取り組む佐賀県宗教者連絡協議会発足 第10回大分県同和教育研究大会を開催 第16回佐賀県同和教育研究大会を開催 第10回宮崎県「同和」教育研究大会を開催 第24回福岡県「同和」教育研究大会を開催 第14回熊本県同和教育研究大会を開催 第10回鹿児島県同和教育研究大会を開催 第12回長崎県同和教育研究大会を開催	3.3～5 **部落解放同盟第42回全国大会（和歌山）** 5.23 狭山最新要求中央総決起集会開催 5.24 部落解放基本法制定要求国民運動中央実行委員会総会を東京・憲政会館で開催 6.1～3 部落解放第5回全九州研究大会を宮崎市で開催 12.25 大蔵住宅差別事件で福岡県連糸島地区地協の17人が差別ビラの印刷、配布差し止めを求め、福岡地裁に仮処分申請（翌年3月ビラ配布者に損害賠償を指示）	5.29 最高裁判所、狭山事件特別抗告棄却断固糾弾！ 緊急抗議集会 6- 日本、女性差別撤廃条約を批准 8.19 同対審答申20周年記念集会 この年- いじめの深刻化が問題となる。
1986 （昭和61）	6.19 8.8 10.15 10.16 10.18 10.23 11.17	佐賀県食肉共同施設落成 第17回佐賀県同和教育研究大会を開催 第25回福岡県「同和」教育研究大会を開催 第11回宮崎県「同和」教育研究大会を開催 第13回長崎県同和教育研究大会を開催 第15回熊本県同和教育研究大会を開催 第11回鹿児島県同和教育研究大会を開催 第11回大分県同和教育研究大会を開催	2.27 高知刑務所刑務官発言糾弾学習会 3.3～5 **部落解放同盟第43回全国大会（東京）** 4.10 佐賀県佐志小学校差別発言糾弾学習会 5.31～部落解放第6回全九州研究集会を熊本市で開催 10.22 佐賀県S社従業員による発言糾弾学習会 12.28「地域改善対策協議会」意見具申に対する緊急抗議集会	4- チェルノブイリ原発事故 12.11 地対協「今後における地域改善対策について」意見具申。
1987 （昭和62）	3.15 10.13 10.15 10.16 10.17	**部落解放同盟宮崎県連合会、再建大会** 第18回佐賀県同和教育研究大会を開催 第12回宮崎県「同和」教育研究大会を開催 第12回大分県同和教育研究大会を開催 第26回福岡県「同和」教育研究大会を開催	4.20 第1回中央解放学校開設 5.30～6.1 部落解放第7回全九州研究集会を佐賀市で開催 6.16～18 **部落解放同盟第44回全国大会（福岡市）**	3- **地対財特法成立** 6.15 政府、えせ同和行為対策中央連絡協議会設置

年	月日	九州における部落解放運動のあゆみ	差別事件と全国的な部落解放運動のあゆみ	県・国の動きと社会情勢
1987 （昭和62）	10.17 10.31 10- 11.5	第16回熊本県同和教育研究大会を開催 狭山裁判寺尾判決13ヶ年糾弾佐賀県集会を東京で開催 第14回長崎県同和教育研究大会を開催 第12回鹿児島県同和教育研究大会を開催	6.17 松本治一郎生誕100周年記念集会 7.23 鹿児島県鹿屋市西原台小学校発言糾弾学習会 12.6 佐賀電気工業株式会社、工事図面発言事件糾弾学習会	
1988 （昭和63）	5.22 10.13 10.15 10.17 10.27 10- 11.26	**部落解放同盟大分県連合、再建大会** 第19回佐賀県同和教育研究大会を開催 第27回福岡県「同和」教育研究大会を開催 第17回熊本県同和教育研究大会を開催 第13回宮崎県同和教育研究大会を開催 第13回鹿児島県同和教育研究大会を開催 第15回長崎県同和教育研究大会を開催 **第40回全国同和教育研究大会**が大分市で開催	3.2～4 **部落解放同盟第45回全国大会（大津市）** 5.8 曹洞宗発言糾弾学習会 5.28～30 部落解放第8回全九州研究集会を北九州市で開催 6.14 佐賀電気工業株式会社、工事図面発言事件第2回糾弾学習会 7- 福岡県で自衛官差別発言事件がおこる 8.22 唐津自動車学校差別事件学習会 11.4 大和ハウス発言糾弾学習会 11.28 全国発言事件報告集会	1.25 **反差別国際運動（IMADR）結成** 12- 消費税法成立
1989 （昭和64） （平成元年）	6.4 10.12 10.14 10.18 10.19 10-	第30回部落解放同盟佐賀県連合会大会を開催 第20回佐賀県同和教育研究大会を開催 第28回福岡県「同和」教育研究大会を開催 第18回熊本県同和教育研究大会を開催 第13回大分県同和教育研究大会を開催 第14回鹿児島県同和教育研究大会を開催 第16回長崎県同和教育研究大会を開催	3.3～4 **部落解放同盟第46回全国大会（大阪市）** 5.10～12 部落解放第9回全九州研究集会を長崎市で開催 6.12 真宗大谷派糾弾学習会 9- 福岡の弁護士2人が、地位を利用して戸籍謄本・住民票請求用紙を興信所に横流ししていた事が発覚 9.25「部落解放基本法」制定要求佐賀県実行委員会による「差別戒名」墓石を武雄市で発見 12.3 佐賀県田代地区墓石調査	1.7 昭和天皇死去 7.28 法務省、部落地名総監差別事件に関する調査終了を声明 8.31 パウロ・フレイレ来日 11- ベルリンの壁崩壊 11- 国連、子どもの権利条約採択 12- 国連、死刑廃止条約採択
1990 （平成2）	2.4 2.5 9.8 9.29 10.11 10.18 10.25 10- 	日本労働組合総連合佐賀県連合会発足 第14回宮崎県「同和」教育研究大会を開催 第19回熊本県同和教育研究大会を開催 第29回福岡県「同和」教育研究大会を開催 第15回宮崎県同和教育研究大会を開催 第14回大分県同和教育研究大会を開催 第15回鹿児島県同和教育研究大会を開催 第17回長崎県同和教育研究大会を開催 第21回佐賀県同和教育研究大会を開催	5.15～17 **部落解放同盟第47回全国大会（丸亀市）** 5.26～28 部落解放第10回全九州研究集会を鹿児島市で開催 7.7 佐賀市立城西中学校発言糾弾学習会 7.28 全同教による同和教育調査 11- 行政書士による戸籍謄本不正取得事件が発覚	1- 本島長崎市長銃撃事件 7.16 同和対策実態調査 7- ゴルバチョフ、ペレストロイカ表明 8- イラク、クェート侵攻 10- 東西ドイツ統一
1991 （平成3）	10.2 10.12 10.15 10.18 10.19 10.24 10- 	全国大行進九州ブロック総決起集会を福岡市で開催 第20回熊本県同和教育研究大会を開催 同和問題早期解決促進佐賀県東京集会開催 第15回大分県同和教育研究大会を開催 第30回福岡県「同和」教育研究大会を開催 第16回鹿児島県同和教育研究大会を開催 第16回宮崎県同和教育研究大会を開催 第18回長崎県同和教育研究大会を開催 第22回佐賀県同和教育研究大会を開催	3.18 解放同盟九州地方協議会・佐賀県連、九州積水工業が採用選考で身元調査をしていた事件に対し、公開学習会開催 5.25～27 部落解放第11回全九州研究集会を大分市で開催 5.30～31 **部落解放同盟第48回全国大会（東京都）**	2.19「橋のない川」上映全国会議 6- アパルトヘイト終結宣言 12.11 地対協、「今後の地域改善対策について」意見具申。同20日「今後の地域改善対策に関する大綱」閣議決定
1992 （平成4）	6.14 9.26 10.15 10.17 10.22 10.27 11.28 	部落解放同盟大分県連合会再建第4回大会（通算第20回）開催 第31回福岡県「同和」教育研究大会を開催 第16回大分県同和教育研究大会を開催 第21回熊本県同和教育研究大会を開催 第17回宮崎県同和教育研究大会を開催 第19回長崎県同和教育研究大会を開催 第17回鹿児島県同和教育研究大会を開催 **第44回全国同和教育研究大会**を福岡で開催 第23回佐賀県同和教育研究大会を開催	3.3 全国水平社創立70周年記念集会開催 5.10 第二期部落解放基本法制定要求国民運動総括会議開催 5.29～31 **部落解放同盟第49回全国大会（東京都）** 8.7 部落解放第12回全九州研究集会を福岡市で開催 8.19 部落解放全国中学生代表者会議開催（長崎市）	2.24「橋のない川」完成試写会 3- **「地対財特法」の5年延長可決** 6- PKO協力法成立
1993 （平成5）	4.2 6.13 10.16 10.19 10.23 10.28 11.11 	全九州水平社創立70周年記念集会を開催 第20回長崎県同和教育研究大会を開催 第32回福岡県「同和」教育研究大会を開催 第18回鹿児島県同和教育研究大会を開催 第22回熊本県同和教育研究大会を開催 第17回大分県同和教育研究大会を開催 第18回宮崎県同和教育研究大会を開催 第24回佐賀県同和教育研究大会を開催	1- 佐賀の未指定部落で、大量の差別墓石が発見後3年放置されていたことが発覚 2.1 全国部落出身議員連絡会結成 3.3～4 **部落解放同盟第50回全国大会（京都市）** 5.28 部落解放第13回全九州研究集会を宮崎市で開催 8.21「差別墓石・法戒名を問い考える会」第1回学習会を佐賀市で開催	5.19 広島結婚差別自殺事件真相報告全国キャラバン総括会議 6- 国連世界人権宣言、ウィーン会議 11- **環境基本法公布** 12- 国連、人権高等弁務官設置
1994 （平成6）	10.15 10.17 10.22 10.25 10.27 	第33回福岡県「同和」教育研究大会を開催 第19回宮崎県同和教育研究大会を開催 第23回熊本県同和教育研究大会を開催 第21回長崎県同和教育研究大会を開催 第19回鹿児島県同和教育研究大会を開催 第18回大分県同和教育研究大会を開催 第25回佐賀県同和教育研究大会を開催	3.2～4 **部落解放同盟第51回全国大会（北九州市）** 5.28～30 部落解放第14回全九州研究集会を熊本市で開催 8.20～22 部落解放第38回全国青年集会を唐津で開催 9.21 佐賀県差別用語記載古地図確認会	4- 日本、子どもの権利条約批准 8- アイヌ民族出身の国会議員誕生 12.21 狭山事件石川一雄さんが仮出獄 12- 国連、「人権教育のための国連10年」を決議

年	月 日	九州における部落解放運動のあゆみ	差別事件と全国的な部落解放運動のあゆみ	県・国の動きと社会情勢
1995 （平成7）	8 - 10.14 10.16 10.17 10.21 10.26 11.20 12.6	第22回長崎県同和教育研究大会を開催 第34回福岡県「同和」教育研究大会を開催 第20回宮崎県同和教育研究大会を開催 第20回鹿児島県同和教育研究大会を開催 第24回熊本県同和教育研究大会を開催 第19回大分県同和教育研究大会を開催 佐賀県高等学校同和教育研究会を設立 部落解放共闘佐賀県民会議発足 第26回佐賀県同和教育研究大会を開催	1.17 佐賀県東陵中学校発言確認会 3.30 佐賀県春日小学校発言確認会 5.27～29 部落解放第15回全九州研究集会を長崎市で開催 5.30～31 **部落解放同盟第52回全国大会（北九州市）** 11.8 佐賀市立城西中学校発言確認会	10.20 福岡県「部落差別事象の発生の防止に関する条例」を公布。 11.20「部落地名総鑑」差別事件発覚20周年全国集会 12- 日本、人種差別撤廃条約に加入
1996 （平成8）	8.24 8 - 10.12 10.17 10.22 10.24 10.25	第23回九州地区同和教育夏期講座を佐賀市で開催。第24回佐賀県同和教育夏期講座を兼ねる 第23回長崎県同和教育研究大会を佐世保市で開催 第35回福岡県「同和」教育研究大会を開催 第21回宮崎県同和教育研究大会を開催 第21回鹿児島県同和教育研究大会を開催 部落解放同盟長崎県連合会第10回定期大会を開催 第20回大分県同和教育研究大会を開催 第25回熊本県同和教育研究大会を開催 第27回佐賀県同和教育研究大会を開催	2.21 浄土真宗本願寺派差別事件に対する点検糾弾会 5.24～26 部落解放第16回全九州全九州研究集会を佐賀市で開催 9.6～8 **部落解放同盟第53回全国大会（東京都）**、中央執行委員長に上田卓三 10.22 唐津競艇場差別落書事件糾弾学習会	3- らい予防法廃止 5.17 地対協、「同和問題の早期解決に向けた今後の方策の基本的な在り方について」意見具申 5.28 労働省、「全国高等学校統一応募用書類」及び「中学校卒業者応募書類職業相談表（乙）の様式の改定について」発表 6- 優生保護法改正、母体保護法に改称 12.4 人権啓発サミット開催 12.17「人権擁護施策推進法」成立
1997 （平成9）	6.18 9.6 10.16 10.22 10.23 10.25 10-	佐賀県就学前同和教育研究会を設立 第26回熊本県同和教育研究大会を開催 第22回宮崎県同和教育研究大会を開催 第22回鹿児島県同和教育研究大会を開催 第28回佐賀県同和教育研究大会を鹿島市で開催 第36回福岡県「同和」教育研究大会を開催 第21回大分県同和教育研究大会を開催 第24回長崎県同和教育研究大会を島原市で開催	2.27 佐賀県伊万里市差別事件学習会 3.27 佐賀新聞社長、九州国際空港をめぐるシンポジウムで、「福岡が〈商〉なら佐賀は〈えたひにん〉」と発言 4.17 佐賀県相知中学校差別事件糾弾学習会 5.26～27 **部落解放同盟第54回全国大会（東京都）**、綱領・規約改定 6.6～8 部落解放第17回全九州研究集会を鹿児島市で開催 7.4 佐賀新聞社長差別発言糾弾学習会 8.18 佐賀県昭栄中学校差別発言学習会 8.19 ジンダイ身元調査差別事件糾弾会 10.21 佐賀新聞社長差別発言第2回糾弾学習会	5.14 アイヌ文化振興法成立 5.27 人権擁護推進審議会、第一回会議。綱領・規約決定 11.10「人権フォーラム21」設立
1998 （平成10）	10.16 10.17 10.22 10- 11.12	第23回宮崎県同和教育研究大会を開催 第37回福岡県「同和」教育研究大会を開催 第27回熊本県同和教育研究大会を開催 第23回鹿児島県同和教育研究大会を開催 第25回長崎県同和教育研究大会を開催 第22回大分県同和教育研究大会を開催 第29回佐賀県同和教育研究大会を開催	2.18 佐賀市立金泉中学校発言学習会 3.5 佐賀市立西部中学校における差別事件 5.10～12 **部落解放同盟第55回全国大会（福岡市）** 5.29～31 部落解放第18回全九州研究集会を別府市で開催 8.24 解放同盟、「えせ同和行為の排除に向けて」公表	3.25 佐賀県人権の尊重に関する条例を公布 3- 印・パキスタン核実験 10.23 人権フォーラム21、差別撤廃にむけたこれからの人権教育・啓発のあり方について提言 12.14 衆参本会議、人権尊重社会の実現をめざす決議 12.17 鹿児島県、「人権宣言に関する決議」採択
1999 （平成11）	5.26 9.4 10.14 10.16 10.27 10.28 11- 12.5	部落解放同盟福岡県連合会第50回定期大会を早良市民センターで開催 第28回熊本県同和教育研究大会を開催 第30回佐賀県同和教育研究大会を開催 第24回宮崎県人権同和教育研究大会を開催 第38回福岡県「同和」教育研究大会を開催 第24回鹿児島県同和教育研究大会を開催 第23回大分県同和教育研究大会を開催 第26回長崎県人権教育研究大会を開催 第40回部落解放同盟佐賀県連合会大会を開催	3.2～3 **部落解放同盟第56回全国大会（東京都）** 5.28～30 部落解放第19回全九州研究集会を宮崎市で開催 6.10 狭山事件再審弁護団、新証拠を東京高裁に提出 7.3 佐賀県鍋島中学校差別発言学習会 8.17 佐賀県相知中学校差別発言事件ブロック別学習会 10.8 解放同盟中央本部、新ガイドライン関連法、国旗・国歌法などの法案成立に関する見解発表。	5- 新ガイドライン関連法 6.24 人権教育啓発の推進に関する〈法〉を求める連絡会議（人権会議）発足 7.8 東京高等裁判所が狭山第二次再審請求を棄却 8- 国旗・国歌法成立
2000 （平成12）	10.12 10.14 10.16 10.21 10.26 10- 12.3	第25回鹿児島県同和教育研究大会を開催 第25回宮崎県人権同和教育研究大会を開催 第39回福岡県「同和」教育研究大会を開催 第31回佐賀県同和教育研究大会を開催 第29回熊本県同和教育研究大会を開催 第24回大分県同和教育研究大会を開催 第27回長崎県人権教育研究大会を開催 第41回部落解放同盟佐賀県連合会大会を開催 佐賀地区「狭山住民の会」を結成	4.21 佐賀県城北中学校差別事件確認会 4.26～28 **部落解放同盟第57回全国大会（東京都）** 5.12～14 部落解放第20回全九州研究集会を福岡市で開催	5.24 人権フォーラム21、第1回人権侵害の実態と救済制度のあり方研究会 11.29 **「人権教育及び人権啓発の推進に関する法律」が成立**
2001 （平成13）	10.8 10.13 10.20 10.24	第26回宮崎県人権・同和教育研究大会を開催 第40回福岡県「同和」教育研究大会を開催 第30回熊本県同和教育研究大会を開催 第26回鹿児島県同和教育研究大会を開催 第25回大分県同和教育研究大会を開催	3.3～4 **部落解放同盟第58回全国大会（大阪）** 5.25～27 部落解放第21回全九州研究集会を熊本市で開催 6.2 佐賀県有田中学校差別発言事象確認会 6.21 佐賀県塩田中学校差別発言事象確認会 7.17 浄土真宗住職による差別事件事実調査 7.25 浄土真宗本願寺派大分教区住職差別文書事件第1回糾弾会	5.25 人権擁護推進審議会が「人権救済制度の在り方についての答申」を出す

年	月 日	九州における部落解放運動のあゆみ	差別事件と全国的な部落解放運動のあゆみ	県・国の動きと社会情勢
2001 （平成13）	10.24	第32回佐賀県人権・同和教育研究大会を開催 第28回長崎県人権・同和教育研究大会を開催	11.2 武雄中学校差別発言事象確認会 11.2 佐賀県青嶺中学校差別発言事象確認会	
2002 （平成14）	10.19 10.26 10.29 11.16 11.30	第41回福岡県人権・同和教育研究大会を開催 第26回大分県同和教育研究大会を開催 第31回熊本県同和教育研究大会を開催 第27回鹿児島県同和教育研究大会を開催 第27回宮崎県人権・同和教育研究大会を開催 **第54回全国同和教育研究大会**を大分で開催 第33回佐賀県人権・同和教育研究大会を開催 第29回長崎県人権・同和教育研究大会を開催	3.27 佐賀県福富中学校差別発言事象確認会 5.17～19 部落解放第22回全九州研究集会を佐賀市で開催 7.1 佐賀県が同和対策実態調査を実施 9.8～10 **部落解放同盟第59回全国大会（福岡市）**	3.31「同和対策事業特別措置関係法」の失効
2003 （平成15）	9.20 10.9 10.18 10.25 10.27 10.29 10.30 11.28	第42回福岡県人権・同和教育研究大会開催 第34回佐賀県人権・同和教育研究大会開催 第32回熊本県同和教育研究大会開催 第26回大分県人権・同和教育研究大会開催 第28回宮崎県人権・同和教育研究大会開催 第28回鹿児島県人権・同和教育研究大会開催 第29回長崎県人権教育研究大会開催 第55回全国人権・同和教育研究大会開催（福岡）	5.9～10 部落解放同盟第60回全国大会（東京） 5.15～17 部落解放第23回全九州研究集会（長崎） 5.23 高松結婚裁判70周年記念講演会（香川）	5.23 個人情報保護法成立 6.6 有事法制関連3法成立
2004 （平成16）	8.26 10.16 10.16 10.23 10.27 10.28 11.13	第30回長崎県人権教育研究大会開催 第43回福岡県人権・同和教育研究大会開催 第33回熊本県同和教育研究大会開催 第27回大分県人権教育研究大会開催 第29回鹿児島県人権・同和教育研究大会開催 第35回佐賀県人権・同和教育研究大会開催 第29回宮崎県人権・同和教育研究大会開催	3.1～3 部落解放同盟第61回全国大会（東京） 5.12～14 部落解放第24回全九州研究集会（鹿児島）	5.21 裁判員法成立 6.14 有事法制関連7法成立
2005 （平成17）	8.3~4 10.13 10.14 10.15 10.15 10.26 11.26	第31回長崎県人権教育研究大会開催 第36回佐賀県人権・同和教育研究大会開催 第28回大分県人権教育研究大会開催 第44回福岡県人権・同和教育研究大会開催 第34回熊本県同和教育研究大会開催 第30回鹿児島県人権・同和教育研究大会開催 第57回全国人権・同和教育研究大会開催（宮崎）	3.3～4 部落解放同盟第62回全国大会（東京） 5.29～31 部落解放第25回全九州研究集会（大分） 12.3 大阪人権博物館リニューアルオープン	7.3 国連特別報告会が部落などを調査
2006 （平成18）	8.2~3 10.13 10.19 10.20 10.21 10.21 10.25	第32回長崎県人権教育研究大会開催 第29回大分県人権教育研究大会開催 第37回佐賀県人権・同和教育研究大会開催 第31回宮崎県人権・同和教育研究大会開催 第45回福岡県人権・同和教育研究大会開催 第35回熊本県同和教育研究大会開催 第31回鹿児島県人権・同和教育研究大会開催	3.3～5 部落解放同盟第63回全国大会（東京） 4.1 舳松人権歴史館リニューアルオープン 5.28～30 部落解放第26回全九州研究集会（宮崎）	
2007 （平成19）	8.2~3 10.12 10.13 10.18 10.20 10.24	第33回長崎県人権教育研究大会開催 第30回大分県人権教育研究大会開催 第46回福岡県人権・同和教育研究大会開催 第38回佐賀県人権・同和教育研究大会開催 第36回熊本県同和教育研究大会開催 第32回鹿児島県人権・同和教育研究大会開催	3.3～4 部落解放同盟第64回全国大会（東京） 5.8～10 部落解放第27回全九州研究集会（福岡） 7.28～30 部落解放第38回全国高校生集会を佐賀県唐津市で開催 11.22 松本治一郎元委員長没40周年集会を福岡市で開催	5.14 国民投票法成立
2008 （平成20）	10.4~5 10.16 10.22 10.24 10.25 11.14	第37回熊本県同和教育研究大会開催 第39回佐賀県人権・同和教育研究大会開催 第33回鹿児島県人権・同和教育研究大会開催 第31回大分県人権教育研究大会開催 第47回福岡県人権・同和教育研究大会開催 第33回宮崎県人権・同和教育研究大会開催	3.3～5 部落解放同盟第65回全国大会（東京） 5. 部落解放第28回全九州研究集会（熊本） 8.2 部落解放・人権研究所創立40周年記念式典（大阪） 9.3「解放令5万日」記念レセプション（奈良） 10.15 石川一雄さん、国連・自由権規約委員会と意見交換	6.6「アイヌは先住民族」と国会決議
2009 （平成21）	8.5~6 10.16 10.17 10.17 10.22 10.22 10.23	第34回長崎県人権教育研究大会開催 第32回大分県人権教育研究大会開催 第48回福岡県人権・同和教育研究大会開催 第38回熊本県同和教育研究大会開催 第34回鹿児島県人権・同和教育研究大会開催 第40回佐賀県人権・同和教育研究大会開催 第34回宮崎県人権・同和教育研究大会開催	3.3～4 部落解放同盟第66回全国大会（東京） 5.29～30 部落解放第29回全九州研究集会（佐賀）	
2010 （平成22）	7.27 10.15 10.16 10.16 10.23 10.28 11.20	第35回長崎県人権教育研究大会開催 第35回宮崎県人権・同和教育研究大会開催 第49回福岡県人権・同和教育研究大会開催 第39回熊本県同和教育研究大会開催 第33回大分県人権教育研究大会開催 第35回鹿児島県人権・同和教育研究大会開催 第62回全国人権・同和教育研究大会開催（佐賀）	3.3～4 部落解放同盟第67回全国大会（東京） 5.28～29 人権社会確立第30回全九州研究集会（長崎） 9.17 松本龍環境大臣、COP10議長務める（名古屋）	
2011 （平成23）	8.4~5 10.14 10.14 10.15 10.15 10.28	第36回長崎県人権教育研究大会開催 第34回大分県人権教育研究大会開催 第36回宮崎県人権・同和教育研究大会開催 第50回福岡県人権・同和教育研究大会開催 第40回熊本県同和教育研究大会開催 第41回佐賀県人権・同和教育研究大会開催	3.3～4 部落解放同盟第68回全国大会（東京） 5.25～26 人権社会確立第31回全九州研究集会（鹿児島）	3.11 東日本大震災、三陸沖震源でM9.0 5.25 山本作兵衛の絵画・日記等がユネスコの世界の記憶に選定

年	月 日	九州における部落解放運動のあゆみ	差別事件と全国的な部落解放運動のあゆみ	県・国の動きと社会情勢
2011 （平成23）	11. 26 11. 26	第36回鹿児島県人権・同和教育研究大会開催 第63回全国人権・同和教育研究大会開催（鹿児島）		
2012 （平成24）	8. 2~3 8. 7~8 8. 8 10. 15 10. 19 10. 26 10. 27	第37回長崎県人権教育研究大会開催 第37回鹿児島県人権・同和教育研究大会開催 第37回宮崎県人権・同和教育研究大会開催 第41回熊本県同和教育研究大会開催 第35回大分県人権教育研究大会開催 第42回佐賀県人権・同和教育研究大会開催 第51回福岡県人権・同和教育研究大会開催	3. 3 全国水平社創立90周年記念集会（京都） 3. 30～31 部落解放同盟第69回全国大会（大阪） 5. 21～22 人権社会確立第32回全九州研究集会（大分）	
2013 （平成25）	8. 7 8. 22 10. 18 10. 18 10. 19 10. 19 10. 24	第38回宮崎県人権・同和教育研究大会開催 第38回鹿児島県人権・同和教育研究大会開催 第36回大分県人権教育研究大会開催 第43回佐賀県人権・同和教育研究大会開催 第52回福岡県人権・同和教育研究大会開催 第42回熊本県同和教育研究大会開催 第38回長崎県人権教育研究大会開催	3. 3～4 部落解放同盟第70回全国大会（東京） 5. 30～31 人権社会確立第33回全九州研究集会（宮崎）	6- 「子どもの貧困対策法」成立
2014 （平成26）	7. 29 8. 5~6 10. 17 10. 18 10. 18 10. 21	第39回鹿児島県人権・同和教育研究大会開催 第39回宮崎県人権・同和教育研究大会開催 第39回長崎県人権教育研究大会開催 第37回大分県人権教育研究大会開催 第53回福岡県人権・同和教育研究大会開催 第43回熊本県同和教育研究大会開催 第44回佐賀県人権・同和教育研究大会開催	3. 10～11 部落解放同盟第71回全国大会（東京） 5. 27～28 人権社会確立第34回全九州研究集会（福岡） 5. 31『SAYAMA 見えない手錠をはずすまで』全国上映開始	7. 1 集団的自衛権行使が合憲と憲法解釈を内閣決定
2015 （平成27）	8. 5 8. 5~6 10. 17 10. 17 10. 20 10. 23 10. 29	第40回宮崎県人権・同和教育研究大会開催 第40回鹿児島県同和教育研究大会開催 第54回福岡県人権・同和教育研究大会開催 第44回熊本県人権・同和教育研究大会開催 第45回佐賀県人権・同和教育研究大会開催 第38回大分県人権教育研究大会開催 第40回長崎県人権教育研究大会開催	3. 2～3 部落解放同盟第72回全国大会（東京） 5. 26～27 人権社会確立第35回全九州研究集会（熊本）	「女性活躍推進法」成立
2016 （平成28）	8. 2~3 8. 4 8. 4~5 10. 15 10. 21 10. 26 10. 28	第41回長崎県人権教育研究大会開催 第41回宮崎県人権・同和教育研究大会開催 第41回鹿児島県人権・同和教育研究大会開催 第55回福岡県人権・同和教育研究大会開催 第45回熊本県同和教育研究大会開催 第46回佐賀県人権・同和教育研究大会開催 第39回大分県人権教育研究大会開催	3. 2～3 部落解放同盟第73回全国大会（東京） 12. 6～7 人権社会確立第36回全九州研究集会（佐賀） 12. 16「部落差別解消推進法」成立	持続可能な開発目標 SDGs（2016～2030） 4- 「障害者差別解消法」施行 6- 「ヘイトスピーチ対策法」施行 12- 「部落差別解消推進法」施行
2017 （平成29）	8. 1 8. 3~4 8. 8~9 10. 20 10. 21 10. 21 10. 27	第42回宮崎県人権・同和教育研究大会開催 第42回長崎県人権教育研究大会開催 第42回鹿児島県人権・同和教育研究大会開催 第47回佐賀県人権・同和教育研究大会開催 第56回福岡県人権・同和教育研究大会開催 第46回熊本県同和教育研究大会開催 第40回大分県人権教育研究大会開催	3. 2～3 部落解放同盟第74回全国大会（大阪） 5. 30～31 人権社会確立第37回全九州研究集会（長崎）	
2018 （平成30）	8. 2~3 8. 6 8. 8~9 10. 20 10. 20 10. 20 10. 23	第43回長崎県人権教育研究大会開催 第43回宮崎県人権・同和教育研究大会開催 第43回鹿児島県人権・同和教育研究大会開催 第57回福岡県人権・同和教育研究大会開催 第41回大分県人権教育研究大会開催 第47回熊本県同和教育研究大会開催 第48回佐賀県人権・同和教育研究大会開催	3. 3～4 部落解放同盟第75回全国大会（東京） 5. 15～16 人権社会確立第38回全九州研究集会（鹿児島） 6. 6 反差別国際運動（IMADR）創立30周年記念シンポジウム（東京） 9.22～23 第4回世界ダリット会議（福岡）	
2019 （平成31） （令和元）	8. 1~2 8. 7~8 8. 8 10. 18 10. 18 10. 19 10. 19	第44回長崎県人権教育研究大会開催 第44回鹿児島県人権・同和教育研究大会開催 第44回宮崎県人権・同和教育研究大会開催 第42回大分県人権教育研究大会開催 第49回佐賀県人権・同和教育研究大会開催 第58回福岡県人権・同和教育研究大会開催 第48回熊本県同和教育研究大会開催	3. 2～3 部落解放同盟第76回全国大会（東京） 3- 福岡県部落差別の解消の推進に関する条例施行 5. 14～15 人権社会確立第39回全九州研究集会（別府）	
2020 （令和2）	10. 1- 10. 3~4 10. 17 10. 19 中止	第45回鹿児島県人権・同和教育研究大会開催 第45回宮崎県人権・同和教育研究大会開催・延期 第49回熊本県同和教育研究大会開催・延期 第59回福岡県人権・同和教育研究大会開催 第43回大分県人権教育研究大会開催・延期 第50回佐賀県人権・同和教育研究大会開催 第45回長崎県人権教育研究大会開催	6. 4 部落解放同盟第77回全国大会（書面評決）	
2021 （令和3）	7. 28 8. 4~5 8. 17 10. 30 11. 1	第46回鹿児島県人権・同和教育研究大会開催 第46回宮崎県人権・同和教育研究大会開催 第46回長崎県人権教育研究大会開催 第49回熊本県同和教育研究大会開催 第60回福岡県人権・同和教育研究大会開催 → 録画配信 第43回大分県人権教育研究大会開催 → オンライン配信	5. 27～28 人権社会確立第40回全九州研究集会（宮崎） → 録画配信 6. 23 部落解放同盟第78回全国大会（書面評決）	

年	月 日	九州における部落解放運動のあゆみ	差別事件と全国的な部落解放運動のあゆみ	県・国の動きと社会情勢
2022	8.9	第47回宮崎県人権・同和教育研究大会開催	3.3～4 部落解放同盟第79回全国大会（京都）	
（令和４）	8.22	第47回鹿児島県人権・同和教育研究大会開催	3.3 全国水平社創立100周年記念集会（京都）	2.24 ロシアによるウクライナ侵攻
	10.21	第44回大分県人権教育研究大会開催		
		第50回熊本県同和教育研究大会開催	7.8『破戒』全国上映開始	
	10.21	第54回佐賀県人権・同和教育研究大会開催		
	10.22	第61回福岡県人権・同和教育研究大会開催	11.29～30 部落解放・人権確立第41回全九州研究集会開催（北九州）	

年表の参考資料

① 『部落解放運動五十年史年表（草稿）』部落解放同盟中央本部教文部　1971年　部落解放同盟中央本部出版局
② 『水平運動史の研究』第１巻　1971年　部落問題研究所
③ 『水平新聞』復刻版　1972年　「水平新聞」刊行会
④ 『水平月報』復刻版　1985年　福岡部落史研究会
⑤ 『九州水平社創立60周年記念集会』1982年　部落解放同盟九州ブロック会議・部落解放同盟福岡県連合会
⑥ 『全九州水平社70周年　記念写真集』1993年　全九州水平社創立70周年記念集会実行委員会
⑦ 『部落解放史宮崎』第３号　1991年　宮崎県人権・同和教育研究協議会　部落史研究専門委員会
⑧ 『鹿児島県の部落解放史』1990年　鹿児島県部落史編さん委員会
⑨ 『ながさき部落解放研究』1980年　「長崎県の被差別部落史と現状」
⑩ 『大分県部落解放小史』1996年　大分県部落史研究会　恒成社
⑪ 『大分県水平社70周年誌』部落解放同盟大分県連合会　1994年
⑫ 『佐賀部落解放研究所紀要－部落史研究－』1992年　「佐賀県における水平社運動の展開」
⑬ 『アジア・太平洋戦争と全国水平社』朝治武　2008年　解放出版社
⑭ 『熊本県水平社70周年誌』熊本県水平社70周年誌編集委員会　1994年
⑮ 『福岡における解放運動　水平50年』部落解放同盟福岡市協議会　1972年
⑯ 『糸島水平社結成60周年集会』部落解放同盟糸島地区協議会　1985年
⑰ 『西鞍手水平社80周年誌』部落解放同盟鞍手地区協議会　2003年
⑱ 『全筑後水平社70周年誌』全筑後水平社創立70周年誌記念集会実行委員会　1994年
⑲ 『論集　長崎の部落史』長崎県部落史研究所　1992年
⑳ 『ほこらしゃ』奄同教結成25周年記念誌　奄美地区人権・同和教育研究協議会　2005年３月
㉑ 『生命の土』「藤本幸太郎自由への闘い」藤本幸太郎翁顕彰碑建立実行委員会　1992年
㉒ 『わがふるさとの源流を求めて』門司部落史民俗調査研究会　1993年12月
㉓ 『近代日本の水平運動と全国水平社』秋定嘉和　2006年　解放出版社
㉔ 『部落問題・人権事典』部落解放・人権研究所　1986年　解放出版社
㉕ 『近代日本の水平運動と融和運動』秋定嘉和　2006年　解放出版社
㉖ 『解放教育への軌跡Ⅱ』1991年　福岡県同和教育研究協議会
㉗ 『全九州水平社80周年誌』全九州水平社創立80周年記念・記念誌作成委員会　2003年
㉘ 『小郡水平社70周年誌』小郡水平社創立70周年記念実行委員会　1997年
㉙ 『佐賀県同教設立30周年記念誌あゆみ』佐賀県同和教育研究会　2001年11月
㉚ 『30年のあゆみ』部落解放同盟鹿児島県連合会　1974年
㉛ 『部落解放同盟佐賀県連合会創立50周年記念式』2009年　部落解放同盟佐賀県連合会
㉜ 『同和事業提要』社会局　1946年３月
㉝ 『農民組合運動史』　宮沢正男・平野力三　日刊農業新聞社

■参考文献

『部落問題・人権事典』	部落解放・人権研究所編	1986年	解放出版社
『写真記録　水平社五十周年史』	部落解放同盟中央本部編	1972年	解放出版社
『写真記録　全国水平社六十周年史』	部落解放同盟中央本部編	1982年	解放出版社
『写真記録　全国水平社七十周年史』	部落解放同盟中央本部編	1992年	解放出版社
『全国水平社創立80周年記念冊子』	部落解放同盟中央本部編	2002年	解放新聞社
『部落解放運動の歩み　100項』	部落解放・人権研究所編	2011年	解放出版社
『部落解放運動五十年史年表（草稿）』	部落解放同盟中央本部	1971年	部落解放同盟中央出版局
『水平新聞』復刻版	「水平新聞」刊行会	1972年	
『水平月報』復刻版	福岡部落史研究会	1985年	
『九州水平社創立60周年記念集会』	部落解放同盟九州ブロック会議 部落解放同盟福岡県連合会	1982年	
『全九州水平社70周年記念写真集』	全九州水平社創立70周年記念集会実行委員会	1993年	
『全九州水平社80周年記念写真集』	全九州水平社創立80周年記念集会実行委員会	2003年	
『部落解放史宮崎』第3号	宮崎県人権・同和教育研究協議会部落史研究専門委員会	1991年	
『鹿児島県の部落解放史』	鹿児島県部落史編さん委員会	1990年	
『ながさき部落解放研究』	「長崎県の被差別部落史と現状」	1980年	
『論集　長崎の部落史』	長崎県部落史研究所	1992年	
『大分県部落解放小史』	大分県部落史研究会	1996年	恒成社
『大分県水平社70周年誌』	部落解放同盟大分県連合会	1994年	
『佐賀部落解放研究所紀要ー部落史研究ー』 「佐賀県における水平社運動の展開」	佐賀部落解放研究所	1992年	
『アジア・太平洋戦争と全国水平社』	朝治武	2008年	解放出版社
『近代日本の水平運動と融和運動』	秋定嘉和	2006年	解放出版社
『熊本県水平社70周年誌』	熊本県水平社70周年誌編集委員会	1994年	
『福岡における解放運動　水平50年』	部落解放同盟福岡市協議会	1972年	
『糸島における部落解放運動の歩み』	糸島郡同和教育推進協議会研究部	1975年	
『糸島水平社結成60周年集会』	部落解放同盟糸島地区協議会	1985年	
『西鞍手水平社80周年』	部落解放同盟鞍手地区協議会	2003年	
『全筑後水平社70周年誌』	全筑後水平社創立70周年記念集会実行委員会	1994年	
『同和事業提要』	厚生省社会局	1946年3月	
『ほこらしゃ』奄同教結成25周年記念誌	奄美地区人権・同和教育研究協議会	2005年	
『福岡県部落の歴史資料　第一集』	福岡県同和教育研究協議会	1963年	
『全筑後水平社80周年誌』	全筑後水平社創立80周年記念集会実行委員会	2004年	
『小郡水平社　70周年記念誌』	小郡水平社創立70周年記念事業実行委員会	1997年	
『小郡水平社　80周年誌』	小郡水平社創立80周年記念事業実行委員会	2006年	
『私の生涯』	組坂若記	1983年	
『生命の土』「藤本幸太郎自由への闘い」	藤本幸太郎翁顕彰碑建立実行委員会	1992年	
『わがふるさとの源流を求めて』	門司部落史民俗調査研究会	1993年12月	
『人権教育啓発事業の創造を求めて ー田川水平運動70周年記念誌ー』	田川水平社70周年記念集会実行委員会	1997年	
『燃える石ー大牟田の歩んた道ー』	大牟田の歴史を考える会	1990年	
『佐賀県同教設立30周年記念誌あゆみ』	佐賀県同和教育研究会	2001年11月	
『30年のあゆみ』	部落解放同盟鹿児島県連合会	1974年	
『部落解放同盟佐賀県連合会創立50周年記念式』	部落解放同盟佐賀県連合会	2009年	
『炎のごとく』筑紫の部落解放史	部落解放同盟筑紫地区協議会	2009年	
『みいけ』闘いの軌跡	三池炭坑労働組合	2008年	
『矜持をもって』	福岡県部落出身教職員連絡会	2003年	
『京都・行橋地区協議会苦闘40年のあゆみ』	部落解放同盟京都行橋地区協議会	2006年	
『狭山事件を考える久留米市民の会』議案	狭山事件を考える久留米市民の会	2012年	

※本書の写真・資料で出典を明記していないものは、上の参考文献より引用させていただいた。ここに深く感謝の意を表します。
なお、上記以外にも多くの冊子やパンフレット等を参考にしました。

解放歌（水平歌）

柴田啓蔵

一、あゝ解放の旗たかく　水平線にひるがえり
光と使命荷いたつ　三百万の兄弟は
今や奴隷の鉄鎖断ち　自由のために戦はん

二、我らはかつて炎天下　地に足灼きしはだしの子
惨虐の鞭觸るるとき　鮮血かざる荊棘の
断頭台下露しげく　鬼哭啾々地は暗し

三、鬼神もおののく迫害や　天地も震う圧制に
魂砕き胸やぶり　恨みをこめて永えの
墳墓にさらす屍の　上に築きし奴隷国

四、櫛風霖雨千余年　九天廻る太陽も
蒼穹冴ゆる月さえも　我らのために照らざりき
狂宴乱舞に散る花も　我らのために咲かざりき

五、あゝ虐げに苦しめる　三百万の兄弟よ
踏みにじられしわが正義　奪い返すは今なるぞ
涙は憂いのためならず　決然立って武装せよ

六、一致團結死を契い　堂々正義のみちゆかん
行くて遮るものあらば　断々乎として破砕せよ
我らを阻むものあらば　一刀両断あらんのみ

七、あゝ友愛の熱き血を　結ぶ我らが團結の
力はやがて憂いなき　全人類の祝福を
飾る未来の建設に　殉義の星と輝かん

作詞した柴田啓蔵直筆の解放歌（水平歌）

全国水平社創立宣言の歴史認識に関する中央本部見解

1

全国水平社創立大会は１９２２年3月3日に京都市で開かれ、２０２２年に１００周年を迎えた。この全国水平社創立大会で可決されたのが、正式名称の全国水平社創立宣言であり略称として水平社宣言と呼ばれているこの宣言は全国水平社創立の理念を象徴し今日まで継続する部落解放運動に関する基本的認識の原点となった。そして宣言は、被差別者自身による日本で初めての〝人権宣言〟と高く評価され、国内外の多くの人びとから共感を集めてきた、日本を代表する歴史的文書である。

また宣言は、ロシア革命、民族自決論、人種差別撤廃提案などに代表される、第一次世界大戦後に平和をめざした国際協調体制の動向とともに、デモクラシー、解放、改造などに象徴される、日本における民主主義的状況の進展を反映して作成された。つまり宣言は、部落差別からの解放が普遍的価値としての平和、人権、民主主義と密接に関係していたことを、的確に表現するものであった。

さらに宣言は、全国水平社創立大会で配布された表裏１枚のビラに配列されたように、水平運動の原則を示した綱領、組織のあり方を示した則（規約）、行動の指針となた決議とは一体のものであった。とくに則の第６項が「各地方水平社ハ全国水平社綱領ニ依リ自由ノ行動ヲ取ルコト」と示したように、組織的には綱領が遵守されることになり、この綱領とともに宣言は、全国水平社にとって最も重要な基本的文書である。

2

宣言は西光万吉が起草し、平野小剣が添削したうえで、創立関係者の協議によって作成された組織的文書である。全国水平社創立大会では、駒井喜作が宣言を朗読し、拍手喝采によって綱領、則、決議とともに可決された。この宣言の原典は、全国水平社創立大会で配布されたビラであり、現在では４点の現存が確認されている。

宣言では、綱領をふまえて理念が格調高く丁寧に説明された。その綱領では、第１項で部落民自身による自主解放、第２項で経済と職業の自由の社会的獲得、第３項で人間性の原理と人類最高の完成を主張した。とくに宣言と綱領は、日付と文書主体の「水平社」において共通し、その主張された内容は密接に関係したものであった。

宣言の冒頭に置かれた大きな文字の「全国に散在する吾が特殊部落民よ団結せよ」は、これ自身が本文の一文ではなく、部落差別に集団的に対抗する呼びかけとして重要な意味をもっていた。そして本文では「吾等の為の運動」が「何等の有難い効果を齎さなかつた」と述べたように、部落改善運動と融和運動を厳しく批判した。

また「吾々の祖先は自由、平等の渇仰者であり、実行者であつた」と述べたことは、部落民が果たしてきた積極的な歴史的役割を明確にするものであった。そして「差別」という用語こそ使用されなかったものの、「虐められて来た」「人間を冒瀆」「堕落させた」「陋劣なる階級政策の犠牲者」「人間の皮を剥取られ」「人間の心臓を引裂かれ」「嘲笑の唾」など、理解しやすい表現によって部落差別が具体的に表現された。

宣言が表現する理念の第１は、「人間を尊敬する事によつて自らを解放」という人間に対する尊敬の表明であった。この水平社宣言には「人間」という用語が１０回も登場することは、綱領の第３項にある「人間性の原理」「人類最高の完成」をふまえたものであった。

理念の第２は、「エタである事を誇り得る」という部落民としての社会的自覚と誇りの強調であった。決議の第１項は部落差別を糺弾するため、あえて漢字で表記した差別語の「穢多」を使用したが、ここでは片仮名の「エタ」を使用した。この部落民としての社会的自覚と誇りは、「祖先を辱しめ」人間を冒瀆してはならぬ」「人生の熱と光を願求礼讃する」という、過去と未来を見すえた表現につながっていた。

この人間に対する尊敬と部落民としての社会的自覚と誇りという２つの理念は、部落解放の原則的主張を如実に表現し、最後には「人の世に熱あれ、人間に光あれ」という象徴的な表現で締めくくられた。この宣言と綱領をふまえ、行動の提起としての決議が示された。決議の第１項は部落差別に対する徹底的糺弾、第２項は機関誌『水平』の発行、第３項は東西両本願寺に対する闘いであり、これによって水平運動が展開されることになった。

3

このような歴史的意義を有する宣言であるが、全国水平社創立１００周年をふまえた今日的到達点からは、その歴史的制約による問題点も明らかにしておかねばならない。

第１は、まず「男らしき」という表現は部落民の力強い逞しさ、犠牲を受け入れる潔さを表現しようとしたものであったが、ジェンダー意識に関する問題を抱えていた。また冒頭の呼びかけでは、「兄弟姉妹」ではなく共に闘う同志としての「兄弟」が使われたが、確かに宣言と綱領の文脈では、部落解放の主体は女性を含む部落民全体とされ、全国水平社創立大会の演説では、男性の代表とともに女性の代表が演説した。そして翌年３月の全国水平社第２回大会では、全国婦人水平社の設立が可決され、婦人水平運動の開始につながった。しかし宣言に「兄弟」という用語が使われたということは、男性中心主義的なジェンダー意識の低さがあったことをふまえ、その克服を組織の課題として確認しておかねばならない。

第２は、元号の使用による近代天皇制に対する肯定的意識である。宣言と綱領の日付は「大正十一年三月」とされ、これは則と決議についても同様であった。初期水平社は、いわゆる「解放令」を発布した明治天皇に対して崇敬の念を抱いていた。しかしその後の水平社では、１９２０年代中頃から近代天皇制に対する批判意識が登場し、治安維持法のもとで近代天皇制は「封建的身分制」として表現されることになった。そして１９３３年の高松結婚差別裁判糺弾闘争では、いわゆる「解放令」に対する幻想を放棄し、１９３６年には全国水平社中央委員長で衆議院議員の松本治一郎が帝国議会において、「華族制度改正に関する質問」を提起し、「封建的身分制」を批判することになった。

第３は、自らを表現する言葉としての「特殊部落民」の使用についての評価である。本来的に「特殊部落民」は差別語であり、全国水平社創立時には部落民自身による自称は創出されていなかった。したがって「特殊部落民」を使用せざるを得ない側面があったが、同時に全国水平社は「特殊部落民」が差別語であることを理解しつつも、あえて被差別者が自ら名乗ることによって、部落差別に対する抗議の意志を表現しようとしたことが重要である。そして高松結婚差別裁判糺弾闘争の最中に、部落民は圧迫されているという趣旨から、全国水平社は「被圧迫部落民」を提起した。さらに戦後においては「未解放部落民」が使用され、１９６０年代中頃から今日までは「被差別部落民」、略称としての「部落民」が定着していくようになった。

4

わが部落解放同盟は全国水平社の歴史と伝統を継承した、部落解放を実現しようとする社会運動団体である。全国水平社は部落民自身による自主解放、経済と職業の自由の社会的獲得、人間性の原理と人類最高の完成を原則としつつ、人間に対する尊敬と部落民としての社会的自覚と誇りを理念として掲げた。そして全国水平社は、差別糾弾闘争、生活擁護闘争、共同闘争を果敢に展開したが、支配権力の弾圧によって戦争協力と法的消滅を余儀なくされた。

しかしアジア・太平洋戦争が終結した後の１９４６年2月１９日に部落解放全国委員会が結成され、１９５５年8月２８日には大衆団体としての部落解放同盟へと改称した。そして部落解放同盟は、これまでの差別糾弾闘争、生活擁護闘争、共同闘争に加えて、行政闘争、狭山闘争、反差別国際運動、街づくり運動、人権の法制度要求運動なども積極的に展開し、日本における平和、民主主義、人権の確立に大きな役割を果たしてきた。

このような歴史認識をふまえて、わが部落解放同盟は全国水平社創立１００周年に際し「部落解放同盟—新たなる決意」を発表した。これを具体化するにあたり、水平運動史研究の成果をふまえて宣言の歴史的意義を、今日的到達点から歴史的制約による問題点も整理したうえで確認したい。また宣言が貴重かつ重要な歴史的文書であることを尊重しつつ、使用された用語と表現については、注釈を加えて正確に理解されるように配慮した。そして部落解放運動の新たな発展を展望するため、宣言の歴史認識を深化させることを目的として、ここに中央本部見解を発表するものである。

２０２２年１２月

部落解放同盟中央本部

用語と表現の注釈

「特殊部落民」……１９００年頃に地方行政が「特種部落」として初めて使用し、政府による日露戦後の部落改善政策の開始によって、差別的な意味が濃厚な「特殊部落」が全国的に広められた。この「特殊部落民」を部落民は嫌ったが、部落差別の深刻さと憤りを表現するため、あえて部落民が使用することもあった。

「全国に散在する吾が特殊部落民よ団結せよ」……とくに「団結せよ」は、部落民が社会的な部落差別に対して社会的な集団として闘うことを訴えた重要な用語であり、マルクスとエンゲルスの『共産党宣言』から着想を得ていた。

「兄弟」……基本的に水平社の場合、共に闘う強い絆を表現する「同志」として使用されたが、女性を除外して男性のみを対象とすると理解された場合もあった。

「過去半世紀間」……いわゆる「解放令」が発布されたのは１８７１年であり、これ以降の約五十年間に、部落差別が撤廃されなかたことを強調する意味があった。

「男らしき」……力強い逞しさを意味し、これと反対語の「女らしき」は弱々しい優しさを意味した。これは男性が女性に対して優位であるとする、ジェンダー意識が反映していた。

「階級政策」……ここで表現された「階級」とは、人を価値づける一般的な意味で使用しているが、実際には近世の身分、近代の族称を意味していた。

「皮剥ぐ」……部落民が携わっていた皮革業を意味した。

「心臓を裂く」……部落民が携わっていた食肉業を意味した。

「荊冠」……キリストが処刑された際に被せられた荊の冠であるが、ここでは部落差別による受難を意味した。これをふまえて西光万吉がデザインしたのが、水平社の団体旗としての荊冠旗である。

「エタ」……本来的に「穢多」は近世の差別的身分呼称であるが、ここでは「穢れが多い」という差別語の「穢多」を拒否するため、あえて片仮名が用いられた。

「大正」……近代日本における年単位の時間を表現する元号として、天皇制を前提とする時間認識によって使用された。なお天皇制とは、人間を価値づける身分的階層秩序であり、部落差別の残存させる重要な要因のひとつである。

「水平社」……イギリスのピューリタン革命における左翼急進派の水平派から着想を得て、差別のない水平な社会を実現しようとする意味から、団体の名前として採用された。

あ と が き

10年前、『全九州水平社創立90周年誌』を作成するため福岡県内の部落解放同盟各協議会を訪問し資料提供や水平社創立についての話を聞かせてもらいました。それだけでなく、各県、各県教育委員会、各県同教、各部落解放史研究会にも資料提供をお願いして『全九州水平社創立90周年誌』を作成する事ができました。

それから10年の間に、部落解放同盟各地区協議会を再訪問し、糸島郡、鞍手郡、嘉穂郡、田川郡、朝倉郡、遠賀郡、宗像郡、粕屋郡各水平社と部落解放全国委員会、松本治一郎宛電報についての研究を進めることができました。

今回、『全九州創立水平社100周年誌』作成に当たり、いくつかの研究成果を載せることが出来ましたが、まだまだ不十分な点が数多く残りました。ぜひ、各地での研究成果を併せていただくことにより、この記念誌がよりよくなるものと確信しています。インターネット等で部落差別事件を誘発する事がないように、多くの資料で地名や住所、個人名を一部伏字にしました。ご理解のほどよろしくお願いします。

本記念誌作成に関して、下記の方々や機関･団体のご協力をいただき、ありがとうございました。また、お一人おひとりの名前を挙げていませんが、この他にも原稿作成や史資料掲載にあたってもご協力をいただいたことにお礼を申し上げます。

作成委員　塚本博和　竹永茂美

■編集

松本治一郎・井元麟之研究会

（編集担当：井上健・井上法久・関儀久・竹永茂美・塚本博和・橋本正照・森山沾一）

■写真・史資料提供

西日本新聞社
解放出版社
㈳部落解放・人権研究所
解放新聞社
嘉麻市教育委員会
法政大学大原社会問題研究所
部落解放同盟中央本部
部落解放同盟福岡県連合会・各地区協議会
部落解放同盟大分県連合会
部落解放同盟長崎県連合会
部落解放同盟佐賀県連合会
部落解放同盟熊本県連合会
部落解放同盟宮崎県連合会
部落解放同盟鹿児島県連合会
福岡県・福岡県教育委員会
大分県・大分県教育委員会
長崎県・長崎県教育委員会
佐賀県・佐賀県教育委員会
熊本県・熊本県教育委員会
宮崎県・宮崎県教育委員会
鹿児島県・鹿児島県教育委員会
三池炭坑労働組合
厚生労働省福岡労働局
福岡県部落出身教職員連絡会
部落解放共闘福岡県民会議
福岡県人権・同和教育研究協議会
大分県人権教育研究協議会
長崎県人権教育研究協議会
佐賀県人権・同和教育研究協議会
熊本県人権教育研究協議会
宮崎県人権・同和教育研究協議会
鹿児島県人権・同和教育研究協議会
福岡市企業同和問題推進協議会
福岡県隣保館協議会
大分県隣保館協議会
佐賀県隣保館協議会
熊本県隣保館協議会
鹿児島県隣保館協議会
福岡県教職員組合
長崎県教職員組合
公益社団法人　福岡県人権研究所
佐賀部落解放研究所
ＮＰＯ長崎県人権研究所
熊本県部落解放研究会
大分県部落史研究会
ガレリア・西友共同
東映株式会社
松本龍
井元和之
大阪人権博物館（リバティおおさか）
水平社博物館
岡本隆

2023年10月１日第１刷

発　行　者　部落解放・人権確立第42回全九州研究集会実行委員会
実行委員長　組坂　繁之
連　絡　先　公益社団法人福岡県人権研究所
〒812－0046　福岡市博多区吉塚本町13－50　福岡県吉塚合同庁舎４階
TEL 092－645－0388　FAX 092－645－0387　URL http://www.f-jinken.com/
企　　　画　全九州水平社創立100周年記念誌作成委員会・公益社団法人福岡県人権研究所
印刷・製本　城島印刷株式会社
〒810－0012　福岡市中央区白金２丁目９番６号
TEL 092－531－7102　FAX 092－524－4411
出　　　版　公益社団法人福岡県人権研究所
〒812－0046　福岡市博多区吉塚本町13－50　福岡県吉塚合同庁舎４F
Tel（092）－645－0388　FAX（092）－645－0387

ISBN978－4－910785－15－8　C3036